D0892808

Le temps d'y voir

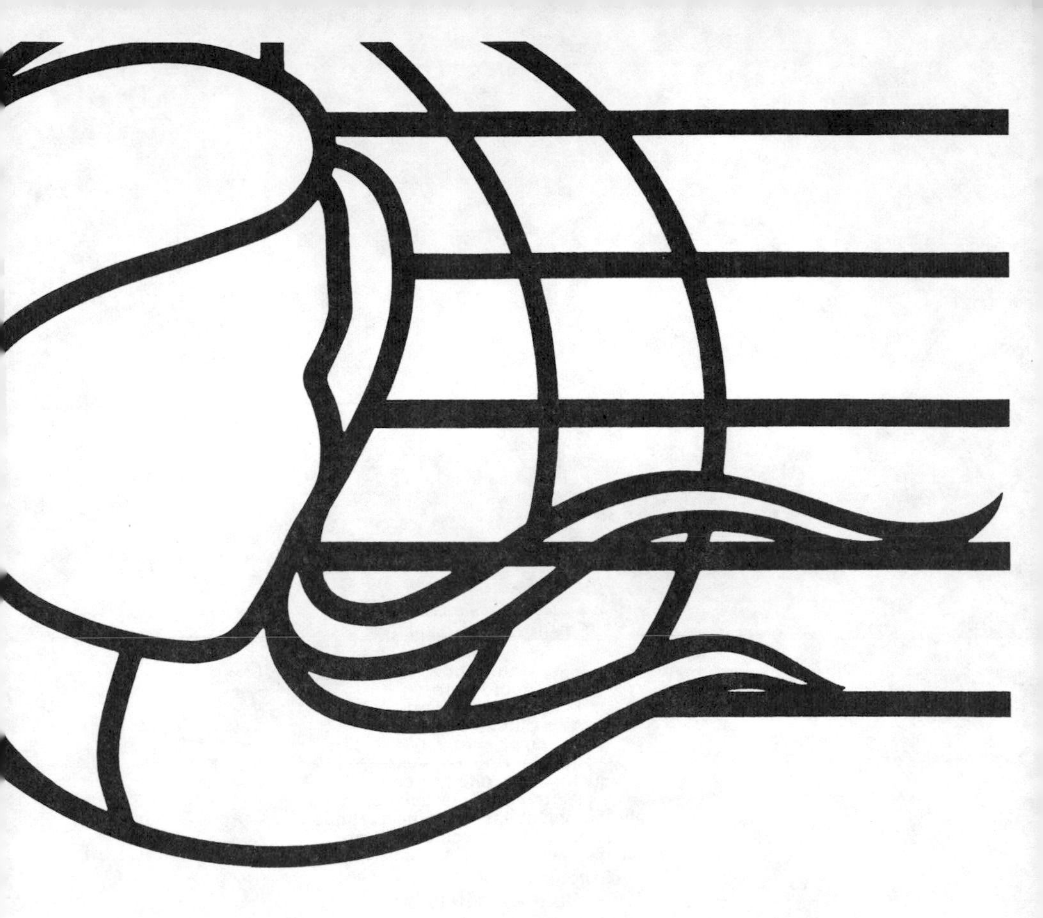

Le temps d'y voir

recueil de textes présentés à
la *Conférence internationale sur la situation des filles,* Montréal,
octobre 1985.

Sous la direction de
Marguerite Séguin Desnoyers
Présidente du comité organisateur.

Dépôt légal, 2e trimestre 1986
ISBN-2-7601-1515-1
Bibliothèque nationale du Québec
Bibliothèque nationale du Canada
IMPRIMÉ AU CANADA

Maquette de couverture: Serge Damphousse

Table des matières

Préface

Le temps d'y voir

par Marguerite Séguin Desnoyers
Présidente du Comité organisateur

A travers le monde, de nombreux organismes ont voulu souligner l'Année internationale de la Jeunesse et la dernière Année de la Décennie des Femmes. Des rencontres, des colloques, des conférences, des symposiums ont été tenus pour traiter des problématiques propres à ces deux groupes-cibles. C'est dans ce cadre que s'est inscrite la Conférence internationale sur la situation des filles, LE TEMPS D'Y VOIR, organisée à Montréal, les 29, 30 et 31 octobre 1985, par la Fondation Marie-Vincent et l'Université de Montréal.

Un mot sur la Fondation Marie-Vincent

Nul besoin de présenter l'Université de Montréal qui a participé activement à la préparation du programme de cette Conférence, elle est universellement connue et reconnue. Il n'en est pas de même de la Fondation Marie-Vincent qui est à l'origine de ce projet et qui, malgré ses faibles moyens, a réussi ce tour de force inconcevable de rassembler près de neuf cents participants(es) autour du thème de la situation des filles. Cette Fondation est rattachée à un Centre de services de réadaptation qui s'occupe, depuis plus de vingt ans, de filles présentant des problèmes importants de mésadaptation socio-affective.

Mise en place en 1975, elle a comme objectifs principaux de favoriser l'insertion sociale des filles du Centre Marie-Vincent, de sensibiliser la communauté aux besoins de ces filles et d'engager cette communauté dans des actions complémentaires à celles du Centre. Au cours des dernières années, cette Fondation a organisé diverses manifestations reliées immédiatement à ces objectifs. L'Année internationale de la Jeunesse lui a donné l'idée d'élargir son champ d'intérêt à toutes les filles et ceci parce que l'expérience démontrait que les filles de Marie-Vincent qui devaient s'insérer dans les divers milieux n'étaient pas à ce point différentes des autres filles, qu'elles étaient confrontées aux mêmes difficultés et qu'elles rencontraient les mêmes obstacles.

La Fondation, dès 1984, décida donc de réunir à Montréal, à l'occasion de l'Année de la Jeunesse et de la dernière année de la Décennie des Femmes telle que proclamée par l'O.N.U., ceux et celles qui étaient intéressés(es) à faire le point sur ce sujet, à partager les expériences déjà en place pour améliorer la situation des filles et à dégager des éléments de prospective susceptibles d'ouvrir des voies nouvelles pour l'avenir. La Fondation décida, dès le départ, de restreindre la participation à l'Amérique du Nord et à l'Europe de l'Ouest, consciente que les filles des autres parties du monde vivent des situations trop différentes et parfois incomparables à celles des filles de l'Occident, du Canada et des États-Unis.

Ce projet très ambitieux souleva l'enthousiasme des milieux consultés: - universités, groupes de recherche, organismes sociaux, groupes de femmes - et la participation de nombreux secteurs publics et privés du Québec et du Canada. Tous voyaient la nécessité de s'arrêter à la situation faite aux filles et reconnaissaient qu'il était TEMPS D'Y VOIR.

C'est donc à cette petite Fondation que revient le mérite de la mise en place de cet événement qui, nous le croyons, a été majeur dans cette Année internationale de la Jeunesse. Il nous paraît important de le souligner et de lui rendre hommage pour son courage, sa clairvoyance et son intérêt pour les filles du Centre Marie-Vincent et toutes les autres. Il faut aussi souligner l'appui très précieux de l'Université de Montréal qui a prêté son prestige et ses chercheurs(es) à cette aventure qui pouvait sembler téméraire à d'aucuns mais qui a connu un très grand succès.

La situation des Filles

De nombreuses études et enquêtes ont fait ressortir la situation très particulière des filles et ont donné l'alarme pour que des changements majeurs interviennent rapidement pour modifier les règles actuelles du jeu qui menacent leur avenir. Il ressort, en effet, que les filles boudent encore les secteurs les plus prometteurs pour l'avenir: technologie, électronique, informatique, environnement, génie, sciences et mathématiques. Majoritairement, elles optent encore pour les sciences humaines, les sciences para-médicales, le secrétariat et l'éducation, domaines traditionnellement considérés comme féminins et qui seront les plus touchés par le "virage technologique". Elles risquent d'être les plus grandes perdantes du futur et de se retrouver, à l'heure de leur maturité, sans emploi ou dans des emplois mal protégés et mal rémunérés, ce qui affectera leur niveau de vie et leur image personnelle.

Or, et cela les études et recherches le prouvent également, les filles ne sont pas conscientes de ce qui les attend et ne sont pas assez aidées à orienter différemment leurs choix de travail et de carrière. Plus encore, elles sont persuadées que leur futur n'est pas menacé. Elles rêvent du Prince charmant et de tout ce qu'il promet: mariage stable, amour, enfants, maison de banlieue, voyages exotiques, etc., etc. On ne peut certes reprocher aux jeunes de rêver d'un avenir idéal mais il ne faut pas que ces rêves masquent la réalité et les empêchent de s'engager dans les voies de la réussite.

Telles sont les préoccupations qui ont motivé la Fondation et influencé l'organisation de la Conférence et le choix des présentations.

Une conférence féministe?

Les thèmes de la Conférence, la présence de nombreuses femmes qui ont mené et mènent encore des batailles importantes pour faire avancer la cause des femmes ont fait dire à des journalistes et à des analystes qu'il s'agissait d'un rassemblement féministe. Si parler des filles d'aujourd'hui, de la société qui doit et devra rencontrer leurs aspirations, des structures qui entravent la réalisation de leurs espérances crée un lien avec le Féminisme, alors oui, cette Conférence s'inscrivait dans ce mouvement. En effet, elle s'est inspirée des travaux qui ont été menés pour faire accéder les femmes à l'égalité et à l'autonomie et a développé des thèmes qui sont ceux des jeunes femmes d'hier et de demain: corps, santé, loisirs, sports, valeurs, modèles, culture, travail, sexualité, pouvoir, etc.

Les participants(es) se sont longuement interrogées sur la valeur et la pertinence de l'héritage que recevront les filles d'aujourd'hui, héritage qui a une valeur qu'on doit reconnaître et accepter; qui constitue le fonds auquel se grefferont les acquis du futur quels qu'ils soient; qui établit le lien avec les générations antérieures qui ont fait les premiers gains, péniblement et souvent sans reconnaissance officielle, qui reconnaît la filiation. A la suite de Benoite Groult, plusieurs leur ont recommandé de ne pas "...oublier que les droits pour les femmes ne sont jamais acquis mais que ce sont des cadeaux qui peuvent être repris à tout moment, selon la conjoncture", tout en reconnaissant que les jeunes devront mener des combats différents compte tenu de leurs caractéristiques particulières et des changements opérés dans la société. La plupart d'ailleurs étaient très optimistes quant aux potentialités de ces jeunes qui leur permettront, à leur façon, de défendre leurs droits et leur place.

Impacts de la Conférence

Quelles seront les suites de cette Conférence? Comment assurer que tous ces travaux produiront des effets à court et à long terme? La publication des textes est un premier pas, en ce sens qu'elle permet de diffuser à un public plus large ce qui a été présenté à la Conférence même.

Par ailleurs, une initiative conjointe du ministère de l'Éducation du Québec et de la Conférence a donné lieu à la création d'un guide pédagogique qui, à l'automne 1985, a été distribué dans toutes les écoles secondaires francophones du Québec. Ce guide reprend cinq thèmes majeurs de la Conférence: amour, enfants, travail, autrui et soi et, à l'aide d'exercices, invite les jeunes, garçons et filles, des cours secondaires III, IV et V à réfléchir sur leurs attitudes, leurs projets d'avenir, leur rôle présent et futur. Il faut espérer que ce guide rejoigne un grand nombre de jeunes et contribue à changer des mentalités et à inspirer de nouveaux projets.

La Fondation Marie-Vincent, pour sa part, ne pense pas son travail terminé. Elle veut promouvoir des activités qui vont continuer ce que la Conférence n'a fait que lancer. Elle veut être présente là où la situation des filles devrait être discutée et améliorée. Elle n'a pas encore déterminé les formes de son intervention future mais, si elle a pu organiser cette Conférence internationale, elle saura sûrement trouver des moyens nouveaux et audacieux pour intervenir dans les divers lieux où se joue l'avenir des filles.

Présentation des textes

Ce livre regroupe la majorité des textes présentés à la Conférence. Nous avons cru bon cependant de garder l'ordre adopté à la Conférence même plutôt que de réaménager les textes par sujets ou par thèmes.

Nous voulons remercier les auteurs(es) qui ont accepté d'accorder l'exclusivité de leur texte à cette publication et de verser leur redevance au profit de la Fondation Marie-Vincent.

Marguerite Séguin Desnoyers
Présidente du Comité organisateur

Time for action

Several organizations throughout the world whished to underline the International Youth Year and the last year of the Decade of Women by means of meetings, discussion groups, conferences, symposiums, on problems relevant to these two target-groups. The International Conference on the status of girls TIME FOR ACTION was thus organized in Montreal, october the 29th, 30th and 31th of 1985 by the Fondation Marie-Vincent and the University of Montreal.

One word on the Fondation Marie-Vincent

Unlike the University of Montreal that is worldly known and reknown and who took part in the preparation of the Conference, the Fondation Marie-Vincent is not, but has nevertheless succeeded, despite its small resources, to bring together nearly nine hundred participants to discuss about the status of girls. The Fondation is affiliated to the twenty-year old Rehabilitation Center Services for girls with problems of social-affective unadaptation. Established in the year 1975, the Fondation aims mainly at facilitating the social insertion of girls and at bringing the community to initiate complementary actions. During the past years, the Fondation has organized many demonstrations directly related to these objectives. The International Youth Year prompted the Fondation to become interested also in all of the girls, because the experience with the girls from the Centre Marie-Vincent has proven that they are not so different from other girls and that all of them have to face the same problems and the same drawbacks. Consequently, the Fondation decided, in the year 1984, during the International Youth Year and the last year of the Decade of Women, to gather all of those who were interested to state the position on the subject, and to share the existing experience of improvement in the status of girls and forsee new openings for the future. The Fondation stated then that participants should be limited to those of North America and Western Europe, being aware that the status of girls in these parts of the world is truly different from the status of girls in the western world, Canada and the United States.

This ambitious project has been given a warm welcome from all the groups contacted: universities, research groups, social organizations, women groups and many private and public sections of Quebec and Canada joined it also. Everyone recognized the need to look into the problem of the status of girls and admitted that it was TIME FOR ACTION.

We must therefore give all the credit to this humble Fondation for the creation of this major event during the International Youth Year. We feel important to underline it and to pay tribute to its courage, its discernment and its interest for the girls of the Centre Marie-Vincent and for all of the other girls, not to mention the strong support the University of Montreal has imparted to this daring yet successfull adventure, through its prestige and some of its researchers.

The Status of girls
Several studies ans inquiries have brought out the peculiar character of the status of girls and have signaled major changes to be brought about rapidly to modify the actual rules that are a threat to their future. It shows, for instance, that girls are leaving behind the most promissing sectors of the future: technology, electronics, computers, environment, engineering, sciences and mathematics. The majority of them still choose to study teaching, nursing, human sciences, secretariate, branches that are traditionnally considered to be the field of women and that will be most affected by the technological changes. Women are likely to be the great loosers of the future and to end up being unemployed or earning low salaries, which would result in lowering their standard of living and their personal image.

Studies have also demonstrated that girls are not aware of what they can expect if they are not ready to make the right choice of carreer, and that they are convinced that their future in not threatened. They still dream of Prince Charming with all his promisses: stable marriage, love, children, suburban house, foreign trips, etc. No one can blame them to dream of ideals of the past, but those dreams must not hide reality and stop them from getting involved into the way to success.

Such are the concerns which motivated the Fondation and influenced the themes of the Conference and the choice of the subjects.

A feminist Conference?
The themes of the Conference and the large number of women involved in the struggle for the advancement of the cause of women gave the impression that it was a feminist gathering. If one thinks that the mere fact of talking about the problems of girls or about the kind of society that best fits their aspirations, or about the structures that impede their hopes, is feminism, then indeed the Conference fits right into that movement, because it goes along with the idea of giving equality and autonomy to women and has developed themes which are those of young women of to-day and to-morrow: body, health, spare-time activities, sports, values, patterns, culture, work, sex, power, etc.

Participants questioned the value and the pertinence of what young women of to-day were to inherit. This heritage has its unquestionable value which constitutes the fondation for future acquisitions to be added to, and the link with previous generations that made the first acquisitions, painfully and without acknowledgment most of the time, and makes up for filiation with them. Many think, like Benoîte Groult, that young women "ought never forget the fact that the rights for women are nothing but gifts that can be taken back any time", but, on the other hand, that the young generation of girls will have other means of fighting for the protection of their rights and place, because they have new possiblilities and openings in society.

Impacts of the Conference

What can we expect from that Conference? What can we do to see that the workshop will have short and long-term effects? We thought that issuing the texts presented at the Conference could be a first step towards this objective, because it seemed to be a good way to present to a larger public what had been said at the Conference.

Besides, The Ministère de l'Éducation du Québec together with the Conference created a pedagogical guide which has been distributed to all french Secondary Schools throughout the Province of Quebec. This guide reproduces five major themes of the Conference: love, children, work, oneself and other people, and comes out with exercices that are meant to help students, boys and girls of Secondary III, IV and V to think over their attitudes, their plans for the future and their role in the present and in the future. We do hope that this guide will help change the mentalities and build new projects.

The Fondation Marie-Vincent wishes to go along with its work and promote activities that should be an extension of that Conference, and is convinced that if it were possible to organize that International Conference, it is also possible to find other ways to be present wherever the future of girls is involved.

Presentation of the texts

This book includes most of the texts presented at the Conference and listed in the same order, rather than by subjects or themes.

We would like to thank authors who have kindly released their texts to be published, along with the profits of their royalties to the benefit of the Fondation Marie-Vincent.

La prochaine décade pour les femmes

par Benoîte Groult

Je ne voudrais surtout pas que cette rencontre démarre sous le signe de l'échec ou du défaitisme, sous prétexte que la Conférence de Nairobi n'a pas débouché sur un bilan de victoire. À Mexico en 1975 pour le début de cette Décennie de la Femme, puis à Copenhague en 1980, les Conférences avaient déjà frisé le fiasco par excès de politisation. Et comment pouvait-il en être autrement avec les thèmes retenus pour ces rencontres: "Égalité, Développement et Paix?" C'étaient là trois sujets très généraux, qui répondaient moins à une volonté d'efficacité qu'à un souci d'équilibre entre les préoccupations des différents pays.

Il était fatal que les Délégations de blocs aux intérêts aussi contradictoires que ceux des Occidentaux, des Pays de l'Est, des Non-alignés ou des Pays en Voie de Développement s'enlisent dans des considérations politiques ou des débats spécifiques, (tels que des problèmes de religions par exemple), sans aborder les vraies questions qui concernent les femmes.

Mais je ne vois pas tellement d'exemples de Conférences Internationales - non féminines disons... - qui aient débouché sur des résultats que nous puissions envier. Ne parlons pas des innombrables rencontres sur le Désarmement, sur les Droits de l'Homme, la limitation des armes nucléaires, ou toute autre question d'intérêt général. (Il est habituel de ne pas considérer les femmes comme un sujet d'intérêt général...) Je vois mal par quel consensus miraculeux dix mille femmes, venues d'horizons totalement étrangers les uns aux autres, les unes luttant pour mettre fin à telle ou telle injustice dans la Loi, les autres en étant encore à chercher comment exister dans leur société, comment apparaître comme autre chose qu'une bête de somme et de reproduction, je vois mal sur quelles bases elles auraient pu élaborer une Déclaration commune qui satisfasse l'ensemble des Déléguées.

Ce qui compte, ce qui rend malgré tout positive cette Conférence, c'est que nombre de femmes aient pu prendre la mesure de l'exploitation, de l'oppression subie par un si grand nombre d'entre elles, dans un si grand nombre de pays.

C'est aussi que les médias aient été amenés par les obligations de l'actualité à braquer leurs projections sur tel ou tel scandale qui concerne les femmes et dont on ne parle jamais en temps normal.

C'est enfin qu'un peu partout on ait pris conscience, à l'occasion de reportages, d'interviews, de ce qu'est encore la condition feminine. Des femmes du Sénégal, du Mali, de l'Inde par exemple, ont enfin pu bénéficier d'une tribune mondiale pour exprimer leurs angoisses et leurs espoirs. Nombreuses ont été les Associations féminines venues à Nairobi et qui ont avoué avoir découvert la réalité de la vie quotidienne des Africaines par exemple, qui n'ont jamais eu la possibilité de s'exprimer, sinon par des organes officiels et dans un langage conventionnel.

Pour citer un exemple, on sait que ce sont elles, ces femmes africaines, qui produisent entre soixante et quatre-vingt pour cent de la nourriture consommée par leurs familles. Je ne parle pas bien sûr de cultures d'exportation vers les pays industrialisés mais de ce qui sert à la survie quotidienne. Or les pays riches investissent des sommes considérables pour des programmes de Développement agraire ou scolaire ou technique, qui ne parviennent **jamais** jusqu'aux femmes. Elles labourent, sèment et récoltent d'une manière totalement primitive et sans bénéficier d'aucun de ces programmes d'aide internationale. À ce point de vue, Nairobi aura permis un début de prise de conscience. Des idées nouvelles y ont été exprimées. On sait aujourd'hui que si les femmes africaines pouvaient bénéficier à part égale des Programmes éducationnels, si leur travail était reconnu et valorisé par leur Communauté, la famine pourrait être notablement réduite dans la plupart des pays frappés.

Et en fait, il s'agit là d'un phénomène dans lequel toutes les femmes devraient se reconnaître: ce phénomène qui fait que la société - les sociétés en général - ne considèrent pas la contribution des femmes à la survie de leur famille comme un TRAVAIL. Il est ignoré, non chiffré, méprisé à la limite.

On a dit en 1968: "Sous les pavés, la plage"; on pourrait dire aussi bien: "Sous les traditions, la femme." Une femme qui n'a encore nulle part été reconnue comme un être humain tout à fait égal à l'homme.

Pour revenir plus précisement au sujet de cette Rencontre: "La prochaine Décade pour les Femmes", je voudrais souligner à quel point il me semble important pour elles de ne pas se laisser tenter par le repliement sur elles-mêmes, l'individualisme, l'abandon de l'action commune, comme les plus jeunes ont tendance à le faire aujourd'hui. Le seul moyen, non seulement de progresser, mais de maintenir l'acquis, c'est de rester solidaires. Et malheureusement la solidarité féminine n'est plus un thème qui fait recette. On considère que c'est une expression passée de mode. Et toutes sortes de groupes ont intérêt à voir s'atténuer ou disparaître cette conscience commune de l'injustice qu'ont eue les femmes depuis une cinquantaine d'années et qui est à la source de toutes les libertés qui ont été conquises.

Les femmes des années cinquante ou soixante se sentaient, se savaient, des femmes LIBÉRÉES ou en voie de libération.

Les filles des années soixante-dix ou quatre-vingt sont nées LIBRES, se croient libres pour toujours et qu'il ne reste plus rien à négocier ou à conquérir. Le mot LUTTER les fatigue d'avance. Il est démodé. Elles sont saturées, non pas par leurs combats, puisqu'elles n'ont pas eu à se battre - tout leur est tombé tout cuit dans le bec - mais saturées par les récits d'Anciens Combattants, de leurs mères, tout comme les enfants de 14 à 18 l'étaient par les récits de leurs pères durant la Grande Guerre.

Pourtant, toutes ces acquisitions sont récentes donc fragiles. Plus de chemin a été parcouru par les femmes sur la voie de l'émancipation en trente ans qu'en trente siècles. Les femmes de ma génération le savent qui ont connu AVANT et APRÈS.

J'ai été majeure - à une époque où la majorité était à vingt et un ans - sans avoir le droit de vote, ni celui de toucher des allocations familiales ou d'ouvrir un compte en banque sans autorisation maritale etc., et ne parlons pas du droit à la contraception et à l'avortement. Ce temps-là paraît aujourd'hui faire partie de la préhistoire... Et les filles d'aujourd'hui ne se rendent pas toujours compte qu'elles récoltent passivement ce que leurs aînées ont semé en des temps où il était difficile et mal vu d'être féministe, où il fallait braver le qu'en-dira-t-on, compromettre sa vie familiale, être ridiculisée dans la presse et mise au ban de la société. Parfois même guillotinée comme Olympe de Gouges en 1793, pendant cette fameuse Révolution Française qui réservait Liberté, Égalité et Fraternité aux seuls hommes: Le Procureur Chaumette écrivait tranquillement au lendemain de son éxécution: "Rappelez-vous l'impudente Olympe de Gouges! Cette conspiratrice a voulu oublier les vertus qui conviennent à son sexe pour se mêler des affaires de la République. Et cet oubli l'a conduite à l'échafaud!".

Quel aveu! Une femme qui quitte son foyer pour faire de la politique, c'est-à-dire pour tenter de changer sa condition, mérite la mort!

C'était il y a deux siècles, il est vrai. Et il est vrai que le temps n'est plus aux grandes actions symboliques, aux déclarations de principes fracassantes. Aujourd'hui, les principales victoires sont remportées, mais curieusement les faits résistent encore et les mentalités évoluent moins vite que les lois. On assiste même à une sorte de vague de reflux. Et cela pour plusieurs raisons:

D'abord les filles d'aujourd'hui sont trop jeunes encore pour s'être heurtées à la discrimination toujours présente, au rapport de forces qui tend régulièrement à se rétablir, dans la société comme dans le couple, au profit de l'homme.

Ensuite, elles sont à l'âge de la séduction. Or la profonde mutation des femmes du XXe siècle, leur indépendance économique, leur liberté sexuelle, posent des problèmes de cohabitation, de tolérance, à des mâles qui, depuis des millénaires vivent, écrivent, légifèrent, gouvernent ou créent dans un type de société patriarcale où leur suprématie n'a JAMAIS été mise en doute.

Après dix ans de surprise, d'un certain éblouissement devant les premières percées féminines, l'angoisse est apparue. Un peu partout, dans les médias comme dans le public, on assiste à un travail de sape, (auquel trop de femmes se prêtent d'ailleurs), pour exorciser ce malaise relationnel dont une fois de plus on les rend - ou elles se croient - responsables. On ne compte plus les sondages et les enquêtes, même

dans les magazines féminins qui ont défendu traditionnellement la cause des femmes - je ne parle pas des magazines féministes, il n'en existe plus en France depuis la disparition ou la trahison de F", - on ne compte plus les déclarations rassurantes, les reculs théoriques, les appels à la féminité qu'on oppose au féminisme comme si l'un excluait obligatoirement l'autre.

Les titres sont éloquents: "OUF, le féminisme c'est fini, vive la Féminité", ou bien dans Elle le mois dernier: "Le féminisme agressif, c'est terminé, les droits sont acquis, on peut passer à autre chose." (Autre chose mais quoi? Cela on ne nous le dit jamais!) Le journal conclut en se demandant si, "en obtenant les libertés, les femmes n'ont pas fait un marché de dupes?"

Et ça, c'est une notion dangereuse, une idée-piège, pour endormir les méfiances, les vigilances et perpétuer cette chère vieille société patriarcale qui a fonctionné si longtemps à la satisfaction générale, c'est-à-dire tant que les femmes ont gardé le silence. Cette grande opération de mise au rencart du féminisme s'opère grâce à toutes sortes de complicités, dont celle, très souvent, des psychologues, des sociologues, des écrivains et écrivaines. On lit et entend un peu partout que les femmes qui réussissent dans leur profession échouent dans leur vie sentimentale ou familiale; que les émancipées sont de mauvaises joueuses ou des frustrées, ce qui est d'ailleurs totalement faux. De récents rapports ont démontré statistiquement qu'au contraire plus une femme était évoluée, indépendante, plus elle s'épanouissait dans sa vie sexuelle. Mais la littérature préfère nous montrer des héroïnes brillantes, libres et riches mais qui échouent lamentablement en amour ou bien vivent dans la solitude. Je pense aux personnages de Françoise Dorin, de Christiane Collange, de Mariella Righini, aux derniers essais d'Annie Leclerc, d'Annie Brun et de tant d'autres.

Enfin, le féminisme pâtit également de la situation économique. Le seul terme de CRISE ÉCONOMIQUE agit comme une formule magique qui semble rendre futiles ou secondaires toutes les revendications féminines. Ce qui entraîne une sorte de démobilisation des femmes, de renoncement à la lutte. Il ne viendrait à l'idée d'aucune d'entre elles bien sûr de renoncer aux droits acquis par les militantes d'hier, ils sont devenus partie intégrante d'une vie NORMALE, mais elles rejettent toute idée de lutte ou de désaccord avec les hommes, par manque d'information, par manque de temps, par une certaine passivité aussi qui leur vient encore de leur éducation. On a dit que "les femmes d'hier s'étaient battues contre des soudards et que les femmes d'aujourd'hui ne trouvent plus devant elles que des déserteurs!" C'est par peur de cette désertion, qui plane comme une menace complaisamment entretenue, que beaucoup de filles préfèrent lâcher du lest et se refugier dans la protection fut-elle illusoire qui découle du contrat sexuel et du partage des rôles.

Et puis, comme si tout se liguait, il y a la situation démographique des pays industriels qui inquiète les économistes et le pouvoir et qui tend à replacer les femmes dans leur tradition maternelle.

Mais ce serait une erreur gigantesque de céder à ces pressions ou même à ces tentations. D'oublier que les droits pour les femmes ne sont jamais acquis mais que ce sont des cadeaux, qui peuvent être repris à tout moment selon la conjoncture. D'oublier aussi le plus grave: à savoir que la situation des femmes dans le monde régresse, loin de s'améliorer. Toutes les morales, toutes les religions contribuent à cette régression, que ce soit la morale catholique, islamique, juive, hindoue, fasciste, ou communiste. Les exemples sont innombrables. Droit à l'avortement supprimé en Roumanie, (Déclaration obligatoire des règles, contrôles-surprise); aux États-Unis, vingt-six attentats contre des cliniques d'IVG en 1985, THE SILENT SCREAM, l'ERA repoussé.

En Italie, le Ministre de l'Intérieur vient de décider, malgré les protestations des féministes, d'obliger les femmes mariées à porter le patronyme de leur époux sur leur passeport et leur carte d'identité, sans bien sûr la réciproque.

En France, le projet déposé par Me Colette Auger au Parlement pour autoriser le double nom pour les enfants, comme en Espagne, projet défendu par Yvette Roudy, a été repoussé, par le Sénat bien sûr.

Mais il n'y a pas que les lois; le climat social a lui aussi son importance. Je donnerai quelques exemples concernant la France, en cette période qu'on cherche à décrire comme l'APRÈS-FÉMINISME. J'aimerais évoquer par exemple les formes hypocrites de retour à l'image de la femme-objet traditionnelle, notamment dans les médias. On constate à la télévision et plus encore à la radio, une tendance à choisir des voix dites féminines, c'est-à- dire à la fois niaises, puériles et jouant sur l'élément charme plus que sur celui de la compétence. Comme animatrices, les femmes servent de faire-valoir, sont chargées de rire aux plaisanteries de leurs partenaires masculins et d'apporter grâce et légèreté à l'émission, tandis que les hommes assurent l'information sérieuse. On retourne ainsi aux rôles traditionnels et la féminité est récupérée par un habile détour: on fait jouer à l'élément féminin qui a réussi à pénétrer dans les bastions masculins, le rôle qu'il jouait au XIXe dans les salons ou les dîners. Et bien des femmes qui refusent ce personnage dans le privé se retrouvent ainsi coincées dans leur vie professionnelle.

Autre exemple de ce climat larvé d'antiféminisme: la résistance passive opposée à la féminisation des noms de métier. Nous en parlerons sûrement plus en détail au cours de ces journées mais il est significatif d'observer à quel point les Français renâclent à féminiser des mots aussi simples qu'Avocat, Directeur ou même Député, qui ne présentent aucune difficulté sur le plan linguistique. La résistance n'est pas dans les mots, elle est dans les têtes, dès qu'il s'agit de fonctions de prestige et de pouvoir. Cette résistance, on la voit aussi à l'oeuvre en Russie soviétique, où les femmes bénéficient de droits civiques égaux et ont accès aux mêmes écoles et aux mêmes métiers que les hommes, mais restent chargées de la quasi-totalité des tâches domestiques. Fait qui démontre à quel point le changement des rôles familiaux est un processus difficile, sur lequel vient buter tout changement des structures qui oppressent les femmes.

Enfin, et c'est de loin le plus grave, pour des millions de femmes dans le monde les portes sont en train de se refermer.

Dans les pays où l'intégrisme triomphe - et l'on sait qu'il gagne aujourd'hui du terrain - elles ont dû reprendre le Tchador, rentrer au foyer et se soumettre au mode de vie subalterne prévu par l'Islam. En Algérie même, pays qui se dit progressiste, les femmes sont de nouveau voilées et ne parviennent pas à faire voter ce fameux code de la famille promis depuis l'indépendance.

De même en Égypte, la loi Djihane Sadate votée en 1979, a été abolie; la polygamie officiellement rétablie n'est plus un motif de divorce. On connaît les efforts du Président Moubarak pour éviter l'emprise des intégristes sur la jeunesse égyptienne. Mais les jeunes filles, par on ne sait quel aveuglement, sont les premières à vouloir retourner à l'ordre ancien et dans leurs refus de l'Occident, rejettent en bloc toutes les libertés. Dans ce pays qui passait pour l'un des plus évolués du monde arabe, on vient d'interdire "Les Mille et Une Nuits"!

Enfin, le plus tragique: des mutilations sexuelles sont infligées à un nombre croissant de petites filles et d'adolescentes, dans plus de 26 pays. Même si, à la suite du colloque de l'OMS à Khartoum les délégués ont reconnu que ces pratiques étaient dramatiques pour la santé et la fécondité des femmes...Même si l'UNICEF, enfin émue par les plaintes répétées des mouvements féministes un peu partout dans le monde, (Fran Hosken) tente un programme d'éducation sanitaire et sociale...Même si certains pays, comme le Kenya, ont récemment déclaré illégales ces mutilations, le poids des traditions est si lourd que ces décisions restent pour ainsi dire lettre morte, faute d'information des femmes, faute d'une vraie volonté politique chez les dirigeants et les chefs religieux; faute de solidarité féministe aussi. À Nairobi, on a préféré parler de néo-colonialisme au lieu de rechercher les solutions possibles. Tout se passe comme si les problèmes féminins étaient laissés à l'appréciation de chaque communauté et ne relevaient pas des droits de l'homme. Le mot est d'ailleurs significatif. On jette un voile de silence pudique sur ces questions, notamment quand il s'agit de pratiques sexuelles.

C'est Edmond Kaiser, par exemple, qui vient de dénoncer, au cours d'une Conférence de presse à Genève, le scandale de ces petites filles indiennes qu'on appelle des Davadasis. Selon une enquête effectuée sur

Les filles et le phénomène de la génération

par F. Collin

Après avoir analysé la question de la **transmission** qui ne peut être passage d'un objet d'une génération à l'autre mais exige une saisie active et sélective de la part de la nouvelle génération (avec tout ce que cela comporte de nouveauté et d'imprévisible), nous étudierons les principaux aspects du monde **post-moderne** engendré par les **nouvelles technologies** et la **crise**. Nous montrerons comment les **luttes sociales** ne peuvent plus y avoir le même visage que par le passé.

Dans ce contexte nous nous demanderons quelles sont les chances du **féminisme** s'il veut surmonter le fossé des générations et répondre à l'exigence de la nouvelle société. Nous montrerons comment dès son origine en soixante/soixante-dix il a comporté des **éléments modernes et des éléments post-modernes**. Et nous nous demanderons comment nous, aujourd'hui, pouvons favoriser la poursuite de ce que nous avons entrepris, sa relance par la nouvelle génération, selon les formes qu'elle choisira (ce que nous avons entrepris = l'émancipation des femmes).

Filles d'aujourd'hui, femmes de l'an deux mille. Ce n'est pas sans quelque émotion que je lis et que je prononce ces mots, sachant que, de ces femmes de l'an deux mille je ne serai pas, en tout cas pas de celles qui compteront. Les femmes de l'an deux mille ont aujourd'hui quinze ou vingt ans. De sorte que cette réflexion qui peut se définir comme prospective a aussi quelques nuances testamentaires.

Que seront les femmes de l'an deux mille se double aussitôt d'une autre question: que voudrions-nous leur léguer, que voudrions-nous qu'elles retiennent de ce que nous avons nous-mêmes réalisé, conquis, et parfois très durement? Et encore: que peuvent-elles recevoir dans le contexte qui est le leur? Que peuvent-elles entendre?

La question de la transmission

C'est toute la question de la transmission qui est posée ainsi. On a souvent souligné, à juste titre, que les femmes n'ont pas ou peu d'histoire propre et que, par exemple, les acquis des féminismes du passé ont souvent été oubliés, effacés par les générations suivantes, de sorte que tout semble toujours à recommencer. Dans l'histoire générale, l'histoire des hommes, la société des femmes serait en quelque sorte une société sans histoire, vouée à la répétition infinie des mêmes gestes et aux mêmes dépendances: mettre les enfants au monde, les élever, aimer, nourrir, soigner, vêtir. Les figures féminines originales qui émergent sur ce fond apparaissent toujours comme des figures d'exception - que l'on s'efforce aujourd'hui de ressusciter et d'éclairer - et, à ce titre, ont un faible pouvoir d'identification pour la masse des filles. Chaque homme, même le plus obscur, est en quelque sorte Napoléon ou Mozart, et s'assimile son aura. Chaque fille n'est pas Madame de la Fayette ou Eve

Curie. Les figures d'exception les plus identificatoires restent celles qui d'une certaine manière, incarnent l'image de la féminité convenue: les actrices, les chanteuses, Isabelle Adjani ou à la rigueur Madonna.

Or aujourd'hui, les femmes, des femmes, qui se sont organisées en mouvement, qui ont lutté individuellement, et collectivement, qui ont pris parfois des risques immenses et continuent de le faire, voudraient, veulent arracher la génération des femmes à cette éternelle répétition (sous des formes renouvelées). Elles voudraient que quelque chose de leur travail de transformation passe à leurs filles, fasse donc histoire. Quelque chose qui n'est ni une culture féminine spécifique, parallèle à la société globale, ni la simple assimilation à cette société. Que **l'être femme** lui-même poursuive son devenir au lieu de revenir au même, sans un habillage modernisé. Et que les relations entre hommes et femmes soient radicalement transformées.

Mais ce désir de transmission, ce désir d'histoire, ne peut être concrétisé du seul fait des femmes du présent et du passé. La transmission est toujours bilatérale. Elle ne peut se comprendre comme le transfert d'un objet d'une main à une autre. Elle implique un double processus d'activité, de la part de celle qui transmet et de la part de celle à qui s'adresse la transmission. La transmission n'est pas une contrainte. Elle ne peut s'opérer sans la collaboration et le désir des filles de la génération à venir. Et c'est à elles qu'il appartient de déterminer si elles veulent de cet héritage, et ce qui, dans cet héritage les intéresse.

Il est donc évident que de cet acquis, tout ne passera pas, que certains éléments auxquels nous avions attribué une valeur considérable se dissiperont, ou seront ignorés, voire méprisés, que d'autres au contraire feront trace, s'avéreront féconds. Ce tri de l'histoire, que la génération montante est déjà en train de réaliser, est inévitable. À vouloir que, de ce que nous avons acquis, tout passe comme tel, nous risquons de voir tout rejeter en bloc, dans sa totalité. Il y a dans notre expérience et dans nos valeurs de l'irrecevable - du moins comme tel. L'histoire, on le sait, est un immense gaspillage. Ce qu'une fille retient de sa mère, ce qu'une génération retient de la précédente est imprévisible et surprenant.

Parler ainsi, c'est se rappeler que l'histoire si elle est transmission est aussi nouveauté. De nouveaux hommes, de nouvelles femmes en l'occurrence, de "nouvelles-nées" reçoivent et rompent tout à la fois. La filiation est un art de tenir le fil et de casser le fil, de prendre et de rejeter. Il n'y a d'histoire que sous cette condition. La vie se définit peut-être comme capitalisation mais aussi comme perte. Les données sociales et culturelles n'évoluent pas par accumulation ou addition mais par restructuration et remodelage. D'où l'impossibilité d'une lecture homogène des faits, à partir d'un instrument de mesure établi une fois pour toutes. Cette lecture des faits doit elle-même être constamment réajustée. Et il peut arriver qu'on lise comme faute contre le féminisme ce qui est l'émergence d'une nouvelle modalité du féminisme. La vigilance est donc de rigueur. On ne peut imposer le "nouveau" qui fut le nôtre comme seul nouveau. Notre nouveau est déjà un ancien, une évidence.

Je ne partagerai donc pas le concert des lamentations sincères ou hypocrites de ceux et de celles qui vont proclamant que le féminisme est fini, que les jeunes s'en détournent. Ni le choeur des médias répétant partout qu'il y a un retour aux valeurs traditionnelles, si tant est d'ailleurs qu'il puisse y avoir retour à ce qui n'a jamais été abandonné. Ainsi le prétendu retour au "couple" prouvé à coup de sondages et de statistiques rend peut-être compte d'un fait brut, mais non de son sens. Vivre avec quelqu'un, souhaiter vivre avec quelqu'un peut signifier tout autre chose aujourd'hui que vivre avec quelqu'un il y a trente ou cinquante ans. Ce n'est pas tant le fait qui importe que sa perspective. Il y a une polysémie de signes.

Je n'entonnerai pas davantage le chant de la victoire. L'avenir a toujours été ce qu'il y a de plus incertain. J'admets volontiers dans ma réflexion l'hypothèse selon laquelle l'explosion féministe des années soixante-dix aurait été un épiphénomène, un météore sans lendemain. Mais je pense et je travaille dans l'hypothèse ou dans le parti-pris contraire, à savoir qu'une question radicale a été posée concernant la différence des sexes et leurs positions socio-culturelles respectives, qu'une question radicale a été posée à ce qu'on a nommé le patriarcat. Et cela non seulement par le mouvement féministe, mais par l'évolution sociale elle-même. Il est possible que cette question se résolve à plus ou moins longue échéance par un renforcement de l'assujettissement des femmes. Au moins la question est-elle posée de manière irréversible et laisse-t-elle une chance aux femmes de l'an deux mille.

Je m'interrogerai donc maintenant sur le nouveau paysage que semble dessiner l'approche de l'an deux mille. Il me semble qu'indépendamment de son intérêt intrinsèque, le féminisme constitue également un excellent point de vue et un excellent révélateur pour analyser ce qui est en train de pivoter dans la vie socio-culturelle occidentale. Et quand je dis occidentale, je pense évidemment d'abord à l'Europe, d'où je réfléchis et d'où je parle, en espérant que ces paroles résistent à la traversée transatlantique.

Le néo-féminisme a surgi à un tournant, à la fin d'une époque, au commencement d'une autre, et il définit cette double appartenance. Dans les années soixante/soixante-dix, en effet, d'une part, on est encore en période de pleine expansion économique, d'autre part les idéologies de la libération, marxistes ou post-marxistes gardent tout leur crédit. Cette période appartient encore à ce que nous appellerons le monde moderne, soutenu par l'idée d'un progrès économique ou social, indéfini par l'idée d'une libération possible de l'homme dans une société juste, à venir.

Or, entre soixante-dix et quatre-vingt-cinq un renversement s'opère. La crise économique entame profondément l'optimisme du progrès, l'échec de plus en plus évident des grandes idéologies révolutionnaires tel le marxisme, ou même son avatar de mai soixante-huit (en France) détourne peu à peu les jeunes de la croyance aux "ismes". Par commodité et en simplifiant, appelons cette phase post-moderne ou post-industrielle. Entre ces deux moments se creuse un profond fossé qui marque la rupture des générations, y compris parmi les femmes. Ce n'est pas seulement un nouveau style de vie et de communication qui s'impose mais une nouvelle conception de vie et une nouvelle manière de vivre individuelle et sociale. On passe du marxisme au néo-libéralisme, du plein emploi au chômage, de l'expansion à la régression, du hippie au punk, du collectif à l'individuel.

La désaffection à l'égard des idéologies s'accompagne d'une transformation des luttes sociales. Les luttes frontales, énoncées en termes duels, ne semble plus mobiliser comme par le passé les individus: gauche/droite, capitalistes/prolétaires, nations/nations. C'est comme si les cartes étaient brouillées. Ainsi peut-on éclairer la désaffection progressive que subissent les syndicats et ceux, en particulier, qui continuent à jouer sur ces oppositions globales. Peut-être aussi faut-il voir là une des raisons d'un certain fléchissement du féminisme qui s'articule à une opposition hommes/femmes dont le tranchant après avoir enthouisiasmé, crée un malaise.

Les motifs de mobilisation, quand mobilisation il y a encore, sont beaucoup plus circonstanciels, concrets - tels ceux de grèves limitées à des revendications précises - ou chargés d'affectivités: la manifestation "touche pas à mon pote" rallie des milliers de jeunes sur la place de la Concorde à Paris, et l'attentat des services secrets français contre le bateau de Greenpeace rapporte un million de nouveaux adhérents à ce mouvement.

Remarquons au passage que le caractère apparemment plus concret de ces grands ralliements de masse ne les met pas à l'abri des manipulations. Des mots comme le pacifisme ou l'anti-racisme peuvent dissimuler des intérêts nationaux aux partisans. Les leitmotive idéalistes qui se dissimulent derrière les leitmotive idéalistes peuvent être aussi trompeurs.

Les analystes du monde en devenir, du monde post-moderne qui fait notre horizon - tel Gilles Lipovitsky dans **L'ère du vide** - insistent beaucoup sur cet émiettement, cette pulvérisation de la société qui ranime la tendance à l'individualisme ou même au narcissisme (malgré les soubresauts collectifs que nous venons d'évoquer). Et il semble que l'organisateur du travail que dessine pour nous les nouvelles technologies, et leur corollaire possible d'horaire à la carte ou de dispersion des grandes concentrations industrielles, renforce cette tendance. La mobilité, la fluidité, l'imprécision des contours semblent infléchir désormais une société que la modernité (l'ère dite industrielle) avait dotée de frontières fixes tant quant aux classes, qu'aux races, qu'aux nations, qu'aux sexes. Cette fluidité, cette dispersion de ceux que rassemblait une même condition, rendent difficiles et complexes leur défense. Ce n'est pas que ces catégories soient désormais caduques mais elles deviennent difficilement saisissables. Et on comprend que les syndicats s'inquiètent de cette diversification qui rend plus difficile leur fonctionnement. Car nés de l'ère moderne ils nécessitent pour être efficaces un groupe ouvrier compact et homogène, dont les intérêts seraient pratiquement identiques.

Encore une fois, les oppositions que nous avons énoncées telles que le monde moderne les avait fixées ne sont pas surmontées mais, rendues plus complexes, et ne peuvent plus se formuler ni se travailler de manière simple.

Or les femmes, à peine constituées en collectivité depuis une quinzaine d'années, et qui commençaient seulement à élaborer une pensée et une stratégie de leur lutte, doivent affronter non seulement cette dispersion mais aussi soutenir la méfiance envers toute "ligne dure" qui caractérise la société en devenir. Tout ce qui de féminisme avait quelque rapport avec le monde moderne et ses idéologies, tel le marxisme, est récusé, refusé. Ce refus vient naturellement de ceux (ou celles) qui sont intéressés au maintien de l'ancien assujettissement des sexes, mais il vient aussi d'une évolution générale de la culture et des esprits. On remarquera d'ailleurs que même les différends internationaux, au lieu de se résoudre en batailles rangées, prennent forme de tueries particulières et de prises d'otages, d'attentats et de coups de force. C'est dire que les "lois de la guerre" entre nations, et de classes se perdent. De nouveaux modes violents de règlements se mettent en place, qui ressemblent parfois étrangement à la vendetta.

On ne peut sous-estimer l'importance de la crise dans cette évolution. Elle favorise indubitablement un repli de chacun sur ses problèmes de simple survie et une réticence à consacrer ses énergies à une cause dont les effets sont à long terme. Elle provoque aussi une volonté de saisir le plaisir présent quand il est offert plutôt que de le sacrifier à une cause dont les effets sont à long terme et, de plus, incertains.

En ce qui concerne les femmes, la crise, quand elle ne les renvoie pas à leurs foyers, les maintient tout au moins dans des situations de travail marginalisées, fragilisées, par des horaires réduits ou des emplois précaires, secondaires. La relativisation de l'idéologie du travail, qui est en soi une bonne chose, se traduit souvent pour elles en termes d'insécurité accrue. La crise les a surprises en effet en pleine transformation mais à un moment où elles n'avaient pas encore investi les sphères sociales et économiques, étaient encore confinées dans les secteurs économiques et sociaux les plus périphériques, les plus archaïques et donc les plus menacés.

Je voudrais m'interroger ici sur les chances et les formes d'un féminisme de l'an deux mille, d'un féminisme à l'usage des nouvelles générations, d'un féminisme post-féministe et post-moderne.

Ainsi sont présents dans le féminisme, dès ses débuts, et même si on n'en est pas toujours conscient, des tendances diverses sinon contradictoires, des exigences impérieuses parfois inconciliables.

Le féminisme tranche entre les sexes mais travaille aussi à la désexuation à l'atténuation de la sexuation tranchée mise en place par le patriarcat. Le féminisme se cherche une doctrine mais s'oppose aussi à toute cohérence doctrinale, à tout système qui lui paraît calqué sur le monde masculin. Le féminisme rassemble les femmes en une collectivité, mais en même temps, il vise à faire surgir des femmes, des individus femmes là où elles étaient pensées comme les unités interchangeables d'un troupeau. Le féminisme appelle au combat, mais hésite à désigner nommément les combattants. Le féminisme veut changer le monde mais n'espère que réduire une des injustices de ce monde. On pourrait continuer longuement cette énumération et cette confrontation. Elle justifie l'ambiguïté que je soulignais dans le féminisme, ambiguïté qui le place entre modernité et post-modernité, ambiguïté qui fait sa faiblesse, ses hésitations, ses déchirements, mais qui permet aussi sa relance dans un monde à venir.

Summary

Women and the Generation Phenomenon

The author first analyzes the question of transmission. It cannot merely be the passage of something from one generation to the next but demands an active seizure by the new generation (with all the unpredictableness and newness this means). She then studies main aspects of what she calls the post-modern world not emerging. Finally Françoise Collin tries to see how the feminist heritage can survive the generation gap. She concludes her remarks by showing that even if the many ambiguities of feminism can be seen as weaknesses, they also perhaps indicate a possible route to finding ways of survival in the next generation.

De l'histoire des mathématiciennes à l'avenir mathématique des filles

par Louise Lafortune

Dans le cadre de l'Année internationale de la Jeunesse, plusieurs aspects de la situation actuelle des filles méritent notre attention. Personnellement, je m'attarde à vous présenter l'évolution de la situation des filles en mathémathiques. Alors, après avoir examiné le vécu historique de mathématiciennes, nous en viendrons à la condition présente des filles sans oublier les perspectives d'avenir pour les futures mathématiciennes.

Si nous examinons chacun de nos vécus, il est souvent possible de remarquer que nos préoccupations présentes ne sont pas indépendantes de nos expériences passées. Dans cet ordre d'idées, je me permets d'élargir cette constatation et de penser que le passé des femmes en mathématiques a des répercussions sur le vécu actuel des filles dans ce domaine.

De plus, le thème de la situation des filles en mathématiques est vaste et je ne prétends pas couvrir l'ensemble en ces quelques pages mais j'espère susciter une réflexion sur ce sujet. Je vous laisse donc à l'esprit quelques questions qui me trottent dans la tête. Peut-être qu'après cette lecture, vous vous poserez les mêmes questions ou vous aurez peut-être des éléments de réponses.

- Pourquoi les mathématiques semblent-elles si difficiles d'accès aux femmes et aux filles?

- Quels facteurs jouent un rôle déterminant pour expliquer cette absence des femmes du domaine des mathématiques: socialisation, biologie, etc.?

- S'il est vrai que les mathématiques n'existent pas seules, qu'elles ont été créées par des personnes, et majoritairement par des hommes, les femmes ne seraient-elles pas plus à l'aise avec une autre façon d'aborder les mathématiques?

- Garder ou rendre les mathématiques peu accessibles, n'est-ce pas un moyen de garder le pouvoir ou de clore une grande partie du marché du travail aux femmes?

- Si les femmes avaient été à la source des premières découvertes mathématiques, cette discipline aurait peut-être aujourd'hui une autre allure. Alors, laisser les femmes oeuvrer en mathématiques, leur en donner les moyens, mettre en commun les différentes approches (masculines et féminines) de ce domaine, ne serait-ce pas la meilleure façon d'atteindre un nouvel équilibre en cette matière?

Enfin, cette présentation de l'évolution historique de mathématiciennes, de même que d'éléments de la situation actuelle des filles en mathématiques sans oublier les perspectives d'avenir, est un début. Il s'ajoute à d'autres réflexions du même ordre pour qu'un jour les filles puissent se sentir à l'aise et se reconnaître dans cette discipline.

L'histoire

Dans le contexte plus général d'une récente préoccupation à mieux saisir le passé des femmes, je vous propose d'abord un bref aperçu de l'histoire des mathématiciennes. Ces femmes ont contribué à l'histoire des mathématiques mais elles y sont très peu citées. Alors leurs noms et bien davantage ainsi leurs apports sont peu connus.

En général, l'histoire des mathématiciennes commence en citant Hypatia (370-415). Elle est la première femme pour laquelle des renseignements sont disponibles. Pour mieux la situer dans l'histoire des mathématiques, disons qu'elle vécut au quatrième siècle de notre ère et travailla à Alexandrie, le grand centre de la vie intellectuelle grecque. Elle naquit après Pythagore (569-500) et Archimède (287-212) qui vécurent avant notre ère.

Théon, professeur de philosophie au Muséum d'Alexandrie et père d'Hypatia, fut son tuteur et son professeur. Il avait l'ambition de lui transmettre toutes ses connaissances.

Selon certaines sources, Hypatia savait impressionner les autres par sa présence et avait une grande habileté à présenter un discours. Le déroulement de sa vie se perd dans la légende et il existe de plus une controverse quant à la durée et aux moments de ses voyages. On pense qu'après avoir étudié à Athènes, à l'école dirigée par Plutarque (50?-125?), elle fut invitée à Alexandrie pour y enseigner les mathématiques et la philosophie au Muséum fondé par le roi Ptolémée. Hypatia y passa les dernières années de sa vie.

Auteure de traités mathématiques, plusieurs titres lui sont attribués mais aucun ne nous est parvenu intact. La plupart furent détruits dans la bibliothèque d'Alexandrie ou le temple de Sérapis. Elle produisit un document sur les coniques d'Apollonios (260-200 avant Jésus-Christ) où elle y popularise les textes de ce mathématicien et travaille les problèmes de Diophante (325-409). Elle est aussi co-auteure avec son père d'un traité sur Euclide (330-270 avant Jésus-Christ). Les renseignements les plus accessibles sur elle nous viennent de lettres échangées avec un de ses étudiants. Dans ces lettres, elle y disait comment bâtir un certain nombre d'instruments scientifiques dont un astrolabe: instrument servant à mesurer la hauteur d'un astre au-dessus de l'horizon.

Malgré plusieurs versions sur les détails de sa mort, elle serait morte traînée dans la rue et torturée brutalement. Cette mort serait la conséquence de son appartenance à une école de pensée grecque (néo-platonicienne). Le rationalisme scientifique de cette école allait à l'encontre des croyances doctrinaires de la religion chrétienne de l'époque.

La place qu'elle occupe dans l'histoire des mathématiques lui est attribuée pour avoir fait de la lumière sur les travaux de Ptolémée (90-168), Euclide, Apollonios, Diophante et Hipparque (190?-125? avant Jésus-Christ).

Suite à Hypatia, l'histoire des mathématiques passe une période plus stationnaire. Les connaissances des Grecs, des Arabes et des Orientaux prennent lentement de l'ampleur en Europe de l'Ouest. La langue était alors une barrière énorme pour donner accès aux documents. Pendant une longue période, la traduction de textes sera une importante préoccupation pour plusieurs savants européens. Cette situation ne veut pas dire qu'il n'y eut pas de découvertes mathématiques mais l'évolution est plus stable. À tout le moins, l'histoire des mathématiciennes est très ralentie.

La prochaine mathématicienne citée est Gabrielle-Émilie de Breteuil, Marquise du Châtelet (1706-1749). Émilie du Châtelet naquit en France. Dès son jeune âge, elle réussit à convaincre son père qu'elle avait des capacités au-dessus de la moyenne.

A l'époque, pour rendre sa situation acceptable, Émilie se maria au Marquis Florent-Claude du Châtelet. Cette position sociale lui permit de travailler plus librement en mathématiques mais aussi de poursuivre sa relation avec Voltaire (1694-1778) pour les quinze dernières années de sa vie. Avec Voltaire, elle pouvait échanger intellectuellement tout en vivant avec lui sa passion amoureuse.

Elle vécut à une époque où les conceptions scientifiques du monde étaient remises en question. Dans ce contexte, elle travailla sur une explication du système de Leibniz (1646-1716) dans les **Institutions de Physique** et à la traduction des **Principia** de Newton (1643-1727) en y ajoutant des commentaires pour en faciliter la compréhension. Aujourd'hui, ce travail sur les **Principia** publié en 1759 est encore la seule traduction française de cette oeuvre. Malgré le fait que ses travaux ne soient pas aussi innovateurs et originaux que ceux d'autres mathématiciennes, son oeuvre est substantielle et ses notes sont considérables.

Il est peut-être regrettable mais nous pouvons plus facilement nous souvenir d'elle par l'appellation que lui a donnée parfois Voltaire dans ses récits: la "Divine Émilie", la "Belle Émilie". De plus, même si plusieurs documents sont disponibles traitant le vécu d'Émilie ou la citant, les détails de sa relation avec Voltaire prennent souvent plus d'importance que le contenu de son travail mathématique. J'ai souvent été déçue de constater ce manque de considération pour la mathématicienne.

Elle mourut à quarante-trois ans (en 1749) des suites de la naissance de son troisième enfant. Gabrielle-Émilie de Breteuil, Marquise du Châtelet a été une pionnière en mathématiques. Il importe d'en tenir compte dans la critique de ses oeuvres, surtout des traductions.

Les autres mathématiciennes se suivent de plus près dans le temps. Elles sont peu nombreuses mais l'évolution de leur vécu en mathématiques nous permet de revivre la place donnée aux femmes et prise par les femmes dans cette discipline.

En 1776, naissait Sophie Germain (1776-1831) en France. Elle grandit durant les grands conflits sociaux, économiques et politiques de la fin du dix-huitième siècle. Cette période historique assez troublée incita ses parents à la surprotéger en la gardant à la maison; Sophie sut tirer profit de la bibliothèque de son père.

La lecture de la légende de la mort d'Archimède, tué par un soldat romain alors qu'il était sur la plage absorbé par un problème de géométrie, impressionna Sophie. Par la suite, sa curiosité la poussa à vouloir comprendre l'effet hypnotique de la géométrie sur Archimède. Elle décida donc d'explorer ce domaine.

Sophie Germain trouva de l'opposition chez ses parents qui croyaient l'étude des mathématiques dangereuse pour la santé de leur fille. Ses parents lui enlevèrent donc la lumière et la chaleur de sa chambre et lui cachèrent ses vêtements pour l'empêcher d'étudier. Rien à faire, Sophie était décidée. Elle se levait la nuit, s'enveloppait de couvertures et travaillait avec des chandelles qu'elle avait cachées. Ce n'est qu'après l'avoir découverte endormie sur une chaise avec le pot d'encre gelée sur la table que ses parents décidèrent de la laisser faire. Toute cette période, Sophie la passa à travailler et à étudier le calcul différentiel et intégral.

Mais Sophie n'en était pas à sa dernière stratégie pour atteindre ses objectifs. Ne pouvant être admise à l'université, elle profita des notes de cours et de conférences prêtées par des étudiants. Comme les théories du mathématicien Lagrange (1736-1813) la fascinaient, elle lui présenta un travail sous le pseudonyme de Monsieur Leblanc. Lagrange, impressionné par l'originalité du travail, voulut connaître l'étudiant. À sa grande surprise, l'auteure du texte était une étudiante.

Plus tard, toujours sous le même pseudonyme, Sophie correspondit avec Gauss (1777-1855), mathématicien allemand. Gauss a même écrit un jour au sujet de Sophie:

"Une femme à cause de nos préjugés et de nos coutumes rencontre infiniment plus de difficultés qu'un homme à se familiariser avec ces recherches difficiles; si elle réussit à surmonter ces obstacles et à en pénétrer la partie la plus obscure, c'est sans aucun doute qu'elle a le courage le plus noble, des talents extraordinaires et un génie supérieur." (PERL, Teri, 1978, p.66)

Les premières recherches de Sophie Germain étaient orientées vers la théorie des nombres, mais elle avait aussi un grand intérêt pour la physique mathématique (acoustique et élasticité). De plus, bien qu'elle soit mieux connue pour son travail en mathématiques (surtout en théorie des nombres), elle s'intéressa aussi à la philosophie. Elle étudia aussi la chimie, la physique, la géographie et l'histoire et, dans chacune de ces disciplines, elle apporta ses propres talents et son génie analytique.

Elle fut recommandée par Gauss à l'Université de Göttingen (en Allemagne) pour l'obtention d'un doctorat. Mais elle mourut en 1831 d'un cancer des poumons avant que son doctorat ne lui soit décerné. Sophie Germain apporta une contribution originale à l'avancement des mathématiques. Mais l'histoire de sa vie nous montre les luttes qu'elle a dû mener pour arriver à ses fins.

Ailleurs qu'en France, nous retrouvons aussi des attitudes parentales semblables à celles déjà évoquées. Née en Écosse, Mary Fairfax-Somerville (1780-1872) avait des parents qui trouvaient l'étude des mathématiques étrange et dangereuse pour une fille. Et pourtant, Mary Somerville mourut à quatre-vingt-douze ans: il faut croire que les mathématiques ne sont pas, pour les femmes, une aussi grande menace! Mary n'aimait tout de même pas l'école, surtout la conception à l'époque sur l'éducation des filles; par exemple, apprendre des pages de dictionnaire qu'il faut ensuite reproduire de mémoire. Elle n'en retirait aucune satisfaction. Ce n'est qu'avec son oncle, le Dr Somerville, qu'elle rencontra un encouragement à sa soif de savoir. De plus, elle découvrit seule l'algèbre dans une revue traitant de problèmes mathématiques.

Pour les mêmes raisons que les parents de Sophie Germain, ceux de Mary l'empêchèrent d'étudier la nuit en lui coupant toutes sources de lumière. Par contre, elle tenta de tirer profit des leçons données à son frère par un tuteur. Même si ce dernier lui fournit des livres, il se retrouva très vite dépassé par Mary et ne put pas lui donner toutes les explications nécessaires.

Après trois ans d'un premier mariage (1804), Mary se retrouva veuve avec deux fils mais indépendante financièrement et plus libre d'étudier. Au cours de son deuxième mariage (1818), elle commença sa vie publique par une traduction populaire de **La Mécanique Céleste** de Laplace (1749-1827), à la demande de Lord Brougham (1778-1868). Le document final **The Mechanisms of the Heavens** était une traduction complétée de commentaires clairs et pouvant être comprise par une personne avec peu ou pas de connaissances mathématiques. Cette habileté l'amena à être considérée comme écrivaine scientifique.

A quatre-vingt-un ans, elle se retrouva seule en Italie. Elle y mourut à quatre-vingt-douze ans avec toute sa lucidité. Ses capacités intellectuelles n'étaient pas affectées, elle avait encore plusieurs projets qui lui tenaient à coeur. Nous pouvons même penser que ses talents réels en mathématiques étaient supérieurs, étant donné ce qu'elle réussit à accomplir malgré l'absence d'entraînement formel dont elle a souffert en ce domaine.

Mary Somerville avait soixante-dix ans quand naquit en Russie Sofya Corvin-Krukovsky Kovalevskaya (1850-1891). Le premier contact de cette dernière avec les mathématiques se fit grâce à une tapisserie posée sur le mur d'une chambre d'enfants. Cette décoration remplaçait le papier peint que la famille n'avait pas et avait comblé par des notes de mathématiques sur le calcul différentiel et intégral. Quelle chance pour Sofya!

A l'époque, pour se libérer, étudier et voyager, Sofya, avec l'aide de sa soeur, accepta un mariage platonique avec Vladimir Kovalevsky, un parti choisi parmi les amis de la famille. Suite à ce mariage, Sofya put se rendre en Allemagne auprès du mathématicien Weierstrass (1815-1897). Lorsqu'elle lui demanda d'être son professeur, il fut perplexe face aux capacités de Sofya et la renvoya avec une série de problèmes complexes préparés pour ses élèves les plus avancés. À la surprise de Weierstrass, Sofya revint une semaine plus tard avec des solutions claires et originales. Elle devint donc son étudiante pour les quatre années qui suivirent.

Bien que Sofya eut à voyager entre sa famille en Russie, sa soeur en France et ses études en Allemagne, et que cette situation nuisit à son travail mathématique, elle réussit à compléter ses études. Elle fut la première femme à obtenir un doctorat en mathématiques et ce, en 1874 à l'Université de Göttingen (en Allemagne). Son doctorat porte sur la théorie des équations aux dérivées partielles.

Quoique Sofya avait des capacités et qu'elle l'avait prouvé, il lui était difficile de se trouver un emploi. L'occasion se présenta par l'entremise de son ami Gosta Mittag-Leffler (1846-1927), professeur à l'Université de Stockholm. Cette Université, enchantée de recevoir une grande mathématicienne et surtout d'être la première université à avoir le plaisir d'accueillir une femme, l'engagea, mais cela prit cinq ans avant que Sofya put recevoir un salaire intéressant. Malheureusement, elle ne put en profiter qu'une seule année.

Sa carrière atteignit son point culminant à Noël 1888 quand elle obtint le fameux "Prix Bordin" (prix d'excellence) de l'Académie Française des Sciences pour son mémoire: **Sur le Problème de la Rotation d'un Corps Solide autour d'un Point Fixe**. De plus, toute sa vie fut divisée entre les mathématiques et la littérature. Elle est l'auteure de plusieurs nouvelles et d'une autobiographie: **Une Enfance Russe** (1889).

Elle mourut en 1891 alors qu'elle était en route pour Stockholm. Elle exigeait trop de son corps et l'énergie lui manqua pour lutter contre une forte fièvre. Ses découvertes sont aussi importantes que celles de tout autre mathématicien de l'époque et, même si sa vie scientifique fut brève, le monde mathématique lui doit davantage qu'une simple référence.

Avec Sofya Kovalevskaya, l'allemande Emmy Noether (1882-1935) est peut-être la mathématicienne la plus connue. Même si elle a vécu au vingtième siècle, nous en savons peu sur son vécu quotidien, mais son travail mathématique est considérable, accessible et encore présent et utilisé aujourd'hui.

Elle vécut son enfance sous l'influence de son père Max Noether (1844-1921), mathématicien et professeur à l'université. Elle grandit à une époque où les femmes commençaient à avoir accès aux études universitaires et obtint son doctorat de l'Université d'Erlangen (en Allemagne) en 1907, avec sa thèse: **Sur les Systèmes Complets d'Invariants sur les Formes Biquadratiques Ternaires**. De plus, même si Göttingen avait été la première université à décerner un doctorat à une femme, en mathématiques, il y avait encore de l'opposition devant la reconnaissance des capacités d'une femme. Emmy ne fit pas exception. Elle commença à donner des conférences annoncées sous le nom du mathématicien Hilbert (1862-1943) et même lorsqu'elle eut un titre de professeure, elle en eut les obligations sans bénéficier d'une rémunération. David Hilbert ne pouvait croire qu'Emmy Noether ne put être admise à l'université à cause de son sexe et dit un jour:

"Messieurs, je ne vois pas en quoi le sexe de la candidate l'empêcherait d'être Maître de Conférences. Après tout, le Conseil n'est pas un établissement de bains." (PERL, Teri, 1978, p. 174)

En 1920, un document sur les opérateurs différentiels marqua un tournant décisif dans sa carrière mathématique. Elle y révélait son fort intérêt pour l'approche conceptuelle axiomatique. Elle changea des aspects du monde de l'algèbre par son travail. Quoiqu'elle prenait plutôt soin de la substance que de la forme de ses conférences et de ses cours, sa méthode d'enseignement la rendait stimulante et originale. Elle avait une faculté de visualiser et d'expliquer des notions complexes sans utiliser des exemples concrets.

Sans être activiste politique, trois caractéristiques personnelles jouaient contre elle: femme, intellectuelle et juive. Alors, vers 1930, avec la venue d'Hitler au pouvoir, Emmy Noether dut quitter l'Allemagne pour les États-Unis. Elle y enseigna au Collège pour filles de Bryn Mawr et fut aussi en demande à l'Institut pour les Études Avancées à Princeton au New Jersey. Elle mourut soudainement en 1935 des suites d'une opération qui avait supposément réussi. Elle avait cinquante-trois ans et était à l'apogée de sa puissance créatrice.

Avec la présentation d'Emmy Noether se termine le survol de l'histoire de mathématiciennes. Avec ces noms qui commencent à sortir de l'ombre, nous pourrions nous demander ce qu'a été le sort des autres femmes qui s'intéressaient aux mathématiques.

Un élément de l'histoire à retenir qui nous renseigne sur la perception que les femmes avaient des mathématiques a été la publication de l'**Almanach des Femmes** en Angleterre de 1704 à 1841. Dans cet ouvrage nous remarquons qu'en 1707, les recettes de cuisine et les articles sur la santé et l'éducation furent remplacés par des énigmes, casse-tête et problèmes mathématiques. Cette publication nous permet de penser que l'opinion préconçue sur l'inaptitude des femmes à comprendre les mathématiques n'était pas si fortement ancrée qu'on le croit généralement. Connaissons-nous aujourd'hui une revue s'adressant aux femmes et traitant de problèmes mathématiques?

De plus, à l'époque, nous pouvons dire que l'éducation formelle en mathématiques était pauvre pour tout le monde: femmes et hommes. Par la suite, plusieurs facteurs de développement social encouragèrent l'éducation dans ce domaine pour les hommes: entre autres, l'expansion générale du commerce et le développement de nouveaux instruments de navigation. Il est intéressant de voir comment cette expansion des mathématiques affecta la situation des femmes en sciences. Les objectifs des réformes étaient de donner aux femmes un nouveau rôle social: les amener à s'occuper de la maison et à devenir de meilleures épouses.

Il est vrai que dans la réalité, les mathématiques devenaient plus complexes et n'étaient plus accessibles aux amateurs et amateures, et que le stéréotype créé pour les femmes ne leur permettait que d'être amateures. Alors, la croissance de la société technologique a confiné les femmes à des tâches domestiques ne leur laissant plus de place pour parfaire leur éducation scientifique.

Le présent

Actuellement, les filles ont-elles à traverser des difficultés comparables à celles vécues par les mathématiciennes d'autrefois? Je ne peux pas parler du vécu des autres mais personnellement, j'ai longtemps pensé que je n'avais pas eu à traverser de barrières jusqu'à ce que j'examine attentivement ma démarche mathématique. Je ne citerai ici qu'une anecdote parmi tant d'autres provenant de mon éducation à l'école primaire.

Le souvenir le plus précis et significatif dont je puisse me rappeler remonte à ma deuxième année: j'avais alors sept ans. À l'époque, l'institutrice donnait souvent des exercices de mathématiques à faire en classe. Je me souviens avoir été si rapide à les terminer que je devais jouer à essayer de battre mes propres records puisque personne n'allait aussi vite que moi. Alors, l'institutrice ne sachant plus comment m'occuper, me suggéra de ramener de la maison des aiguilles à tricoter et de la laine pour me désennuyer.

Aussitôt dit, aussitôt fait; j'arrivai à l'école avec mon matériel et les périodes d'exercices en mathématiques se passèrent à apprendre à tricoter. J'ai produit mon premier débardeur en deuxième année.

Cet événement me fit longtemps penser que j'avais été privilégiée, mais je me rends compte aujourd'hui que mes talents spécifiquement mathématiques n'étaient pas encouragés et développés.

Je suis aussi déçue de penser que d'autres filles ont subi ou subissent un sort analogue par des expériences allant dans le même sens: réduire le dévelopement mathématique aux seules exigences du programme ou parfois à sa plus simple expression.

Après avoir examiné différents aspects de l'évolution de l'histoire des femmes en mathématiques et, afin de mieux agir sur la condition des filles en ce domaine, nous pourrions regarder où ces dernières se situent actuellement.

D'abord aux États-Unis, nous remarquons qu'entre 1930 et 1970, sept pour cent des doctorats en mathématiques sont obtenus par des femmes et, présentement, ce pourcentage dépasse à peine dix pour cent. De plus, plusieurs études sur le comportement des élèves de l'élémentaire au collégial concluent que les garçons ont tendance à préférer les sciences et les filles, les lettres, mais au niveau des résultats scolaires, les mathématiques sont, en général, la matière pour laquelle il n'y a pas vraiment de différences. Même si des similitudes dans les goûts des garçons et des filles pour les mathématiques se maintiennent dans les premières années d'études, dès que cette spécialité n'est plus obligatoire, les filles la délaissent.

Aussi, la plupart des études mettent en cause l'influence de la culture et de l'environnement plutôt que les différences biologiques intrinsèques. Le seul élément biologique qui semble présenter des différences entre les sexes concerne les tests sur la vision dans l'espace. Si cette différence biologique est réelle, explique-t-elle les écarts entre la situation des femmes et des hommes en mathématiques ou dans les secteurs exigeant des connaissances et des capacités mathématiques?

Selon John Ernest de l'Université de Santa-Barbara en Californie, les étudiants semblent méconnaître la nature des mathématiques et ne connaissent que son côté systématique, logique, pur et ordonné sans reconnaître son côté créatif, imaginatif et esthétique. De plus, il souligne le fait que les mathématiciens ayant été et étant majoritairement des hommes, les livres ont été et sont alors écrits par ces derniers. S'ajoutent à cette constatation des études démontrant que la façon d'aborder un problème et son contexte ont une influence sur l'intérêt et les réactions des femmes. Selon lui, la participation des femmes à l'élaboration des mathématiques introduira des changements sur la présentation et la formulation. Sans oublier que l'objectif n'est pas d'éliminer toutes les différences d'attitudes entre les sexes mais plutôt de mettre en commun les différentes approches et conceptions des mathématiques. Dans ce cas, les mathématiques ne risquent-elles pas d'être plus facilement accessibles aux filles et aux femmes?

Par ailleurs, les conclusions d'une recherche publiée en 1979 par l'IREM (Institut de Recherche en Enseignement des Mathématiques) d'Orléans proposent que le faible nombre de filles en section scientifique ne tient pas à la nature des mathématiques ou au peu de goût des filles pour cette matière, mais plutôt à des raisons socio-culturelles. Cela confirme davantage la thèse qui attribue aux stéréotypes socio-culturels les réticences des filles à se diriger vers les mathématiques. De plus, une enquête du groupe "Femmes et Mathématiques" de l'IREM de Basse-Normandie a cherché les liaisons possibles entre l'image de la femme et la réussite en mathématiques. En conclusion, il n'y aurait pas de lien entre le degré de conformité au modèle féminin et le choix des mathématiques: alors l'hypothèse selon laquelle une femme qui excelle en mathématiques est moins féminine serait fausse.

Enfin, toujours en France, en avril 1984, le ministère des Droits de la Femme lors d'une Campagne Nationale d'information sur l'orientation des filles présentait la situation des filles à tous les différents niveaux du système scolaire. Dans les baccalauréats, bien que les filles aient un taux de réussite supérieur à celui des garçons, les orientations diffèrent: en 1982, soixante-cinq virgule quatre pour cent des filles et soixante-quatre pour cent des garçons ont réussi le baccalauréat. Dans les universités, nous retrouvons soixante-huit virgule huit pour cent de filles en lettres, trente-trois pour cent en sciences et quatorze pour cent dans les écoles d'ingénieurs. Au baccalauréat, les filles sont donc plus nombreuses dans les sections littéraires (quatre-vingt un virgule neuf pour cent) que dans les sections scientifiques: trente-six virgule neuf pour cent en mathématiques et physique et six virgule deux pour cent en mathématiques et technique. Elles se retrouvent en masse dans le secteur tertiaire (quatre-vingt-dix-sept virgule trois pour cent) et dans le secteur médico-social (quatre-vingt-dix-huit virgule cinq pour cent). Et dans les baccalauréats industriels, elles sont surtout en chimie et sciences biologiques et non dans les métiers d'avenir: techniciennes et ingénieurs. Les femmes se retrouvent donc très majoritairement dans les secteurs qui leur ont été traditionnellement réservés.

De plus, en France comme aux États-Unis, un regard sur les recherches effectuées dans ce domaine nous permet de plus en plus de conclure que, principalement, la situation minoritaire des filles en mathématiques est due à des facteurs sociaux plutôt que biologiques. Au Canada, la situation est la même.

Citée dans le document **Qui fait tourner la roue**? (1982) du Conseil des Sciences du Canada, une étude menée auprès des ministres provinciaux et des ministères de l'éducation montre que le nombre de filles suivant des cours de mathématiques par rapport à celui des garçons diminue graduellement avec la progression du curriculum vers les niveaux avancés. Parmi les conclusions de ce travail, nous pouvons retenir que moins de filles que de garçons choisissent les mathématiques et la physique, mais que la réussite des filles est meilleure que celle des garçons et ce, pour toutes les sciences.

Au Québec, selon des renseignements tirés du document **Explorons de nouveaux espaces** (1985) du Conseil du statut de la femme et du ministère de la Science et de la Technologie, nous remarquons que dans les examens de science au secondaire, les filles suivent autant de cours de sciences que les garçons et leurs résultats scolaires sont équivalents et souvent supérieurs à ceux des garçons. Par la suite, la situation change. Les emplois des femmes sont le plus souvent un ghetto: elles se retrouvent à cinquante pour cent dans les services (éducation, santé, secrétariat,...), à vingt-cinq pour cent dans les secteurs manufacturiers, à quinze pour cent dans le commerce et à dix pour cent dans les autres secteurs. De plus, nous pouvons ajouter que dans chacun de ces secteurs d'emplois, les femmes occupent souvent les postes les moins bien rémunérés ou ceux qui ne leur donnent pas de pouvoir. Ce qui déçoit le plus c'est que, par exemple pour l'année 1979, les statistiques indiquaient que les femmes n'occupaient encore que cinq pour cent des professions scientifiques et ne gagnaient que cinquante et un virgule deux pour cent du salaire moyen des hommes.

Les perspectives

Comme nous le constatons, la situation n'est pas simple et l'inégalité existe depuis longtemps. Il y a environ cent cinquante ans, les parents de Sophie Germain et de Mary Fairfax-Somerville croyaient l'étude des mathématiques dangereuse pour la santé de leur fille. Ces parents n'inventaient probablement pas ces pensées seulement pour leur fille et cette croyance était possiblement répandue en France et en Angleterre.

La socialisation semble la principale cause de la place occupée par les filles en mathématiques mais plusieurs facteurs s'entrecroisent dans les valeurs sociales. De plus, suite à des succès en mathématiques, les filles ont prouvé et prouvent qu'elles peuvent réussir. Dans ces circonstances, quels gestes pouvons-nous poser pour les aider à vaincre les obstacles rencontrés? La situation étant complexe, nous ne pouvons envisager une seule solution. L'utilisation de plusieurs moyens concrets a plus de chances de répondre aux différents besoins des filles.

Par exemple:

- Travailler à rendre les manuels plus intéressants pour les filles.

- Faire connaître aux filles leur passé scientifique.

- Organiser des ateliers de démystification pour mathophobes.

- Préparer des programmes mieux adaptés aux attentes des filles à l'égard des mathématiques.

- Présenter aux filles des modèles de femmes oeuvrant dans le domaine des sciences.

- Informer les filles des conséquences de leur choix de poursuivre ou non des cours de mathématiques.

- Informer les filles des changements actuels sur le marché du travail.

- Rendre le marché du travail plus accessible par des programmes d'accès à l'égalité.

- Favoriser la formation d'organismes ou de groupes se préoccupant des droits de le femme en mathématiques.

- Susciter des recherches essayant de déterminer les raisons du manque de mathématiciennes et tentant de trouver des solutions.

- Informer les enseignants et les enseignantes sur la situation des filles pour que les attitudes et les pratiques pédagogiques changent.

De plus, nous pouvons considérer que des gestes individuels sont sûrement posés un peu partout en vue de favoriser un meilleur accès des filles aux mathématiques. Personnellement, depuis quelques années au cégep où j'enseigne, je m'adresse souvent aux étudiantes en Techniques de Secrétariat dans le cadre de leur cours de mathématiques. Je tente par des moyens facilement accessibles de démystifier les mathématiques. En particulier, j'essaie:

- de rendre les étudiantes confiantes face à leurs capacités de réussir.

- de les rendre critiques faces aux données mathématiques qui leur sont présentées dans les médias et plus tard, dans leur travail ;

- de relier la théorie du cours avec les tâches quotidiennes de leur futur emploi (par exemple: l'utilisation de la calculatrice en lien avec le traitement de textes ;

- de leur ouvrir l'esprit, de les rendre conscientes que le travail de secrétariat s'élargit à la bureautique et qu'elles auront probablement à se recycler. Leurs bases mathématiques leur seront alors nécessaires.

Aussi, dans mon enseignement aux classes mixtes, je féminise mes paroles pour que les filles se sentent autant interpellées que les garçons. Il n'est à peu près pas possible que je m'adresse aux deux groupes: filles et garçons, de la même façon. Je ne peux que constater que les deux sexes sont différents. Mais je peux sûrement les considérer toutes et tous avec la même confiance.

Mes expériences de professeure de mathématiques m'amènent à penser que les mathématiques ne sont pas neutres et je ne crois pas qu'elles puissent le devenir. Cette discipline n'existe pas seule, elle est créée et ne peut que refléter l'image des personnes qui la créent et ces personnes sont très majoritairement des hommes. De plus, dans plusieurs domaines, nous reconnaissons souvent que les créations des femmes sont différentes de celles des hommes. Alors nous pouvons mieux comprendre pourquoi des femmes ne sont pas à l'aise dans les mathématiques telles qu'elles sont enseignées présentement. Il m'est aussi possible de penser qu'un apport plus important des femmes en mathématiques donnerait un essor nouveau à cette spécialité. Si les femmes réussissent à libérer leur imagination et leur créativité mathématiques, une nouvelle façon d'aborder cette discipline les aideront probablement à mieux s'y reconnaître. Pourquoi une implication des femmes en mathématiques n'aurait pas des effets équivalents à l'entrée des femmes en politique, en peinture, en écriture, dans les affaires et dans le syndicalisme?

Après avoir regardé l'évolution du passé des femmes en mathématiques ainsi que la situation actuelle, nous remarquons que les filles sont sûrement capables de réussir en mathématiques; le nombre d'exemples ne cesse d'augmenter. De plus, les recherches et études sur le sujet mettent en cause la socialisation plutôt que la biologie pour tenter d'expliquer les écarts entre les filles et les garçons. Aussi, cette discipline est de plus en plus importante dans l'apprentissage pour garder ouvertes, le plus longtemps possible, les portes de toutes les carrières. Alors, si les filles décident de mettre toutes les chances de leur côté, elles auront besoin d'aide et d'appui pour conserver leur personnalité propre en passant dans cet engrenage des mathématiques masculines. Une fois que toutes les carrières s'offriront à elles, elles pourront alors choisir selon leurs goûts: les lettres, les arts, les sciences, le génie,... sans se sentir brimées par des mauvais choix passés ou par certaines exigences artificielles de la société.

Conclusion

Pour conclure, il m'arrive souvent de penser que les mathématiciennes Sofya Kovalevsky et Emmy Noether pourraient être mes arrières-grands-mères. Je me dis alors, pour me consoler, qu'il n'y a pas si longtemps, les femmes ne pouvaient même pas obtenir leur doctorat ou n'étaient pas rémunérées pour le travail mathématique qu'elles accomplissaient. Je pense que les progrès déjà accomplis sont énormes.

D'autres fois, je suis révoltée lorsque je constate l'attitude non-confiante de mes étudiantes face aux mathématiques, surtout quand les résultats scolaires de ces dernières sont le plus souvent supérieurs à ceux des étudiants.

A tout le moins, j'espère que nous oserons poser des gestes, sans gêne, même si des erreurs sont commises. Dans l'histoire des mathématiques, plusieurs erreurs se sont glissées concernant la forme de la terre, la gravitation, le calcul différentiel et intégral sans pour autant en empêcher l'avancement.

Finalement, n'oublions pas que les mathématiques n'existent pas seules, elles ont été créées. Les filles pourraient participer à cette création et façonner les mathématiques autrement.

Bibliographie:

BADINTER, Elisabeth. (1983). **Émilie ou l'ambition féminine au XVIIIième siècle**. Paris: Flammarion. 472 p.

BELL, E.T.. (1937). **Men of Mathematics**. New York: Simon and Schuster. (2e éd., 1965). 590 p.

CONSEIL DES SCIENCES DU CANADA. (1982). **Qui fait tourner la roue?**. Canada. 149 p.

CONSEIL DU STATUT DE LA FEMME ET MINISTÈRE DE LA SCIENCE ET DE LA TECHNOLOGIE. (1985). **Explorons de Nouveaux Espaces**. Québec. 114 p.

DICK, Auguste. (1981). **Emmy Noether 1882-1935**. Boston: Birkhaüser. 193 p.

ERNEST, John. (1979). Sexe et Maths. **La Mathématique: Nom Masculin Pluriel**. Paris. pp. 27-42.

IREM de Basse-Normandie. (1979). Enquête du groupe "Femmes et Mathématiques". **La Mathématique: Nom Masculin Pluriel**. Paris. pp. 27-42.

IREM d'Orléans. (1979). Enquête du groupe "Sexe et Maths". **La Mathématique: Nom Masculin Pluriel**. Paris. 12 p.

KOVALEVSKAYA, Sofya. (1889). **A Russian Childhood**. Traduit du russe par Béatrice Stillman. New York: Springer Verlag. (1978). 250 p.

LAFORTUNE, Louise. (1985), "Sophie Germain, Mathématicienne", **Bulletin AMQ** (Association Mathématique du Québec). pp. 6-8.

MINISTÈRE DES DROITS DE LA FEMME. (1984). **Campagne nationale d'information sur l'orientation des filles**. Paris. pp. 4-9.

OSEN, Lynn. (1974). **Women in Mathematics**. États-Unis: MIT Press. 185 p.

PERL, Teri. (1979), "The Ladies Diary or the Women's Almanack, 1704-1841", **Historia Mathematica**, 6, pp. 36-53.

PERL, Teri. (1978). **Biographies of Women Mathematicians and related activities**. Ontario: Addison-Wesley. 250 p.

VAILLOT, René. (1978).**Madame Du Châtelet**. Paris: Albin Michel.350 p.

WALLIS, R. et P.. (1980), "Female Philomaths", **Historia Mathematica**, 7, pp. 57-64.

Summary

From the History of Women Mathematicians to The Future Of Girls In Mathematics

The author recalls the little known role of women in mathematics: Hypathia (370-415 B.C.) of alexandria, Émilie du Châtelet (1706-1749) and Sophie Germain (1776-1831) in France, Mary Fairfax-Somerville (1780-1872) in Scotland, Sofya Kovaleskaya (1850-1891) in Russia, Emmy Noether (1882-1935) in Germany. The present situation is then examined. One notes in particular the continuing strong under-representation of women in math classes and in math-related fields. If this situation is to change, ways must be found to help girls enter these new spheres they seem to shun. The author shares, in conclusion, aspects of her teaching experience and suggests ways of helping girls overcome obstacles that keep them away from mathematics.

Teenage sexuality: Myths and reality

by Judith Nolté

Being a young women in the eighties is a unique experience. The issue of sexuality is different for young women today because for the first time in history, they have the opportunity to control their fertility effectively. Concomitantly, they also have to make choices about the future, a career, and family that were unknown to their mothers. Yet with these options and a veneer of sophistication supplied by the mass media, many young women are not controlling their fertility - as shown by a large number of teenage pregnancies. Before I start talking about some of the myths and realities about teenage sexuality, I would like to state some axioms:

- TEENAGE SEX IS HERE TO STAY

- SEXUAL ACTIVITY **per se** IS NOT A PROBLEM

- UNPLANNED PREGNANCIES ARE THE PROBLEM.

Some of the most common myths and realities are the following:

MYTH - Information and sex education encourage experimentation.

REALITY - Teens need a rational approach to sex education to help them understand the implications of becoming sexually active, the emotional and physical aspects of it, as well as learning how to prevent pregnancy.

MYTH - Teens are too immature to use birth control.

REALITY - Maturity and the responsibilities associated with sex have to be taught. They also have to learn that they can get pregnant, that they need birth control, and finally, they need services that are convenient, provide them with free or low cost contraceptives, and responsive to their particular needs for confidentiality.

MYTH - Welfare benefits encourage young women to have children.

REALITY - Looking at the welfare systems in a number of countries, evidence seems to support the conclusion that there is no correlation between high benefit levels and high rates of teenage pregnancy.

In discussing these myths and realities in more depth, it is important to adopt a more holistic approach which takes the following into account family and societal attitudes; young women's perceptions of themselves; the confusing messages that teens are getting from society as exemplified in the media; as well as the conflicting message that "everybody's doing it", while the old adage that "nice girls don't do it" still seems to be operative.

Easy and fashionable though it is to blame the media, I believe that it must be considered a reflection of society and not a major trend-setting force. Little in society encourages a rational discussion of sexuality. Parents have trouble talking to their children (because their parents did not speak to them). Schools are not giving young people the information that they need because it is a touchy political issue and curriculum choice.

As a result, young people see the type of sexuality portrayed on TV, where sex is rarely seen within the confines of a loving relationship. Sex and money are shown as the two major ingredients for a happy life. Without rational discussion to counteract these images, young boys will continue to believe that they are missing something if they are not "scoring" and young girls will not be equipped to respond to the lines that boys use to push them into having sex before they are ready. Conversely, the glamorous females portrayed as ideal sets up unrealistic models for girls whose physical appearance might be difficult to duplicate but whose behavior can easily be mimicked.

The result of these mixed messages and the lack of experienced people who are willing and able to discuss these issues rationally with teens, is confusion. According to a recent study produced by the Canadian Advisory Council on the Status of Women (CACSW), the complex problem of growing up in the '80s produces two simultaneous reaction in young women. The first is denial. They do not admit that anything is different from when their mothers grew up. They expect a future with exciting jobs, loving husbands, lots of money, trouble free children and international travel. Diapers are not seen as part of the package, nor is the statistically increasing likelihood that they will be divorced, face single parenthood, have a lowered lifestyle, and may be on welfare during some part of their lives.

The alternate reaction is fatalism, they don't feel in control and hence, they see no need to plan their futures. This fatalism is exemplified in their attitude about nuclear war - they want to be vapourized as soon as possible after the third world war begins. Yet they are not participating in the antinuclear movement.

This same fatalism is reflected in the way they handle their sexuality. Rarely do they make a conscious decision to become sexually active. To be prepared is to be promiscuous. So they often put themselves in situation where they are out of control - either through drinking or drugs - before they have sex.

Little is being done to help young people deal with their sexuality in a more rational way. Before young people can drive, they have to take les sons. Before they can drink (legally), they have to obtain a certain age. Yet, in an area that will affect the rest of their lives much more decisively, little is being done to give them guidance.

Teens experience sex earlier

Young people need straightforward information on all aspects of sexuality because not having the knowledge does not mean they are not having sex. The increased sexual activity among Canadian teens is well documented. In a 1980 survey of Calgary schools 24 per cent of 14 year olds (compared to 8 per cent in 1976) and two thirds of 18 year olds reported having sexual intercourse. Studies in Saskatchewan and British Columbia showed that 61 per cent of 18-19 year old group had had sex, with the average age of first intercourse at 16 years and four months. The chart below (a composite of all studies done in Canada) shows how sexual activity has increased among younger teens during a five year period.

SEXUAL ACTIVITY RATES

FEMALES	1976	1981
15	8%	26%
16-17	19%	44%
18-23	60%	63%

MALES HAVE REMAINED CONSISTENT AT 30%, 40% AND 73%

Contraceptives are not nearly as popular with teens as sexual activity seems to be. Many use none at all, or use less effective methods such as withdrawal or rhythm.

According to one study, only one-third of young people used any type of contraception during their first intercourse. In another study of some 500 girls, 84 per cent were sexually active by the time they were 17, but 68 per cent did not use contraception consistently. For many adolescents with romantic ideas about sex "to be prepared is to be promiscuous", but to be swept off your feet is okay. Consequently, many teenage girls often do not use birth control because they do not want to look as though they were planning for sexual activity. The very notion of being prepared is antithetical to the spontaneity and romance that is supposed to be associated with sex. As for problems such as sexually transmitted disease and unwanted pregnancy, teens think "it can't possibly happen to me".

But, unfortunately, for a very large number of girls it does happen. In 1983, over 40,000 teenagers became pregnant and over 700 of these were under the age of 15. Although the pregnancy rate has been declining over the past few years among all Canadian women, the rate of decline among teens is lower than among other age groups.

Although increased knowledge about birth control and the availability of counselling services can help reduce the number of teen pregnancies, a number of factors have worked to encourage teenagers to have sex. The first is the growing acceptance of sex before marriage. In 1970, only 50 per cent of Canadians surveyed approved. By 1978, this number had increased to 78 per cent (although more people were more accepting of male involvement). Family attitudes affect how comfortable teens will be with their sexual activity, but it is their friends' acceptance of sexual activity that will most influence their own behavior. While the religious involvement will also work to influence teens, it seems that "love for your partner" is replacing the traditional marriage vows for many young people.

Ignorance is not bliss

Ignorance is obviously a major barrier. A lack of knowledge about the psychological and physical aspects of sexual intercourse means that may have sex before they are ready to assume responsibility for its consequences.

However, attitudes towards sexuality greatly affect the way a young person will handle his or her sexuality. If someone is comfortable with their sexuality, they are more likely to know about sex and birth control. They are also more likely to accept their sexuality and feel they can control when and if they have sex. These attitudes toward sexuality are shaped primarily by the family. If parents are comfortable with their sexuality, they are more likely to discuss sexuality with their children as they are growing up. Children from this type of environment are more likely to accept sex as a natural part of life and consequently will be able to deal with it in a more successful way.

On the other hand, parents who are not comfortable with their sexuality pass these messages on to their children through actions and words - or lack of them. Children from these homes are less likely to be comfortable with their sexuality and less equipped to deal with it responsibly.

With the often conflicting messages from home, friends, and the media, teens need balanced information about sexuality and need to know it is okay to say no. Teenagers should not feel they have to have sex, yet for many teens who are dealing with peer and family pressure, sex is a way of not only finding acceptance, but also having emotional needs met. A lot of girls who get pregnant were looking for nurturing and found it in a sexual relationship. Teenage girls need help to build their confidence and assertive ness so they won't have sex for the wrong reasons (i.e. "to get a man").

Besides needing to understand the psychological aspects of sexual relationships and the wisdom of waiting until they are ready, teens also need to know about practical matters such as pregnancy and contraception. Studies are showing that teens do not even know basic biology. Results from one study showed that teens said that being too young and infrequency of intercourse were reasons why they would not get pregnant? In the 1983 Canada Health Survey, only 35 per cent of Grade 7 students knew that most females between 12 ant 15 can conceive children.

This ignorance is not confined to young teens, it is actually prevalent among university students as well. In one survey, only 41 per cent of them could identify the fertile period of the month despite the fact that many of them were using the rhythm method for birth control.

Part of the problem lies in the sources of information and misinformation. Over 60 per cent of students say they get their sex education from the media and their peers. While a 1984 Gallup Poll showed that 94 per cent of Canadian adults believe parents should talk to their children about sexuality, only 30 per cent of adolescents said they could talk to their parents comfortably about the matter.

As not all parents talk to their children, schools could play a major role in providing information. The same Gallup Poll showed that 83 per cent of Canadians support this idea yet only a quarter of schools offer sex education as a separate program, while another quarter try to squeeze it into existing courses.

Although many groups support sex education as a way of reducing teen age pregnancies, vocal minorities are denying teenagers the right to information. Information which is needed to help teens think rationally about relationships and sex and to understand the consequences of sexual activity.

Contraceptive use and non-use

Although the problem of ignorance is compounded by that of immaturity, many educators believe that teens can learn how to deal with their sexuality and can understand the consequences of sexual activity and the need for birth control. However, the process is a complex one that involves emotional and educational commitment as well as the need for services responsive to teens.

If we consider the following model of contraceptive use, it becomes clear that successful contraception is a complex and active process. The number of phases outlined below help us to understand how failure can occur at any of these stages.

To understand why there are so many unplanned pregnancies, the following steps necessary to become a successful contraceptor have to be considered in conjunction with the individual's personal experience, feeling and social attitudes.

1. LEARNING ABOUT BIRTH CONTROL - This phase is affected by level of comfort with sexuality. If a person is uncomfortable, his learning can be affected negatively. A low level of knowledge will negatively affect contraception use, i.e., if teens only know about one method and they have side effects, or it is inconvenient, they will stop using the method without starting another one.

2. ANTICIPATING INTERCOURSE - To have contraceptive available when necessary, teens must be able to predict when intercourse will occur. However, this prediction is difficult for many teens as they feel

guilty about having sex, don't admit they want to have sex and will not take the necessary precautions.

3. ACQUIRING CONTRACEPTION - Getting birth control involves a public declaration of sexual activity. Once again, most teens are not comfortable enough with their sexuality to take this step. An embarrassing comment from a nurse, doctor or pharmacist is enough to discourage teens from acting responsibly in the future.

4. DISCUSSING WITH PARTNER - Both partners must be involved in the decision if contraception is to be used regularly. Although contraception is still considered a female responsibility by many people, such discussion will ensure that both partners assume responsibility.

5. CONSISTENT USE - Is most likely to occur if both partners understand birth control, can plan for intercourse, have discussed sex, and have acquired contraception. These steps are more likely to occur in a stable relationship where both partners are comfortable with their sexuality.

Teens who are successful contraceptors often have good reason to avoid a pregnancy. Usually, they have educational and career aspirations which are important to them. A pregnancy would interfere with their future plans. Many unsuccessful contraceptors have no real plans for themselves and believe that a baby will not interfere with an uncertain future. Such attitudes will also influence how a young girl handles a pregnancy. Those with plans are more likely to have an abortion so they can continue on with their lives.

The consequences of teen pregnancy

Over 40,000 teenagers became pregnant in 1983. About one-third of these pregnancies ended in abortion, one-third opted for the more traditional response of marriage or giving the child up for adoption, while one-third decided to raise the baby on their own.

References

1. Baker, Maureen. "What Will Tomorrow Bring?... A Study on the Aspirations of Adolescent Women. (Ottawa: Canadian Advisory Council on the Status of Women, 1985).

2. Meikle, S., Perace, K.I., Peitchinis, J., and Pysh, F. "An Investigation into the Sexual Knowledge, Attitudes and Behavior of the Teenage School Student".University of Calgary, unpublished paper, 1981.

3. Weston, M., "Youth and Lifestyles". A report of working progress submitted to the Saskatchewan Department of Health. August 1980.

4. Scandler, N.R., "An Overview of Teenage Pregnancy in British Columbia". (Vancouver: Social Planning Council, 1980)

4.	1976 Bedgley	1974 Herold	1974 Stennett	1975 Humdbely	1975 Gemme	1979 Frappier	1980 Mickle	1980 Weston	1981 PPOnt.
	National								
Males									
15	30%			22%			24%*		N/A
16-17	42%			33%				35%*	
18-23	73%	57%	53%		60%	55%	66%	61%*	
Females									
15	8%			15%	45%	53%	24%*		26%
16-17	19%			25%				35%*	44%
18-23	60%	33%	39%				66%	61%	

* (both)

SOMMAIRE

La sexualité adolescente: mythes et réalités

L'auteure met en avant trois propositions qu'elle regarde comme des axiomes, dans la situation présente: la sexualité adolescente est là pour rester; ce n'est pas l'activité sexuelle en elle-même qui constitue le problème; le vrai problème, c'est la grossesse non prévue et non désirée. L'auteure rejette, par ailleurs, l'idée que l'information et l'éducation sexuelles favorisent la mise à l'essai (premier mythe). En réalité, ce dont les adolescents ont besoin, c'est d'une vue raisonnée de l'éducation sexuelle qui leur permette de comprendre les implications personnelles et sociales de l'activité sexuelle, d'en mieux saisir les aspects psychologiques et physiques, et d'être mieux informés de l'ensemble possible des moyens à prendre pour éviter une grossesse prématurée.

Les adolescents, croit-on, n'ont pas la maturité suffisante pour songer au contrôle des naissances (deuxième mythe). L'immaturité apparaît au contraire à l'auteur une raison supplémentaire d'informer correctement les adolescents sur les possibilités qui accompagnent inévitablement l'activité sexuelle. Enfin, troisième mythe, les avantages sociaux encouragent les adolescentes à devenir mère prématurément. En réalité, une étude sérieuse des faits montre qu'il n'y a pas de corrélation entre l'élévation des bénéfices sociaux et les taux élevés de grossesse prématurée parmi les adolescentes. En conclusion, l'auteure croit qu'aussi longtemps que les Canadiens se contenteront de détourner les adolescents de l'activité sexuelle, au lieu de recourir à une information raisonnée et complète sur les moyens de prévenir la grossesse, le nombre des grossesses indésirées demeurera élevé.

Les filles et les sciences

par Roberta Mura, Renée Cloutier et Meredith Kimball

Le principal déclencheur de cette recherche a été le résultat d'un sondage réalisé en 1981 par l'une des auteures sur l'état de la recherche au Canada concernant les différences reliées au sexe en mathématiques: presque partout au Canada, la participation des filles aux cours de mathématiques commençait à décliner vers la fin du secondaire. En outre, aucune recherche systématique n'avait été effectuée au pays pour tenter d'expliquer ce phénomène (Mura, 1982). L'étude que nous présentons ici a été conçue comme une première exploration de cette question au Québec, dans le but de décrire les mécanismes par lesquels les filles en arrivent à s'inscrire à des cours de mathématiques (et de sciences) en plus petites proportions que les garçons à partir du niveau collégial.

Le sujet abordé a incité la chercheuse principale, mathématicienne et didacticienne en mathématiques à s'associer pour cette étude à des sociologues et à des psychologues.

Au Québec, dans le secteur francophone, le phénomène de la sous-représentation des femmes en mathématiques s'amorce au passage du secondaire au collégial (Cégep) - c'est-à-dire de la onzième à la douzième année. D'après les statistiques fournies par le ministère de l'Éducation du Québec, en cinquième secondaire (dernière année de l'école secondaire), même si les cours de mathématiques ne sont pas obligatoires, les filles représentent depuis plusieurs années 50,5% de la clientèle de ces cours. Au collégial par contre, à l'automne 1984, elles n'en constituaient plus que quarante-deux pour cent. Toujours d'après le ministère de l'Éducation du Québec, la réussite des filles, au secondaire comme au Cégep, est aussi bonne que celle des garçons, sinon meilleure.

Tout en étant conscientes que les racines des choix que les élèves font en entrant au Cégep peuvent remonter loin dans le passé, nous avons décidé d'aborder le problème en étudiant ce choix au moment de sa formulation, c'est-à-dire vers la fin de la cinquième année au secondaire.

Nous avons donc choisi comme sujets, les élèves de trois de ces classes de mathématiques de cinquième secondaire: une classe de voie régulière dans une école de milieu socio-économique élevé, une deuxième classe de voie régulière dans une école de milieu socio-économique mixte et, également dans cette dernière école, une classe de voie enrichie. Notre échantillon comprend quatre-vingt-neuf sujets dont cinquante filles et trente-neuf garçons. Les deux écoles étaient situées en milieu urbain au Québec.

Nous savions que le phénomène de la différenciation des choix scolaires selon le sexe était très complexe et nous avons choisi d'en brosser un tableau global, plutôt que d'en étudier plus en détail quelques aspects seulement. Dans cette perspective, nous avons opté pour l'emploi simultané d'une variété de méthodes de cueillette des données:

- un questionnaire administré aux élèves en deux séances, en février et en mars 1984 (pendant cette période les élèves faisaient, le cas échéant, leur demande d'admission au Cégep);

- une trentaine d'heures d'observation des classes, effectuées entre janvier et juin 1984;

- des entrevues individuelles avec un sous-échantillon comprenant vingt-six élèves, réalisées en mai et juin 1984;

- des entrevues individuelles avec les trois enseignant(e)s de mathématique, réalisées en juin 1984;

- un nouveau questionnaire administré par voie téléphonique aux élèves en mars 1985.

En nous inspirant en partie du modèle présenté par Meece et al (1982), nous avons retenu un grand nombre de variables. Parmi les principales, on retrouve les suivantes:

- l'occupation et la scolarité des parents;

- l'écart entre l'image de soi et l'image d'une personne de science;

- la valeur intrinsèque et la valeur utilitaire attribuées à la mathématique;

- l'attitude envers le succès en mathématiques et en français;

- la confiance en ses capacités en mathématiques;

- les causes auxquelles les élèves attribuent leurs succès et échecs en mathématiques et en français;

- les prévisions de réussite en mathématiques;

- les aspirations scolaires et professionnelles;

- la présence de modèle de rôles scientifiques dans le milieu de l'élève;

- les cours suivis et les notes obtenues;

- les motivations du choix scolaire telles qu'exprimées par les élèves;

- l'attitude du milieu de l'élève envers son choix scolaire;

- les interactions entre les élèves et leur enseignant(e) de mathématiques;

- la perception que l'enseignant(e) a du potentiel de ses élèves en mathématiques, de leur intérêt pour cette matière et de leur niveau de confiance;

- les prévisions de l'enseignant(e) à l'égard de la réussite de ses élèves;

- les causes auxquelles les enseignant(e)s attribuent les succès et les échecs de leurs élèves.

Les variables indépendantes que nous avons retenues pour les diverses analyses sont le sexe, le choix scolaire des élèves au collégial, et, plus rarement, le groupe-classe d'appartenance.

Le choix scolaire a été défini à partir de la demande d'admission au Cégep faite par les élèves au printemps 1984; nous avons ainsi distingué les élèves qui ont choisi une orientation scientifique de ceux et celles qui ont choisi une autre orientation. Cette définition du choix scolaire a le désavantage d'élargir le champ d'étude de la mathématique aux sciences, mais elle nous a semblé plus fiable qu'une définition basée sur l'intention de suivre des cours de mathématiques exprimée par les élèves, car dans la demande d'admission l'élève spécifie le programme auquel il, ou elle, veut s'inscrire sans préciser les cours particuliers qui seront suivis.

Nous résumons ici les principaux résultats de la recherche en les organisant, lorsque c'est possible selon le modèle principal qui nous a inspiré dans la recherche, soit celui de Meece et al (1982).

Ce modèle général, très élaboré, identifie dix groupes de variables qui influenceraient - directement ou indirectement - la décision d'une personne de s'engager dans une tâche, ainsi que sa persévérance et sa performance. Les deux groupes de variables qui auraient l'influence la plus directe sont ceux qui concernent la valeur subjective que la personne attribue à la tâche et l'évaluation qu'elle fait de ses chances de succès. Nous croyons qu'il faudrait ajouter à ces deux groupes, celui des "contraintes externes" à l'individu, qui parfois peuvent le forcer à s'engager dans une tâche ou l'empêcher de le faire (p. ex. des échecs scolaires au secondaire peuvent empêcher l'inscription au Cégep) (Figure 1). Les autres groupes de variables qui constituent le modèle de Meece et al sont: les événements passés, l'interprétation que l'on en fait, la confiance en ses capacités et la perception de la difficulté de la tâche, les objectifs personnels et l'image de soi, le milieu culturel, les comportements et les attitudes des agent(e)s de socialisation, la perception que l'on en a, et enfin les aptitudes que l'on possède.

Tel que prévu, proportionnellement plus de garçons que de filles dans notre échantillon ont dit en mars 1984 avoir fait une demande d'admission au programme de sciences au Cégep (p est moins que 0,03). Le questionnaire 1985 nous a permis de constater que cette orientation était relativement stable.

Pour ce qui est des intentions exprimées à propos du nombre de cours de mathématiques à suivre au Cégep, les élèves qui ont choisi les sciences ont dit avoir l'intention de suivre un plus grand nombre de ces cours que les autres élèves (p est moins que 0,01). La différence entre les filles et les garçons selon la même variable est seulement marginalement significative (p est moins que 0,06). Nous croyons que ceci est dû à la très grande proportion de filles qui ont opté pour les sciences de l'administration.

FIGURE 1

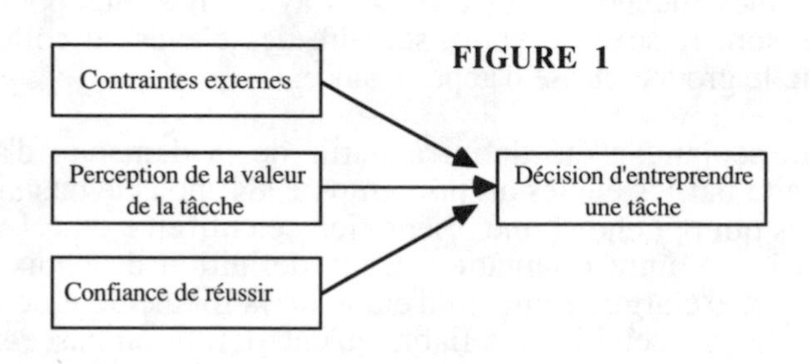

TABLEAU 1

Demandes d'admission au Cégep
(par sexe et orientation)

	FS	FNS	GS	GNS	T
AUCUNE DEMANDE	0	8	0	7	15
Sc. de la santé	0	2	0	0	2
Sc. pures et appliquées	11	0	18	0	29
Sc. humaines	0	4	0	2	6
Sc. de l'administration	0	11	0	1	12
Lettres	0	3	0	0	3
TOTAL GÉNÉRAL	11	20	18	3	52
Tech. biologiques	0	4	0	3	7
Tech. physiques	0	0	0	6	6
Tech. humaines	0	1	0	0	1
Tech. administratives	0	5	0	0	7
Arts	0	1	0	2	1
TOTAL PROFESS.	0	11	0	11	22
GRAND TOTAL	11	39	18	21	89

FS: filles en sciences GS: garçons en sciences
FNS: filles non en sciences GNS: garçons non en sciences

Nous n'avons pas trouvé de différence reliée au sexe par rapport au niveau des aspirations scolaires et professionnelles, mais les domaines auxquels s'appliquent ces aspirations sont nettement différents: les filles visent davantage les domaines de la santé, de l'administration et des sciences pures, tandis que les garçons s'orientent plutôt vers les sciences appliquées.

Nous avons remarqué aussi un lien très fort entre les orientations scolaires et professionnelles et le groupe-classe d'appartenance. Parmi les vingt-neuf élèves qui ont choisi les sciences, dix-sept appartenaient au groupe trois (voie enrichie, milieu socio-économique mixte), huit au groupe un (voie régulière, milieu socio-économique favorisé) et quatre au groupe deux (voie régulière, milieu socio-économique mixte). Ces différences d'orientation se reflètent dans les intentions de suivre des cours de mathématiques: les élèves du groupe trois ont exprimé l'intention de suivre le plus grand nombre de ces cours, suivi(e)s des élèves du groupe un et en dernier de ceux et celles du groupe deux (p est moins que 0,01). Enfin, les élèves du groupe trois ont manifesté les aspirations scolaires et professionnelles les plus grandes suivi(e)s de près des élèves du groupe un et en dernier, à distance, de ceux et celles du groupe deux.

Valeur subjective des mathématiques et des sciences

D'après Meece et al (1982) la valeur subjective d'une tâche comprend quatre aspects: la valeur intrinsèque, la valeur utilitaire, le coût et la valeur d'accomplissement. Dans notre étude nous avons porté attention surtout aux deux premières composantes, appliquées aux mathématiques.

Nous avons mesuré la valeur intrinsèque et la valeur utilitaire que les élèves attribuaient aux mathématiques, au moyen de deux échelles de six données chacune: pour l'une et l'autre de ces deux variables nous n'avons pas trouvé de différence significative (au niveau 0,05) reliée au sexe, alors que les élèves qui ont choisi les sciences ont attribué aux mathématiques une plus grande valeur intrinsèque (p est moins que 0,01) et une plus grande valeur utilitaire (p est moins que 0,001) que les élèves qui ont fait d'autres choix.

L'analyse discriminante a confirmé que la valeur utilitaire attribuée aux mathématiques discrimine bien les élèves qui s'orientent en sciences des autres, indépendamment de leur sexe; pour les filles, le pouvoir discriminant de cette variable est supérieur même à celui de la note en mathématiques. La valeur intrinsèque, par contre, discrimine beaucoup moins bien.

Trois autres données du questionnaire 1984 sont reliés à la valeur subjective des mathématiques ou des sciences: il s'agit de la donnée "Je ne suis pas intéressé(e) à étudier des matières qui font appel à mes connaissances mathématiques", de la donnée "Un problème mathématique difficile représente pour moi un défi que j'aime relever", et de la donnée "La connaissance de la mathématique me permettrait un choix plus grand d'études à l'université". Les analyses des réponses aux trois données ont révélé des différences reliées à l'orientation scolaire (p est moins que 0,05) (les élèves qui ont choisi les sciences exprimant une attitude plus positive), mais non au sexe.

Le résultat relatif à la dernière donnée est confirmé par celui obtenu à propos des réponses à une question, où les élèves qui ont choisi les sciences se sont montré(e)s plus conscient(e)s que les autres du rôle de filtre joué par les mathématiques dans l'accès à divers programmes d'études universitaires (p est moins que 0,03). Ici encore nous n'avons pas trouvé de différence significative entre les sexes.

En reprise à une autre question, encore, les élèves qui ont choisi les sciences ont indiqué que leur matière préférée était les mathématiques ou une matière scientifique en plus grande proportion que les autres élèves (p est moins que 0,001), alors que nous n'avons pas trouvé de différence entre les préférences exprimées par les deux sexes.

Une des questions posées dans les entrevues avec les enseignant(e)s portait sur leur perception de l'intérêt de leurs élèves pour les mathématiques: deux enseignant(e)s sur trois ont confirmé qu'il n'y avait pas de différence entre les filles et les garçons de ce point de vue, tandis que le troisième percevait l'intérêt des filles comme étant inférieur à celui des garçons.

Les entrevues avec les élèves ont mis en évidence que la valeur subjective d'un programme d'études, en particulier sa valeur intrinsèque, est le motif principal invoqué par la majorité des élèves pour expliquer leur choix scolaire ("J'aime ça").

Les mêmes entrevues ont apporté quelques nuances dans les résultats obtenus par questionnaire: parmi les élèves qui ont choisi les sciences, les filles n'ont pas exprimé une attitude envers les mathématiques aussi inconditionnellement positive que les garçons.

C'est aussi à travers les entrevues que nous avons pu recueillir quelques indications à propos des aspects du coût et de la valeur d'accomplissement liés aux études en sciences. Plusieurs élèves ont exprimé l'opinion que ces études sont particulièrement exigeantes (aussi bien en termes de quantité de travail que de niveau de difficulté), et c'est cette perception, autant qu'un manque d'intérêt qui détournerait les élèves des sciences: ils, ou elles, n'avaient pas envie de consacrer tout leur temps aux études ("Je suis paresseux(se)"), ou ne voulaient pas prendre le risque d'un échec.

Un autre type de remarque qui touche au coût du programme de sciences est à l'effet que celui-ci constitue un ensemble: si l'on aime seulement certaines sciences et pas d'autres, le "coût" de devoir étudier des disciplines jugées inintéressantes est suffisamment élevé pour détourner certain(e)s élèves du programme. Enfin, le coût financier des études n'a été jugé en aucun cas comme étant un facteur dans le choix de l'orientation scolaire.

Cette même perception des études en sciences, comme étant particulièrement exigeantes, qui amène à une évaluation élevée de leur coût, donne lieu à une grande valeur d'accomplissement liée à la réussite en sciences: réussir quelque chose de difficile est valorisant. Ce genre de discours a été tenu par trois filles parmi les quinze élèves ayant choisi les sciences que nous avons interviewé(e)s.

Dans l'ensemble, nous pouvons conclure en ce qui concerne la valeur subjective des mathématiques et des sciences, que nous avons trouvé beaucoup de différences reliées au choix scolaire au Cégep et très peu de différences reliées au sexe - dans ce dernier cas, les différences apparaissant seulement dans les entrevues et non dans le questionnaire.

Nos résultats concernant la valeur utilitaire attribuée aux mathématiques ne concordent pas avec ceux de plusieurs autres recherches où on a rapporté que les filles avaient exprimé une perception de l'utilité de cette discipline inférieure à celle exprimée par les garçons. Cette divergence peut s'expliquer par la grande proportion de filles dans notre échantillon qui ont choisi les sciences de l'administration, et pour qui les mathématiques ont donc une grande valeur utilitaire.

Écart entre l'image de soi et l'image d'une personne de science

L'analyse de certaines données du questionnaire 1984 a révélé que l'écart entre l'image que les élèves ont d'eux-mêmes, ou d'elles-mêmes, et l'image qu'ils ou elles se font d'une personne de science est plus petit chez les élèves qui s'orientent vers les sciences que chez les autres (p est moins que 0,03). Par contre, il n'y a pas de différence significative entre les filles et les garçons de ce point de vue.

L'analyse discriminante a montré que cette variable discrimine beaucoup moins bien que la valeur utilitaire attribuée aux mathématiques, ou la confiance en ses capacités dans ce domaine, entre les élèves qui ont choisi les sciences et les autres.

Prévisions de réussite et confiance en ses capacités

Nous avons mesuré la confiance des élèves en leurs capacités [illegible] mathématiques au moyen d'une échelle à cinq items. Les élèves qui [illegible] choisi les sciences ont manifesté un plus haut niveau de confiance [illegible] autres (p est moins que 0,001) et les garçons ont manifesté un plu[illegible] niveau de confiance que les filles (p est moins que 0,01). [illegible] intéressant de vérifier si cette différence entre les sexes existe [illegible] la confiance en leurs capacités dans d'autres domaines, par [illegible] français.

L'analyse discriminante a confirmé que la confiance en ses [illegible] mathématiques discrimine bien entre les élèves qui ont chois[illegible] et les autres, indépendamment de leur sexe. Son pouvoir dis[illegible] un peu moins grand que celui de la valeur utilitaire a[illegible] mathématique.

Nous avons trouvé aussi des différences importantes dans la matière identifiée par chaque élève comme étant celle où il, ou elle, réussit le mieux: les élèves s'orientant en sciences ont nommé les mathématiques ou une matière scientifique beaucoup plus souvent que les filles (p est moins que 0,001). Ce résultat contraste avec celui que nous avons déja cité à propos de la matière préférée, où il n'y a pas de différence significative entre les deux sexes.

Par contre, lorsque nous avons demandé aux élèves de prévoir leur classement à l'examen final de mathématiques, la tendance à se surestimer, ou sous-estimer, s'est révélée indépendante autant de l'orientation scolaire que du sexe de l'élève. De même, les réponses données aux deux questions "Tes résultats scolaires de cette année en mathématiques / en français reflètent-ils bien ta véritable habileté?" ne dépendent ni de l'orientation scolaire, ni du sexe de l'élève.

Les entrevues avec les élèves ont indiqué qu'une évaluation positive de ses capacités de réussir dans un domaine donné est un des facteurs qui influencent le choix scolaire. Plusieurs élèves, surtout des filles, ont admis avoir écarté les sciences à cause de doutes sur leurs capacités de réussir dans ce domaine.

En conclusion, la confiance en ses capacités en mathématiques est une variable qui a fait ressortir des différences reliées au sexe aussi bien qu'à l'orientation scolaire, les premières étant plus importantes que les secondes.

Attitudes envers le succès

Nous avons mesuré l'attitude envers le succès en mathématiques et en français au moyen de deux échelles à quatre items. Ni dans l'une ni dans l'autre de ces deux variables, nous n'avons trouvé de différence reliée au sexe ou à l'orientation scolaire. D'après les réponses obtenues au questionnaire, l'attitude envers le succès est généralement positive. Les entrevues avec les élèves confirment cette tendance, mais elles permettent aussi de remarquer que les élèves ayant choisi une orientation scientifique se définissaient comme des personnes ambitieuses en plus grand nombre que les autres. Nous n'avons recueilli aucun commentaire indicateur 'une "peur du succès".

ets d'avenir

bien du questionnaire 1984 que des entrevues avec les élèves, il se 'impression qu'au moins une minorité importante n'avait pas de venir bien défini. En réponse à des questions explicites au ire 1984, presque tous et toutes ont dit vouloir travailler, se avoir des enfants (vingt pour cent cependant n'ont pas su ccupation qu'ils, ou elles, auraient plus tard). Par contre, en une question moins directe, à savoir la description d'un ypique de leur vie à trente ans, seulement trente-neuf pour cent nné un(e) conjoint(e) et vingt- trois pour cent ont songé à la présence d'enfants dans leur vie. En réponse à la même question, alors que presque tous et toutes ont mentionné un emploi, seulement quarante-six pour cent en ont précisé la nature.

Une différence importante entre filles et garçons est apparue dans leurs propres projets d'emploi et dans ce qu'elles, ou ils, prévoient pour le conjoint, ou la conjointe, lorsque viendront les enfants: vingt-trois pour cent des filles et soixante-quatorze pour cent des garçons ont dit prévoir travailler à plein temps dans cette situation, alors que quatre-vingt-huit pour cent des filles et neuf pour cent des garçons ont dit prévoir que leur conjoint(e) travaille à plein temps. L'influence éventuelle de ce facteur sur le choix scolaire nous semble être liée à l'image des sciences comme domaine particulièrement exigeant, où il est difficile de poursuivre des études ou une carrière à temps partiel, ou de les reprendre après une interruption.

Les entrevues ont confirmé que plusieurs élèves n'avaient pas de plan de carrière bien arrêté. Cette situation était moins fréquente chez les garçons qui avaient choisi les sciences que chez ceux qui avaient fait d'autres choix et chez les filles en général.

Perception de l'enseignant(e) à l'égard des capacités de ses élèves

Dans les entrevues avec les enseignant(e)s, nous leur avons demandé, entre autres, de prévoir le classement de leurs élèves à l'examen final de mathématiques et d'estimer le potentiel de chaque élève de réussir dans des cours de mathématiques de niveau post-secondaire.

Dans l'ensemble, les enseignant(e)s ont eu tendance à surestimer la performance des filles et à sous-estimer celle des garçons (p est moins que 0,02). Nous n'avons pas trouvé de différence significative (au niveau 0,05) entre la perception que les enseignant(e)s ont exprimé à l'égard du potentiel des filles ou des garçons, mais la tendance a été à attribuer un potentiel supérieur aux derniers.

Causes auxquelles les élèves attribuent leurs succès et échecs

D'après le modèle de Meece et al (1982), l'interprétation qu'une personne fait de ses expériences de succès ou d'échec joue un rôle médiateur entre les expériences elles-mêmes et la confiance que la personne a en ses capacités.

Les élèves étaient invité(e)s à indiquer quelle était le plus souvent la raison principale de leurs succès et de leurs échecs, en mathématique et en français, en choisissant dans chaque cas l'une des six options proposées: l'habileté (ou le manque d'habileté), l'aide reçue (ou non), la facilité de la tâche (ou sa difficulté), la chance (ou la malchance), et le fait d'avoir été particulièrement en forme (ou en mauvaise forme).

Nous avons trouvé une différence significative entre les causes auxquelles les filles et les garçons ont attribué leurs succès et échecs en mathématiques. Pour ce qui est du succès, cinquante-cinq pour cent des garçons l'ont attribué à leur habileté ou à la facilité de la tâche, tandis que dix-neuf pour cent seulement des filles ont choisi ces mêmes raisons (p est moins que 0,01); par contre, soixante-neuf pour cent des filles ont attribué leurs succès à leurs efforts, comparativement à trente-sept pour cent des garçons. Pour ce qui est de l'échec, la majorité des filles, aussi bien que des garçons, l'ont attribué au manque d'effort, toutefois vingt-sept pour cent des filles l'ont attribué à leur manque d'habileté ou à la difficulté de la tâche, alors que seulement huit pour cent des garçons ont fait ces choix (p est moins que 0,03).

Nous n'avons trouvé aucune différence analogue en ce qui concerne les causes auxquelles les filles ou les garçons ont attribué leurs succès et échecs en français: les filles ont fait des choix semblables pour le français et pour les mathématiques, tandis que les garçons ont utilisé des systèmes d'interprétation différents pour ces deux matières.

Nous avons aussi comparé les réponses des élèves selon leur orientation scolaire. Dans le cas du succès et de l'échec en mathématiques, nous avons trouvé des différences marginalement significatives: les élèves ne se dirigeant pas en sciences ont eu davantage tendance à attribuer leurs succès à la facilité de la tâche ou à la chance (p est moins que 0,006), et leurs échecs à la difficulté de la tâche et au manque d'habileté (p est moins que 0,07). Nous n'avons pas trouvé de différence reliée à l'orientation scolaire dans les causes perçues du succès et de l'échec en français.

En résumé, pour ce qui est des causes perçues du succès et de l'échec en mathématiques, nous avons trouvé des plus grandes différences reliées au sexe qu'à l'orientation scolaire. Le sens de ces différences est cohérent avec les différences trouvées dans la confiance des élèves en leurs capacités en mathématiques.

L'absence de différence reliée au sexe dans les causes perçues du succès et de l'échec en français rend ce facteur susceptible d'être relié aux différences d'orientation scolaire entre les filles et les garçons.

Causes auxquelles l'enseignant(e) attribue les succès et les échecs de leurs élèves

Nous avons posé aux enseignant(e)s des questions à propos des causes de succès et d'échec de leurs élèves en mathématiques, analogues à celles que nous avons posées aux élèves. Chaque enseignant(e) a répondu à ces questions pour douze de ses élèves.

Les choix faits pour expliquer le succès varient selon le sexe de l'élève: dans la majorité des cas, le succès des filles est attribué à leurs efforts, alors que le succès des garçons est attribué à une variété de causes dont les plus fréquentes sont l'habileté et l'aide reçue. Pour ce qui est des explications de l'échec, les choix sont très variés pour les filles aussi bien que pour les garçons. Á cause de la petite taille de l'échantillon, il est difficile d'identifier des différences claires entre les explications données de l'échec des filles ou des garçons. Il semble toutefois y avoir une tendance à invoquer le manque d'habileté et la difficulté de la tâche davantage pour les filles, alors qu'on songe au manque d'effort davantage pour les garçons.

En conclusion, les enseignant(e)s ont appliqué un système explicatif différent aux succès, et en moindre mesure aux échecs, de leurs élèves selon leur sexe. Ces différences correspondent à celles que nous avons trouvées chez les élèves eux-mêmes, ou elles-mêmes.

Réussite scolaire

Nous avons examiné les dossiers scolaires des élèves et nous avons relevé les cours de mathématiques qu'elles, ou ils, avaient suivis depuis la première année du secondaire, ainsi que les cours de sciences, de français et d'anglais suivis en quatrième ou en cinquième secondaire.

Puisque les élèves qui composent notre échantillon n'étaient pas nécessairement dans les mêmes classes, sauf pour le cours de mathématiques de cinquième année, il n'est pas intéressant d'établir des comparaisons entre les notes obtenues, sauf pour ce cours. Nous avons alors retenu comme indices de la réussite scolaire, la note en mathématiques en cinquième secondaire, le nombre total d'échecs, le nombre de cours de sciences et le nombre de cours de voie enrichie suivis en quatrième et cinquième années du secondaire.

Pour ce qui est de la note en mathématiques, dans le groupe-classe un les filles ont réussi moins bien que les garçons (p est moins que 0,01 si l'on considère la note à l'examen, p est moins que 0,05 si l'on considère la note finale), tandis que dans les groupes-classes deux et trois il n'y a pas de différence significative entre les deux sexes. Le résultat concernant le groupe-classe un va à l'encontre de ceux publiés par le Ministère de l'Éducation du Québec, d'après lesquels les filles réussissent au moins aussi bien que les garçons en mathématiques en cinquième secondaire (Guilbert, 1985).

Pour ce qui est des autres indices retenus, des trois facteurs sexe, orientation scolaire et groupe-classe d'appartenance, c'est le dernier qui est le plus fortement relié au nombre de cours de sciences et au nombre de cours de voie enrichie suivis, ainsi qu'au nombre d'échecs reçus. Ce sont les élèves du groupe trois (voie enrichie, milieu socio-économique mixte) qui ont suivi le plus de cours de sciences (p est moins que 0,00001), et le plus de cours de voie enrichie (p est égale à 0), et qui ont reçu le moins d'échecs (un pour cent des échecs, alors que ce groupe constitue trente et un pour cent de l'échantillon). Entre les élèves des groupes un et deux, ce sont les premiers(ères) qui ont suivi le plus de cours de sciences et qui ont reçu le moins d'échecs, il n'y a pas de différence significative entre les élèves de ces deux groupes quant au nombre de cours de voie enrichie suivis.

Les élèves qui s'orientent vers les sciences, comparé(e)s aux autres, ont suivi plus de cours de sciences (p est moins que 0,001) et plus de cours de voie enrichie (p est moins que 0,01), et ont reçu proportionnellement moins d'échecs (onze pour cent des échecs, alors que ces élèves constituent entre trente-trois pour cent de l'échantillon).

Nous n'avons pas trouvé de liens entre le sexe et le nombre de cours de sciences ou le nombre de cours de voie enrichie suivis. Par contre, les filles ont reçu soixante-cinq pour cent des échecs alors qu'elles constituent cinquante-six pour cent de l'échantillon.

Interactions enseignant(e)-élèves

Au cours des observations dans les classes, nous avons observé une différence de comportement entre filles et garçons: les garçons s'exprimaient verbalement beaucoup plus que les filles, en répondant à soixante-quinze pour cent des questions de l'enseignant(e) lorsque celles-ci n'étaient pas adressées à un(e) élève en particulier (les garçons constituaient quarante-quatre pour cent de notre échantillon).

On pourrait rapprocher ce comportement du plus haut niveau de confiance exprimé par les garçons dans le questionnaire 1984, et aussi des remarques à propos de la peur de l'échec faites surtout par les filles lors des entrevues.

Il est difficile d'avancer des hypothèses sur le rôle de ce facteur dans les orientations scolaires, sans d'abord effectuer des observations pour savoir si ce comportement ne se retrouve pas aussi dans des classes où l'on aborde des disciplines non-scientifiques. Il nous semble tout de même que le silence relatif des filles peut avoir un effet négatif sur celles-ci en tant que groupe, en les rendant moins visibles et en les privant du modèle que chaque fille pourrait constituer pour les autres.

Au cours de nos visites dans les classes nous n'avons pas été témoins d'incidents qui auraient pu explicitement décourager les filles de poursuivre des études en sciences, mais nous avons remarqué que l'atmosphère dans le groupe-classe un était plus "froide" pour les filles que pour les garçons.

Les entrevues avec les enseignant(e)s nous ont appris que le niveau et la forme de leur implication dans l'orientation scolaire de leurs élèves variaient. Dans aucun cas, il ne s'agissait cependant d'actions systématiques. En particulier, aucun(e) n'a dit intervenir délibérément auprès des filles ont reçu soixante-cinq pour cent des échecs alors qu'elles en sciences.

Influence du milieu des élèves sur leur choix scolaire

Nos données ne confirment pas l'hypothèse émise par plusieurs sources sur l'importance de la présence de personnes qui servent de modèle pour l'orientation des filles vers les sciences. Dans notre échantillon, les filles qui ont choisi une orientation scientifique ont été en contact avec moins de personnes pouvant leur servir de modèle que les autres filles et que tous les garçons: en aucun cas il n'y avait de femme scientifique dans leur famille ou parmi les amies de la famille, et il n'y avait qu'une seule soeur et aucun frère qui poursuivait des études en sciences.

Dans les entrevues avec les élèves, les références à des modèles, positifs ou négatifs, ont été peu nombreuses, les modèles positifs ayant été cités surtout par les garçons qui ont choisi les sciences et les modèles négatifs surtout par les filles qui ont opté pour d'autres orientations.

Toujours à partir des entrevues, nous avons eu l'impression que les élèves attribuaient peu d'importance à l'influence de leur milieu sur leur choix scolaire.

Facteurs socio-démographiques

Nous avons recueilli des données sur le nombre d'enfants dans la famille des élèves, sur leur rang dans la famille, ainsi que sur la scolarité et sur l'occupation des parents. Aucun de ces facteurs n'a semblé être relié au choix d'une orientation scientifique ou non de la part des élèves. En ce qui concerne le nombre d'enfants dans la famille et la scolarité des parents, ce résultat négatif a été confirmé par l'analyse discriminante.

Par contre, la scolarité et l'occupation des parents varient selon le groupe-classe d'appartenance des élèves, de façon conforme à la différence de milieu socio-économique des deux écoles (milieu favorisé pour le groupe-classe un et milieu mixte pour les groupes-classes deux et trois).

Il est possible qu'un certain lien entre l'origine sociale et l'orientation scolaire des élèves existe, mais que nous n'ayons pu le mettre en évidence à cause de la structure asymétrique de notre échantillon, qui comprenait deux groupes-classes de voie régulière, l'un de milieu favorisé et l'autre de milieu mixte, mais un seul groupe-classe de voie enrichie, de milieu mixte. Le lien très fort entre la voie régulière ou enrichie du groupe-classe d'appartenance et l'orientation scolaire des élèves pourrait avoir caché un lien plus faible entre celle-ci et l'origine sociale. (Le projet initial de cette étude prévoyait un échantillon de quatre groupes-classes: le quatrième groupe-classe, qui aurait été un groupe de voie enrichie en milieu favorisé, a été abandonné à cause du sous-financement du projet).

Discussion globale

Pour l'ensemble des variables étudiées, nous avons trouvé plus de différences reliées au choix scolaire au collégial (sciences/non-sciences) que de différences reliées au sexe; de plus, ces deux types de différences ne touchent pas les mêmes domaines.

Les facteurs qui nous semblent davantage susceptibles d'expliquer les différences d'orientation entre les filles et les garçons sont ceux qui varient aussi bien selon le sexe que selon le choix scolaire des élèves. Le seul facteur de cette catégorie que nous ayons clairement identifié est la confiance en ses capacités en mathématiques: les filles ont manifesté moins de confiance que les garçons.

D'autres résultats viennent compléter ou confirmer partiellement celui-ci. Le système explicatif différent appliqué par les filles ou par les garçons à leurs succès et échecs en mathématiques est cohérent avec leur niveau différent de confiance en leurs capacités. Dans une moindre mesure cela est vrai aussi des élèves s'orientant en sciences ou non. Les groupes ayant moins de confiance sont ceux qui invoquent le moins leur habileté pour expliquer leurs succès et qui l'invoquent le plus pour expliquer leurs échecs.

Le niveau inférieur de confiance des filles est cohérent aussi avec leur moindre participation lorsqu'il s'agit de répondre aux questions que l'enseignant(e) pose à la classe en général. La direction d'une éventuelle influence causale pourrait être dans les deux sens.

Les entrevues ont confirmé l'importance du rôle que la confiance en ses capacités joue dans le choix scolaire.

A partir de ces résultats nous pouvons avancer l'hypothèse suivante, tout en soulignant bien qu'il ne s'agit que d'une hypothèse. Les filles, plus que les garçons, voient leur succès en mathématiques comme le fruit de leur effort, et cela diminue l'influence positive que leurs expériences de succès ont sur leur niveau de confiance. Si le même type d'attitude prévaut à l'égard des autres sciences, on peut supposer que les filles, plus que les garçons, envisagent le choix d'une orientation scientifique comme comportant des risques d'échec (leurs capacités leur apparaissant insuffisantes à la tâche), ou encore comme un engagement à fournir des efforts intenses et soutenus. La peur de l'échec, ou le désir de ne pas se consacrer exclusivement aux études, les feraient opter pour des domaines où elles se jugent plus douées, ou qui leur paraissent moins exigeants.

Malheureusement, nous n'avons pas vérifié systématiquement si les sciences étaient perçues comme étant un domaine plus exigeant que d'autres, mais au cours des entrevues nous avons recueilli plusieurs remarques en ce sens, autant chez les filles qui ont choisi les sciences que chez les autres. Si ces indications sont exactes, le modèle de couple décrit par la majorité des élèves, où c'est la femme qui réduit ou interrompt ses occupations externes pour élever les enfants, contribuerait à renforcer la tendance des filles à écarter les sciences en faveur d'un domaine où elles croient qu'elles pourraient concilier plus facilement leurs projets professionnels et familiaux.

Il est important de noter que même si les filles ont exprimé un niveau de confiance en leur capacités en mathématiques inférieur à celui des garçons, cela ne veut pas dire qu'il s'agit d'un faible niveau au sens absolu: sur une échelle de cinq à vingt-cinq, la moyenne des filles a été seize et celle des garçons dix-huit. Comme il est très difficile de définir et d'évaluer les capacités réelles d'une personne en mathématiques, et comme nous n'avons pas tenté de le faire, rien ne nous permet de conclure à un manque de confiance chez les filles, pas plus qu'à un excès de confiance chez les garçons.

Parmi les résultats négatifs que nous avons obtenus, l'absence de différence reliée au sexe dans la valeur subjective attribuée à la mathématique, contraste avec les résultats d'autres recherches. Nous expliquons cette divergence par la presque absence dans notre échantillon de garçons s'orientant vers les sciences de l'administration. Puisque les mathématiques jouent un rôle important dans les études en administration, la sous-représentation des filles en sciences sur la valeur subjective attribuée aux mathématiques par les deux sexes.

Enfin, plusieurs résultats ont mis en évidence la grande diversité des trois groupes-classes qui constituaient notre échantillon. Le groupe-classe de voie enrichie (groupe-classe trois), malgré son appartenance à un milieu socio-économique mixte, était celui où les élèves avaient les aspirations scolaires et professionnelles les plus élevées, avaient suivi le plus de cours de sciences et le plus de cours de voie enrichie, avaient subi le moins d'échecs, s'orientaient vers les sciences en plus grande proportion et avaient l'intention de suivre le plus de cours de mathématiques au Cégep. Pour chacune de ces variables, le groupe-classe de voie régulière en milieu socio-économique favorisé (groupe-classe un) se retrouvait en deuxième position, et le groupe-classe de voie régulière en milieu socio-économique mixte (groupe-classe deux) se retrouvait en dernière position.

L'appartenance à un groupe de voie enrichie en mathématiques semble être fortement liée au choix d'une orientation scientifique. Toutefois, puisque d'après les statistiques provinciales les filles se retrouvent dans ce type de groupe en même proportion que les garçons, nous ne pouvons pas retenir ce facteur parmi ceux susceptibles d'expliquer la sous-représentation des filles dans le programme de sciences au Cégep.

Le groupe-classe deux présente trois caractéristiques particulières. L'influence de l'origine sociale de ces élèves sur leur orientation scolaire a été beaucoup plus faible de ce que nous prévoyions, et dans le cas des filles elle a été tout à fait nulle. En moyenne, dans ce groupe, les filles ont eu des notes de mathématiques moins bonnes que celles des garçons, ce qui va à l'encontre des statistiques provinciales. Enfin, c'est dans cette classe seulement où nous avons remarqué une atmosphère plus "froide" pour les filles que pour les garçons.Si nous nous basions exclusivement sur les données de notre étude, la moins bonne réussite en mathématiques des filles du groupe-classe deux, nous amènerait à ne pas exclure ce facteur de ceux susceptibles d'expliquer la différence d'orientation scolaire entre les deux sexes. Par contre, les statistiques provinciales indiquent clairement qu'une telle explication ne peut avoir de validité générale au Québec, puisque la performance des filles en mathématiques en cinquième secondaire est au moins aussi bonne que celle des garçons.

Voilà donc, en résumé, nos principaux résultats. Étant donné le caractère caractère exploratoire de notre recherche, il est difficile actuellement d'en tirer des conclusions en termes d'intervention. Nous espérons vivement que nos résultats pourront être testés avec un échantillon plus vaste et à l'échelle canadienne. En outre, cette nouvelle recherche devrait revêtir une dimension longitudinale. Nous souhaitons cependant, malgré les limites de nos analyses, que notre recherche serve d'amorce à une réflexion des différents agents et agentes en éducation.

Références

Guilbert, L. (1985). L'entrée des femmes dans les sciences, le génie et la technologie: Spectre, Octobre 1985, pp.10 à 15.

Meece, J.L., Parsons, J.E., Kaczala, C.M., Goff, S.B. et Futterman, R. (1982). Sex differences in math achievement: toward a model of academic choice. Psychological Bulletin, 91:2, pp. 324 à 348.

Mura, R. (1981). Gender and mathematics in Canada. In E. Schildkamp-Kündiger (Ed.) An International Review of Gender and Mathematics (pp. 32 à 43). The ERIC Science, Mathematics and Environmental Education Clearinghouse, The Ohio State University, Columbus, Ohio.

Summary

Girls and Science

The project of which the results are presented stems from the discovery that the presence of girls starts to decline in math courses at the end of secondary education. Thereafter, their number decreases significantly. This exploratory study examines eighty-nine male and female students in three groups finishing their secondary education. Through questionnaires, observations and interviews, it tries to understand what makes less and less girls take math courses. Among these factors the authors note a lower level of confidence girls have in themselves as compared to boys, and likewise, a tendency to speak less in class when questions are addressed to the whole group. However the authors recommend further studies before any significant conclusions can be arrived at.

Les filles face à l'activité physique au niveau collégial

par Lucie Brault et Suzanne Laberge

LA SITUATION DES FEMMES DANS LE MONDE DU SPORT

Introduction

Nous aimerions présenter et discuter ici quelques constats en réponse à la question: quelle est la place des filles et des femmes dans ce "merveilleux monde du sport"? Un bref regard autour de nous nous amène à l'évidence que le monde du sport est d'abord et avant tout un univers mâle où les filles, lorsqu'elles y ont accès, se voient attribuer une place et un rôle bien spécifiques.Mais avant d'aborder la question du vécu sportif des filles et des femmes, certaines précisions méritent d'être apportées. En effet, quand on parle du sport cela suscite des images bien différentes chez les gens. Certains pensent aux performances impressionnantes des athlètes olympiques; d'autres revoient en pensée les matches de hockey télévisés; pour d'autres, cela rappelle les douleurs physiques éprouvées lors de leur participation à un marathon; pour d'autres, enfin, cela fait revivre les plaisirs ou l'ennui... de leurs cours d'éducation physique à l'école. Ces manifestations du sport représentent des phénomènes sociaux très distincts, car elles s'inscrivent dans des institutions différentes, poursuivent des objectifs spécifiques et n'ont pas les mêmes impacts sur la société. C'est pourquoi les études sociologiques sur le sport s'entendent pour distinguer quatre grandes sphères d'activités, soit le sport d'élite, le sport de masse, le sport scolaire et le sport spectacle.

Quelques illustrations d'inégalités de la place occupée par les femmes dans le sport

Avant de présenter les résultats de notre recherche, effectuée en milieu scolaire, il peut s'avérer pertinent dans le cadre de cette conférence de faire état des inégalités observées dans le contexte du sport d'élite, du sport de masse et du sport scolaire.

D'abord dans le sport d'élite, les femmes n'ont pas accès à toutes les épreuves sportives et quand elles y accèdent, leurs performances sont inférieures à celles des hommes: elles sautent moins haut, elles nagent, courent et pédalent moins vite. Bien sûr, plusieurs diront (tombant dans le mythe "classique" du "sexe faible") qu'il s'agit là de différences biologiques. Pourtant les écarts entre les performances féminines et masculines rétrécissent de plus en plus, en particulier pour les épreuves de longue distance. Allant dans le même sens, des études ont démontré, entre autres, que les athlètes féminines tolèrent mieux le stress physiologique des épreuves d'endurance et qu'elles supportent mieux les effets de l'altitude et de la chaleur, probablement grâce à leur capacité d'hyperventilation supérieure à celle de l'homme. À l'heure actuelle, il n'existe aucune étude physiologique démontrant l'incapacité de la femme à accomplir des performances comparables à celles de l'homme. C'est ainsi que Ann Hall et Dorothy Richardson, dans une étude synthèse sur les inégalités des femmes dans le sport, en arrivent aux conclusions que:

- Rien n'a été prouvé. Nos connaissances sur le potentiel physique réel des filles et des femmes sont à ce point restreintes qu'il est impossible d'avancer catégoriquement qu'elles sont limitées par leur constitution biologique.

- Les raisons des différences de performance qui apparaissent, après l'âge de dix ans, entre les garçons et les filles, seraient plutôt d'ordres social et culturel que biologique.

On est en droit de se demander si la cause de ces résultats inférieurs lors d'épreuves compétitives n'est pas due au peu d'opportunités offertes aux jeunes filles pour s'intégrer dans le sport d'élite et "parce qu'elles n'ont pas, dans le passé, bénéficié d'un entraînement aussi systématique et rigoureux que les hommes?".

En outre, au niveau de l'encadrement, la place qu'occupent les femmes n'est guère plus reluisante: les postes d'entraîneurs nationaux sont détenus presque exclusivement par des hommes, et ce, même pour les sports dits féminins, tels que la gymnastique artistique. Et il n'apparaît pas dans un avenir prochain le jour où une femme entraînera l'équipe nationale masculine de cyclisme...!

En ce qui a trait au sport-participation, si l'on se réfère au marathon de Montréal, les femmes représentent à peine dix pour cent des participants (ce qui ne diffère pas des autres marathons en Amérique du Nord qui affichent le même faible taux de participation des femmes), tandis qu'elles constituent soixante-dix pour cent des bénévoles. Serait-ce que, chez les femmes, la "réalisation de soi" passe par le "don de soi", alors que chez les hommes la "réalisation de soi" s'exprime par l'affirmation et le faire-valoir de leur force? On peut en outre citer des cas de discrimination, tel celui des services et installations mis à la disposition des Torontoises en 1974.

En effet, Ann Hall et Dorothy Richardson ont noté que:

dans les dix centres de loisirs municipaux [...] Les filles disposaient chaque semaine d'un plus grand nombre d'heures pour les arts, l'artisanat, la cuisine, [...] les activités de majorettes, de cheerleading, [...] Les activités prévues [...] pour les femmes se rapportaient à la "gymminceur", ce qui contribuait encore à renforcer un stéréotype. Bien des centres ne comportaient pas de vestiaires pour femmes.

Pour ce qui est du secteur scolaire, on observe une nette sous-représentation des éducatrices physiques. Au Québec, les statistiques accessibles montrent que les femmes représentent vingt-neuf pour cent des éducateurs physiques au niveau collégial en 1983-1984 et seulement vingt pour cent au niveau secondaire en 1984-1985. Ce faible taux de représentativité ne peut aller qu'en diminuant, tenant compte que les femmes sont les premières à être mises à pied parce qu'elles ont moins d'ancienneté que les hommes. Il faut s'attendre à ce que ce phénomène ait un impact sur la perception et les conceptions des jeunes filles face aux activités physiques et sportives.

Des mythes encore vivants

Ces diverses inégalités ne sont pas étrangères aux nombreuses croyances populaires touchant le rapport femmes et activités sportives. On peut ici en mentionner quelques-unes:

- les athlètes féminines sont limitées par leur constitution physiologique,

- la résistance des hommes est supérieure à celle des femmes,

- les filles sont plus sujettes aux blessures dues à la pratique sportive,

- la pratique sportive est nuisible au système et au cycle reproducteurs,

- la force physique "masculinise" les femmes,

- les athlètes féminines sont homosexuelles,

- etc, etc, etc...

C'est entre autres sur ces mythes ou fausses croyances populaires que se créent chez les filles des barrières symboliques et imaginaires influençant leurs attitudes vis-à-vis les A.P.S. En fait, la place qu'occupent les femmes dans l'univers des sports est socialement et historiquement déterminée, et ce, autant en raison de conditions matérielles d'existence différentes de celles des hommes qu'en raison des barrières symboliques et imaginaires.

L'ÉTUDE EFFECTUÉE AU NIVEAU COLLÉGIAL

Présentation de la problématique générale

Abordons maintenant l'objet principal de notre recherche effectuée au Collège de Maisonneuve (Québec). Étant professeure d'éducation physique, j'étais à même de constater les polarisations entre les filles et les garçons, et ce, à la fois dans les choix d'orientations académiques et dans les préférences face aux A.P.S. Jusqu'à maintenant peu d'études se sont attardées à ce domaine et plusieurs questions restent sans réponses. Ainsi, on ne sait pas s'il existe des relations entre l'orientation académique, perçue comme plus ou moins "féminine" ou "masculine" choisie par les filles, et leurs préférences pour des A.P.S. également perçues comme "masculines" ou "féminines". On se demande aussi si les facteurs sociaux exercent une influence sur les préférences d'A.P.S. des étudiantes, quelles sont leurs attitudes vis-à-vis l'activité physique et quel est le statut qu'elles accordent à l'éducation physique à l'école?

Méthodologie

C'est à l'aide de données provenant d'une enquête sociologique menée au Collège de Maisonneuve en décembre 1983 que nous avons tenté de répondre à ces interrogations. Voici brièvement comment nous avons procédé. Nous avons élaboré un questionnaire abordant entre autres sujets les préférences sportives, les motivations des étudiant(e)s face à la pratique d'A.P.S. et l'importance qu'ils/elles accordent à l'éducation physique. Nous l'avons fait passer à des étudiantes et étudiants inscrits dans les diverses options offertes au Collège. Au total, six cent dix-huit questionnaire ont été complétés, cinquante-neuf pour cent provenant de filles et quarante et un pour cent de garçons (ceci étant représentatif de la répartition des filles et garçons inscrits au collège).

Les stéréotypes sexuels des collégien(ne)s dans leurs A.P.S. préférées

À l'aide de ces données, nous avons voulu voir, dans un premier temps, s'il y avait, en 1983, persistance des stéréotypes chez les collégien(ne)s dans les A.P.S. préférées; puis, dans un deuxième temps, s'il y avait congruence des stéréotypes quant aux A.P.S. préférées et aux choix d'orientation scolaire? La démarche méthodologique suivie pour ce faire a consisté d'une part à classer les A.P.S. en trois catégories: féminine, masculine et neutre. Cette classification effectuée par des juges s'appuie sur l'image ou la connotation sociale féminine, masculine ou neutre (c'est-à-dire sans connotation de genre) associée à chacune des A.P.S. D'autre part, nous avons classé les orientations scolaires en utilisant les proportions d'inscriptions de filles et de garçons de chacune des orientations pour déterminer à quelle catégorie (féminine, masculine ou neutre) elles seraient identifiées. Enfin, les données utilisées pour traiter de la problématique des stéréotypes des A.P.S. étaient les réponses à la question: "Parmi les activités physiques que tu pratiques actuellement, laquelle ou lesquelles préfères-tu?". Et ces données ont été étudiées en fonction des deux classifications préalablement mentionnées.

On a observé que les filles et les garçons préfèrent pratiquer des A.P.S. tendant respectivement vers les pôles féminin et masculin, et ce, quel que soit le type d'orientation scolaire choisi et les résultats indiquent qu'il y a une persistance des modèles féminin chez les filles et masculin chez les garçons dans les A.P.S. préférées.

Une autre interrogation intéressante qui ressort des résultats porte sur la relation entre la polarisation de genre touchant les A.P.S. et celle touchant les orientations scolaires. Si l'on examine les préférences des filles, il ressort des résultats que les collégiennes des diverses options scolaires manifestent des différences significatives quant à l'attraction vers le pôle féminin pour les A.P.S. préférées. Ainsi, les étudiantes appartenant au groupe des options scolaires masculines ont tendance à préférer des A.P.S. perçues comme moins "féminines" que celles appartenant au groupe des options scolaires neutres. Concrètement, cela voudrait dire qu'il serait plus probable de retrouver dans une option masculine, telle que l'électrotechnique, une fille qui préfère l'haltérophilie au patinage artistique, alors qu'on a plus de chances de trouver dans une option neutre, telle que les sciences humaines, des filles qui préfèrent des activités telles la nage synchronisée, le ballet-jazz, etc.

Ces différences semblent indiquer, selon nous, une sorte de congruence des stéréotypes relativement aux options choisies et aux préférences d'A.P.S. En effet, bien que les étudiantes des options masculines préfèrent des A.P.S. perçues comme féminines, cette conformité au stéréotype est beaucoup moins prononcée que leurs collègues des autres orientations. L'hypothèse explicative que nous proposons est l'influence du mouvement féministe. Une de ses dénonciations majeures est la polarisation des comportements et des rôles entre les sexes qui se traduit principalement, pour le moment, par l'intrusion progressive des filles et des femmes dans des secteurs jusque-là réservés aux garçons et aux hommes. Il semble d'après nos résultats que les filles des options masculines affirmeraient cette volonté de "désexisation" ou d'investissement des secteurs masculins, et ce, tant dans leur orientation professionnelle qu'au plan de leurs pratiques corporelles.

Fait étonnant, ce sont les filles des options classées neutres qui ont manifesté la tendance la plus marquée vers les stéréotypes féminins. S'appuyant sur le principe de congruence entre les options choisies et les A.P.S. préférées, (appliqué à la conformité aux modèles sexistes), on se serait attendu à trouver, dans un ordre croissant vers le pôle féminin, 1) les filles des options masculines, 2) puis celles des options neutres et, 3) au plus accentué, celles des options féminines. Nous avons été surprises de constater que les filles des options neutres manifestent davantage de conformité au stéréotype féminin que celles des options féminines.

Une explication possible pour rendre compte de ce fait serait que les filles des options neutres utilisent les A.P.S. pour exposer leur identification féminine. Par exemple, les filles de sciences humaines, dont certaines se dirigeront éventuellement vers le droit, ont tendance à démontrer une conformité très marquée au modèle féminin dans leurs attitudes corporelles. Enfin, la situation médiane des filles des options féminines serait due au fait que leur conformité au modèle féminin se trouve suffisamment affichée via leur choix d'orientation professionnelle, si bien qu'elles éprouveraient moins le besoin de mettre en évidence leur identification féminine à travers leurs pratiques corporelles.

Attardons-nous maintenant, et simplement à titre de comparaison, aux résultats obtenus chez les garçons. Contrairement aux filles, les garçons ne manifestent pas de différences significatives dans l'accentuation de la polarisation vers des modèles traditionnels masculins en fonction des options scolaires choisies. L'ouverture des garçons vers des activités physiques telles que corde à sauter, ballet-jazz, nage synchronisée, etc., ne semble pas pour demain... Même les garçons ayant choisi une option à concentration féminine, comme par exemple les techniques diététiques, préfèrent des activités à connotation sociale masculine telles le hockey, le karaté, la boxe, et de façon autant marquée que ceux inscrits dans les options masculines telles que les techniques auxiliaires de la justice (nos futurs policiers).

On peut se demander pourquoi les garçons des options féminines ne montrent pas une ouverture vers des activités physiques féminines, ou à tout le moins, moins polarisées vers le stéréotype masculin? Nous croyons qu'une explication possible de la disparité observée dans les pôles d'identification chez ces garçons réside dans la disparité des avantages ou profits qu'ils peuvent retirer de l'entrée dans une sphère d'activités féminines. Considérons la sphère professionnelle et prenons comme exemple le cas d'un commis de bureau, secteur secrétariat: il est probable, qu'en concurrence avec une fille pour un poste de chef de section, il a plus de chance (la situation étant ce qu'elle est dans le monde des cols blancs) d'obtenir le dit avancement. Par contre, les garçons des options féminines retireraient peu d'avantages à opter pour des sports féminins dans la sphère des pratiques corporelles. Il est reconnu qu'un groupe social dominant, dans ce cas-ci les garçons, ne cherche pas à s'identifier au groupe dominé, en l'occurrence les filles.

En résumé, on peut conclure de ces observations que lorsqu'il y a quelque percée de dépolarisation dans les A.P.S., cela se produit à sens unique: en effet, ce seront davantage des filles qui feront fi des stéréotypes féminins en investissant des sports masculins tels la balle-molle, le judo que des gars qui feraient fi des stéréotypes masculins en pratiquant des activités telles le yoga aquatique ou la danse post-moderne. La révolution masculine semble tarder à venir chez nos jeunes garçons, peut-être qu'ils n'en voient pas de bénéfices. Tout ceci indique qu'il y a encore beaucoup à faire pour lutter contre les stéréotypes sexistes au niveau des pratiques corporelles.

Enfin, en plus des phénomènes de persistance et de congruence des stéréotypes, notre étude s'est attardée aux facteurs sociaux qui pouvaient influencer la conformité des filles aux modèles traditionnels féminins, toujours en ce qui a trait aux A.P.S. Concrètement, nous nous demandions: est-ce que le milieu social des parents, leur sportivité, etc., exercent une influence sur la conformité aux stéréotypes?

De fait, plusieurs recherches ont déjà mis en évidence des relations entre les comportements plus ou moins stéréotypés des hommes et des femmes et leur appartenance à une classe sociale donnée. Nous avons donc effectué des analyses statistiques afin de faire ressortir d'éventuelles relations significatives entre les polarisations sexistes des A.P.S. préférées des filles et les facteurs sociaux suivants:

- la catégorie socio-professionnelle du père et de la mère,

- le revenu du père, de la mère et familial,

- la scolarité du père et de la mère,

- la présence de la mère sur le marché du travail contre les mères au foyer- le secteur scolaire (professionnel contre général). Le secteur professionnel menant à un diplôme de niveau collégial et le secteur général menant à des études de niveau universitaire,

- le niveau collégial (niveau un contre niveau deux et trois). Les eetudiant(e)s de niveaux deux et trois ont pu intégrer davantage de vécu dans l'institution que ceux-celles de niveau un.

La scolarité de la mère est le seul facteur influençant de façon significative la polarisation sexiste des préférences d'A.P.S. des filles.

Ces résultats corroborent ceux obtenus dans d'autres recherches en sociologie du sport. Des études sur la participation sportive ont également trouvé que la scolarité était le meilleur indicateur ou la meilleure variable explicative.

Un autre point intéressant qui se dégage des résultats sur la scolarité est que les classes moyennes apparaissent plus portées que les autres à se conformer aux stéréotypes féminins. En effet, ce sont les filles des mères moyennement scolarisées (niveau secondaire complété) qui ont le plus tendance à préférer des pratiques corporelles très féminines. L'attitude conservatrice des classes moyenne ou bourgeoise est également attestée dans le domaine de la langue.

L'importance de la pratique de l'activité physique

Pour terminer, nous allons présenter brièvement les résultats obtenus pour quelques questions ayant une certaine pertinence dans le cadre de cette conférence. Trois sujets nous ont semblé dignes d'intérêt, soit l'importance accordée à l'activité physique, les motivations à la pratique d'A.P.S. ainsi que le statut accordé au cours d'éducation physique.

À la question, quelle importance accordez-vous à la pratique d'activités physiques?, la majorité des étudiants et étudiantes ont répondu de façon très positive en choisissant les degrés "très" et "extrêmement" important. Cependant, la comparaison des filles et des garçons confirme que ces premières accordent moins d'importance à l'activité physique. Ceci est solidaire de la différence des valeurs transmises aux gars et aux filles et ces résultats sont cohérents avec la sous-représentation des femmes dans diverses activités physiques. L'influence de la mère ayant été attestée quant à la conformité au modèle traditionnel, nous sommes allées la vérifier relativement à la valorisation de l'activité physique. Allant dans le même sens, il est ressorti que les filles qui ont des mères actives sont plus nombreuses à prêter une grande importance à la pratique d'activités physiques que celles dont les mères ne pratiquent aucune activité physique. Le proverbe "telle mère, telle fille" s'appliquerait bien ici; voilà un cas où le jugement populaire fait de la sociologie spontanée.

Les motivations à la pratique d'A.P.S.

Si la pratique d'A.P.S. est importante, elle ne l'est peut-être pas pour tous pour les mêmes raisons. Nous avons donc demandé aux étudiants et étudiantes les raisons principales qui les incitaient à être actifs. L'amélioration de la condition physique et le divertissement sont apparus les arguments principaux parmi neuf choix possibles pour soixante-dix pour cent des répondants. On reconnaît sans doute là l'impact de la publicité sociétale de Kino-Québec qui met l'accent sur le plaisir et la forme physique.

Les motivations ont fourni d'autres manifestations de la persistance du modèle traditionnel. En effet, c'est la minceur et la conscience corporelle qui poussent davantage les filles à être actives tandis que pour les garçons, c'est le développement de la musculature et le défi.

Le statut du cours d'éducation physique à l'école

Il était normal pour nous, intervenant en éducation physique, de se préoccuper du statut du cours d'éducation physique. Quel est le statut accordé au cours d'éducation physique, à la fois sur le plan scolaire et sur le plan de l'enrichissement personnel, lorsqu'il est confronté aux autres cours auxquels les étudiant(e)s sont inscrits? En ce qui concerne la dimension scolaire, la majorité des étudiant(e)s place ce cours en septième position, et ce, autant les filles que les garçons. Cependant, sur le plan de l'enrichissement personnel, le statut du cours est mieux coté et se classe en troisième position pour la majorité des étudiant(e)s. Soulignons que plus de filles sont prêtes à reconnaître l'apport du cours d'éducation physique au plan humain. La contribution de la mère sportive revient comme une constante dans l'explication statistiquement significative de cette reconnaissance.

En conclusion, y a-t-il des signes avant-coureurs de changement dans la situation des filles dans le monde du sport? Sans vouloir tirer des interprétations abusives de notre étude, on pourrait voir dans les préférences d'A.P.S. des filles des options masculines une diminution de la conformité au modèle traditionnel.

Un autre changement pourrait être envisagé cette fois au niveau de la conception proprement masculine qui régit actuellement les pratiques sportives. En effet, nos observations nous amènent à identifier une différence entre les garçons et les filles; ces dernières semblent avoir une conception plus humaniste du sport, c'est-à-dire mettant l'accent sur l'épanouissement humain dans la pluralité de ses dimensions plutôt que sur l'unicité de la performance physique. Si une extrapolation dans le futur laissait apparaître une égalité d'accès aux différentes pratiques sportives, il est probable que cette égalité des pratiques s'appuierait sur des conceptions et des valeurs autres que celles dominant actuellement le sport.

Summary

Girls in front of Physical Activity at the College Level

The authors are interested in finding out what the place of girls is in the "Wonderful World of Sports". First they present statistics showing how women occupy a very minor place in official sports: inferior performance, lesser number of accessible sports, scarcity of training positions, etc. Second, they present the results of a recent research in which six hundred and eighteen male and female students participated. They estimate the results in regard to different career choices, socio-economic background, etc. They conclude their paper by noting the greater human significance girls find in sports. They believe that progress towards more equal access for boys and girls means a shift away from the values actually predominant in this sphere.

Choix de carrière et conception du rôle de la femme

par Céline Guilbert

Les choix de carrière des filles ne suivent pas les modèles proposés actuellement par les théories du développement vocationnel (Fitzgerald et Crites (1980); Osipow (1975)), et cela parce qu'on considère toujours que la première place de la femme est à la maison et que son rôle dominant est celui de mère, d'épouse et de ménagère. Le processus de socialisation continue de privilégier le rôle traditionnel de la femme malgré le fait qu'en 1981, 46,3% des femmes avec enfants faisaient partie de la main-d'oeuvre active. De plus, la dépendance économique envers un pourvoyeur masculin qui découle du rôle traditionnel de la femme, ne correspond plus à la réalité. Selon Madame Francine Harel-Giasson (1983), il n'y a en effet que douze pour cent des adolescentes qui peuvent espérer compter sur un homme pour les faire vivre leur vie durant. Les autres, soit quatre-vingt-huit pour cent d'entre elles, auront à gagner leur vie, soit parce qu'elles seront demeurées célibataires, soit qu'elles seront divorcées ou séparées, soit qu'elles auront survécu à leur conjoint, ou qu'elles auront dû pallier au revenu insuffisant de leur mari.

Le choix de carrière des filles devra donc être fait en tenant compte de questions qui ne font pas partie des préoccupations des garçons: vais-je me marier? Aurai-je des enfants? Vais-je travailler à l'extérieur du foyer? Comment vais-je concilier la carrière et la famille? Aurais-je une relation de type égalitaire avec mon conjoint? Les réponses à ces questions constitueront un cadre général à l'intérieur duquel la jeune fille effectuera ses choix. Ce sera ce que nous appellerons sa conception du rôle de la femme et ce sera l'importance relative accordée à la famille et à la carrière qui en formera la base. Le but de cet exposé est de montrer qu'il existe une relation entre la conception du rôle de la femme qu'ont les filles et leur choix de carrière, plus précisément vers le choix d'une carrière traditionnelle ou non-traditionnelle.

Avant d'aller plus loin, définissons les termes suivants: premièrement voyons la distinction entre travail et carrière et, deuxièmement, ce que nous entendons par discipline traditionnelle et non traditionnelle. Par travail nous entendons tout emploi rémunéré; alors que la carrière implique que l'on planifie et prenne les moyens (formation et changements d'emploi principalement) afin d'atteindre un but professionnel que l'on s'est fixé (Rapoport et Rapoport (1973)). Une discipline scolaire sera qualifiée de non-traditionnelle lorsque moins de trente pour cent de ses effectifs sont des femmes, et de traditionnelle, lorsqu'il y a plus de soixante-dix pour cent de femmes.

La littérature est abondante sur le thème de la relation entre les différents traits de la personnalité féminine et le choix de carrière. Selon ces auteurs, la transmission des rôles sexuels a comme conséquence la valorisation de traits de personnalité stéréotypés, dits "féminins" pour les femmes (tact, douceur, loquacité, modération, bon goût, recherche de l'apparence extérieure, sensibilité, orientation vers la sécurité et la piété) et dits "masculins" pour les hommes (indépendance, assurance, objectivité, dominance, esprit de compétition, goût pour les sciences et les mathématiques, ambition et esprit de décision) (Fisher (1982), p. 69). Comme les "qualités" dites masculines sont celles qui sont reliées au succès professionnel, on considère les femmes comme des incompétentes pour la carrière desquelles il est inutile d'investir.

Les rôles sexuels sont encore principalement centrés sur le travail pour l'homme et sur la famille pour la femme (Angrist (1969); Carisse et Dumazedier (1975)). Lorsqu'une femme choisit de concilier le travail et la famille, on attend d'elle qu'elle accorde la priorité à la famille, le travail étant considéré comme secondaire. On présente aux filles un message contradictoire: on leur demande de réussir leurs études et de s'orienter professionnellement, tout en les persuadant qu'elles devront après le mariage privilégier leur rôle de mère et d'épouse. De plus, les filles ont très peu de modèles de femmes qui ont concilié avec satisfaction la vie professionnelle et la famille. Devant une telle situation et les pressions sociales et familiales qui les accompagnent, il ne faut plus s'étonner de l'ambivalence vécue par les étudiantes lors de leur choix vocationnel. Alors que "la multiplicité de ses rôles [à la femme] encourage la souplesse et la faculté d'adaptation" (Janeway (1972), p. 104), elle peut aussi engendrer un conflit de rôles (principalement entre celui de mère et de travailleuse). Cela est d'autant plus important lorsque le choix d'une carrière demande un investissement important en temps et en énergie; ce qui est souvent le cas, lorsque l'on veut réussir des études exigeantes dans des disciplines traditionnellement occupées par des hommes.

Sur le marché du travail, nous retrouvons cette division des tâches selon le sexe. Les femmes occupent un éventail restreint d'occupations et dominent dans les emplois qui reproduisent les rôles traditionnels (Epstein (1971)). Selon Janeway (1972), (p. 221): "Tout métier féminin peut être replacé dans le cadre des fonctions traditionnelles qui sont censées être le propre de la femme: soutenir, nourrir et façonner les émotions." Et lorsqu'elle entre dans des domaines où les femmes sont minoritaires, on tend à les confiner dans les postes subalternes les moins prestigieux et les moins payés. Cela est d'ailleurs aussi le cas dans les domaines traditionnellement occupés par les femmes. Par exemple, même en éducation, les postes de décision sont majoritairement occupés par des hommes. En effet, "le rôle traditionnel de la femme lui interdit l'accès aux postes de pouvoir" (Janeway (1972), p. 352).

Plusieurs styles de vie s'offrent donc aux filles: le modèle conventionnel de femme au foyer, une carrière traditionnellement féminine, une carrière innovatrice (majoritairement occupée par des hommes), une implication communautaire par le biais du travail bénévole ou une combinaison de ces différentes options. En ce qui a trait aux femmes innovatrices, elles ont adopté, selon Carisse et Dumazedier (1975), quatre différentes modalités de carrière:

1) les femmes de carrière (célibat et carrière continue),

2) les femmes à carrière double (mariage et carrière continue),

3) les femmes à carrière cyclique (mariage et carrière interrompue),

4) les femmes à carrière tardive (activité professionnelle ou carrière après avoir élevé les enfants).

Nous tenterons de voir quels choix les étudiantes envisagent de faire par rapport à leurs différents rôles de femme. Notre hypothèse est que les étudiantes ayant choisi des disciplines non-traditionnelles auront une conception plus moderne de leur rôle de femme; elles auront tendance à opter davantage pour la carrière continue.

Que dit maintenant la littérature sur la relation entre le choix d'une carrière traditionnelle ou non-traditionnelle et la conception du rôle de la femme?

Les étudiantes dans des disciplines féminines seraient plus fortement orientées vers le mariage et la famille, et moins vers la carrière comparativement à celles qui étudient dans des disciplines masculines (Mintz et Patterson (1969); Peng et Jaffe (1979)). Seules les femmes de carrière choisissent des disciplines dites "masculines" (Angrist (1972)). Et les étudiantes qui ne choisissent pas les sciences ou qui optent pour des disciplines scientifiques traditionnellement féminines perçoivent un conflit plus grand entre la famille et la carrière que celles qui sont dans des carrières scientifiques dominées par les hommes (McLure et Piel (1978)).

Lorsque l'on demande à ces étudiantes de se projeter dans le temps (dans dix ans), toutes prévoient être mariées; soixante-dix pour cent de celles qui optent pour des carrières non-traditionnelles s'attendent à travailler, alors que les étudiantes dans les disciplines traditionnelles sont indécises. Proulx et Préfontaine (1977) ont constaté que:

"... le fait d'étudier telle discipline est influencé par les conceptions des rôles masculins et féminins, conceptions qui limitent dans une certaine mesure la liberté d'accès à certaines professions aussi bien pour les garçons que pour les filles" (p. 26).

Elles ont en effet trouvé que les étudiantes dans les disciplines traditionnellement féminines avaient une attitude envers le rôle de la femme plus libérale que celles des disciplines masculines. Et enfin, selon O'Donnell et Anderson (1978), il y a plus d'étudiantes non-traditionnelles que traditionnelles qui ont un but et un plan de carrière à long terme.

Les résultats que nous présentons ici proviennent d'une étude plus large sur les caractéristiques d'étudiantes universitaires choisissant une discipline traditionnelle ou non-traditionnelle. Notre population se compose de toutes les étudiantes inscrites en octobre 1984 à l'Université McGill, en génie, architecture, sciences dentaires, sciences infirmières et sciences de réadaptation (physiothérapie et ergothérapie). Pour des raisons de confidentialité, le questionnaire a été posté par le bureau du registraire; trois semaines plus tard, il fut suivi d'une lettre de rappel. Le taux de réponse a été de quarante-neuf pour cent (401/824). Voyons quelques caractéristiques des étudiantes ayant répondu à notre questionnaire.

La distribution des répondants entre les groupes de disciplines est bien équilibrée, deux cent seize répondantes des disciplines traditionnelles et cent quatre-vingt-quatre des disciplines non-traditionnelles. La très grande majorité de celles-ci sont de nationalité canadienne (quatre-vingt-quatorze pour cent), sont inscrites à temps plein (quatre-vingt-dix-sept pour cent) et ont moins de vingt-cinq ans (quatre-vingt-neuf pour cent). En ce qui a trait à la langue maternelle, les répondantes sont plus partagées: 43,4% sont de langue maternelle anglaise, 38,4% de langue maternelle française et, 18,2% d'une autre langue ou n'ayant pu choisir entre l'anglais et le français.

Nous avions choisi d'inclure dans notre questionnaire deux mesures de la conception du rôle de la femme: une échelle de mesure ("Sex Role Ideology Scale") construite par Kalin et Tilby (1978) et trois questions de mises en situation (Angrist (1971); Fogarty, Rapoport et Rapoport (1971)). Voici les résultats que nous avons obtenus.

Les questions de mises en situation présentent un cas concret, à l'intérieur duquel les répondantes doivent effectuer des choix relativement au rôle traditionnel de la femme. Nous notons qu'il y a une différence statistiquement significative (= 0,05) entre les répondantes des disciplines traditionnelles et celles des disciplines non-traditionnelles pour les trois questions.

Le fait de choisir C ou D à la première question (trente-sept) constituera un indice d'une plus grande orientation vers la carrière. Nous invitons l'étudiante à se mettre personnellement dans la situation d'une femme qui aurait économiquement le choix de demeurer à la maison pour s'occuper de ses deux enfants.

A cette question, les résultats montrent que 94,6% de nos répondantes ont choisi le choix C ou D, on peut dire qu'elles sont presque toutes orientées vers le travail ou la carrière. Très peu ont en effet choisi le travail bénévole, les loisirs ou de se concentrer sur la maison et la famille. Parmi les 57,1% qui ont choisi la solution du temps partiel, 37,8% venaient des disciplines traditionnelles et 19,3% des disciplines non-traditionnelles. Parmi les 37,5% des répondantes ayant opté pour le travail à temps plein, 13,6% venaient des disciplines traditionnelles et

23,9% des disciplines non-traditionnelles. Cela confirme notre hypothèse à savoir que les non-traditionnelles optent plus souvent pour la carrière continue.

A la question suivante (trente-huit), on demande à l'étudiante de choisir la donnée qui décrit le mieux ses plans pour le futur. Ici nous avons tenté de présenter le plus d'options possibles et nous avons ajouté le facteur âge des enfants en relation avec le désir de poursuivre un travail ou une carrière.

A cette question, il n'y a eu aucune répondante qui a choisi D comme réponse c.-à-d. de faire du travail bénévole sans avoir de travail ou de carrière. Le choix G a été fait par 62,7% des répondantes indiquant qu'elles voudraient un travail ou une carrière indépendamment du fait qu'elles aient ou non des enfants. Parmi les 24,6% qui voudraient avoir un travail ou une carrière seulement lorsque leurs enfants seront d'âge scolaire (élémentaire), quinze pour cent sont des disciplines traditionnelles, et 9,6% des disciplines non-traditionnelles. Les réponses à cette question sembleraient indiquer que les étudiantes désirent travailler et/ou faire carrière qu'elles aient ou non des enfants et, qu'il y a plus de traditionnelles qui pensent à interrompre leur carrière pour s'occuper de leurs enfants d'âge préscolaire, ce qui confirme notre hypothèse. Le choix A nous indique de plus que seulement 5,4% envisagent de devoir choisir entre le mariage et la carrière. La très grande majorité des répondantes considère donc qu'elles devront concilier leur rôle de mère avec le travail ou la carrière.

Quant à la troisième question, elle traite du type de relation que les répondantes envisagent de vivre avec leur conjoint, les choix C et D indiquant une conception plus égalitaire de celle-ci. Parmi les 77,7% qui estime que c'est à Bill de réviser sa position, il y a plus de non traditionnelles (40,8%) que de traditionnelles (trente-sept pour cent). Il y a toutefois parmi les 18,8% qui ont choisi le temps partiel pour Sue, deux fois plus de traditionnelles (12,9%) que de non-traditionnelles (six pour cent), ce qui indique que ces étudiantes considèrent leur carrière comme moins importante que celle de leur conjoint.

En résumé, d'après nos résultats, les étudiantes des disciplines non-traditionnelles optent plus souvent pour la carrière continue et conçoivent la relation avec un conjoint comme plus égalitaire. Quant aux étudiantes des disciplines traditionnelles, elles sont plus susceptibles d'interrompre leur carrière lorsque leurs enfants seront d'âge préscolaire et de choisir plus souvent le travail à temps partiel comme solution à la conciliation de leurs différents rôles.

L'échelle de mesure de la conception du rôle de la femme de Kalin et Tilby (1978) que nous avons utilisée se compose de trente données auxquelles nous avons ajouté dix données supplémentaires en nous inspirant des données de Kalin et Tilby. A chacune des données, on demande à l'étudiante d'indiquer sur une échelle de sept points si elle est en accord ou en désaccord avec l'énoncé présenté. L'échelle se compose de cinq sous-échelles:

1. rôles de l'homme et de la femme au travail

2. responsabilités parentales

3. relations homme-femme

4. rôle spécial de la femme et concept de piédestal

5. maternité, avortement et homosexualité.

Les auteurs de cette échelle ont voulu mesurer l'ensemble des croyances au sujet des rôles attribués aux hommes et aux femmes. La conception qu'a une étudiante du rôle de la femme peut aussi se situer sur un continuum entre un pôle traditionnel et un pôle moderne.

Les tenants de l'idéologie traditionnelle considèrent qu'il existe des différences entre les sexes. Les femmes sont considérées comme faibles et vulnérables, ayant besoin de protection et reléguées à leurs rôles d'épouse et de mère. Les hommes sont par contre les représentants de l'autorité et les pourvoyeurs économiques. Par contre, les tenants de l'idéologie moderne croient que les rôles des femmes et des hommes sont essentiellement les mêmes, ne justifiant pas les inégalités dont les femmes sont victimes. Elle préconise le partage des tâches domestiques, du maternage et de l'éducation des enfants.

Une analyse des données, selon le critère externe du choix d'une discipline traditionnelle ou non-traditionnelle, a révélé que treize des quarante donnés discriminaient (= 0,05) entre les deux groupes.

Première remarque, quoique les différences de moyennes soient significatives du point de vue statistique, elles sont relativement faibles (de 0,18 à 0,76). Deuxièmement, sauf pour les données A13 et A37, les étudiantes des disciplines non-traditionnelles ont répondu de façon moins traditionnelle à ces données que les étudiantes des disciplines traditionnelles. Les étudiantes de génie, architecture et sciences dentaires sont ainsi plus en désaccord avec les données du pôle traditionnel selon lesquels: une mère devrait enseigner à sa fille ce que c'est d'être femme (A4), le premier rôle d'une femme est celui de mère (A27, A32), le travail ou la carrière d'une femme est moins importante que celle de son mari (A31, A33), une femme devrait choisir entre la carrière et la famille (A38). Elles sont cependant plus en accord avec les données du pôle moderne selon lesquels: une femme mariée peut avoir des amis masculins (A5), une femme d'âge mûr peut s'intéresser à un homme plus jeune qu'elle (A16), il devrait y avoir plus de garderies (A22), l'avortement devrait être permis sur demande de la femme (A26) et chaque jeune fille devrait se préparer pour une carrière à long terme (A34).

Toutefois, en ce qui a trait aux données A13 et A37, cela s'inverse et elles sont plus en désaccord avec les données catégorisées comme modernes que les étudiantes traditionnelles. Les étudiantes de nursing et des sciences de réadaptation sont ainsi plus en accord avec le salaire pour la femme au foyer (A13) et plus favorable à l'action positive (A37), données faisant partie du pôle moderne.

Avant de terminer, nous désirons insister sur le fait que les résultats que nous avons obtenus sont dépendants des instruments que nous avons utilisés. Nous considérons que nous avons obtenu uniquement des indices nous permettant de croire que les étudiantes des disciplines non-traditionnelles et traditionnelles ont une conception du rôle de la femme différente. Il serait plus rigoureux toutefois de nous limiter à la formulation suivante: elles ont répondu de façon différente aux trois questions posées et à treize des quarante données de l'échelle de mesure que nous avons utilisée.

Les résultats que nous avons obtenus vont donc dans le sens que nous avions prédit pour les trois questions et onze données de l'échelle. Le faible écart obtenu entre les deux groupes d'étudiantes s'explique par leur homogénéité par rapport à plusieurs variables: âge, niveau scolaire, rendement scolaire, intérêt pour les sciences. De plus, elles sont le résultat d'une sélection qui a eu cours tout au long de leur formation scolaire. En effet, elles sont toutes passées par le moule du système scolaire en répondant aux exigences d'admission à un programme universitaire. Pour mieux comprendre ces résultats, il nous faudra les analyser en relation avec d'autres caractéristiques de ces étudiantes, ce qui sera l'objet de la prochaine étape de cette recherche.

RÉFÉRENCES

ALMQUIST, Elizabeth M. and Shirley C. ANGRIST (1971). "Role Model Influence on College Women's Career Aspirations", **Merrill-Palmer Quarterly**, vol. 17, n° 3, 263 à 279.

ALPER, Thelma G. (1973). "The Relationship Between Role Orientation and Achievement Motivation in College Women", **Journal of Personality**, vol. 41, 9 à 31.

ANGRIST, Shirley S. (1969). "The Study of Sex Roles" in Bardwick, J.M. ed. **Readings on the Psychology of Women**. New York, Harper and Row, 101 à 107.

ANGRIST, Shirley S. (1972). Variations in Women's Adult Aspirations During College", **Journal of Marriage and Family**, vol. 34, n° 3 (August), 465 à 468.

ANGRIST, Shirley S. and Elizabeth M. ALMQUIST (1975). **Careers and Contingencies. How College Women Juggle With Gender**. New York Dunellen, University Press of Cambridge (Mass.), 269p.

BARDWICK, Judith M. and Elizabeth DOUVAN (1972). "Ambivalence: The Socialization of Women", dans GORNICK, Vivian et Barbara K MORAN ed. (1972). **Women in Sexist Society**. New York, New American Library, ch. 9, 225 à 241.

BARNETT, Rosalind C. (1971). "Personality Correlates of Vocational Planning in Women", **Genetic Psychology Monograph**, vol. 83, 309 à 356.

BARUCH, Grace, BARNETT, Rosalind et Caryl RIVERS (1983). **Life Prints. New Patterns of Love and Work for Today's Women**. New York and Scarborough (Ontario), New American Library, A Plume Book, 291p.

BEM, Sandra L. (1974). "The Measurement of Psychological Androgyny", **Journal of Consulting and Clinical Psychology**, vol. 42, n° 2, 155 à 162.

BERS, Trudy Haffron (1980). "Perceptions of Women's Roles Among Community College Women", **Psychology of Women Quarterly**, vol. 4, n° 4, 492 à 507.

BROVERMANN, Inge K. **et al**. (1972). "Sex-Role Stereotypes: A Current Appraisal", in MEDNICK, TANGRI and HOFFMAN (1975), 32 à 47.

CARISSE, Colette et Joffre DUMAZEDIER (1975). **Les femmes innovatrices**. Paris. Éditions du Seuil, 286p.

CLAREY, Joanne H. et Alpheus SANFORD (1982). "Female Career Preference and Androgyny", **The Vocationnal Guidance Quartely**, vol. 30,n°3, 258 à 264.

CRAWFORD, Jim (1978). "Career Development and Career Choice in Pioneer and Traditional Women", **Journal of Vocational Behavior**, vol. 12, n° 2, 129 à 139.

CROSS, K.P. (1975). "Women as New Students", in MEDNICK, TANGRI, and HOFFMAN eds. (1975), ch. 15, 255 à 273.

DENIS, Ann B. (1983). "Wife and/or Worker. Sex Role Concepts of Canadian Female Students" in LUPRI, Eugen ed. **The Changing Position of Women in Family and Society. A Cross National Comparison**. Leiden, E.J. Brill, 418 à 429.

DiSABATINO, Marie (1976). "Psychological Factors Inhibiting Women's Occupational Aspirations and Vocational Choices: Implications for Counseling", **The Vocational Guidance Quarterly**, vol. 25, n° 1, 43 à 49.

EPSTEIN, Cynthia Fuchs (1971). **Women's Place: Options and Limits in Professional Careers**. Berkeley, Los Angeles and London, University of California Press.

EPSTEIN, Gilda F. and Arline L. BRONSAFT (1972). **"Female Freshmen View Their Roles as Women", Journal of Marriage and the Family**, vol. 34, n° 2, 671 à 672.

FAHMY-POMERLEAU, Pauline (1981). "Égalité et dépendance ou l'impossible aspiration des adolescentes", in COHEN, Yolande, **Femmes et politiques**. Montréal, Le Jour, 81 à 100.

FARMER, Helen S. et Martin J. BOHN Jr. (1970). "Home-Career Conflict Reduction and the Level of Career Interest in Women", **Journal of Counseling Psychology**, vol. 17, n° 1, 228 à 232.

FISHER, Linda (1982). "Les sciences et l'environnement des jeunes filles", in FERGUSON, Janet (1982). **Qui fait tourner la roue**? Ottawa, Conseil des sciences du Canada, 65 à 80.

FITZGERALD, Louise et John O. CRITES (1980). "Toward a Career Psychology of Women: What Do We Know? What Do We Need To Know? **Journal of Counseling Psychology**, vol. 27, n° 1, 44 à 62.

FOGARTY, Michael P., RAPOPORT, Rhona and Robert N. RAPOPORT (1971). **Sex, Career and Family**. Beverly Hills (California), Sage Publications, 581p.

GLAZE, Avis (1979). "Factors Which Influence Career Choice and Future Orientation of Females: Implications for Career Education", Ph.D., Education, Univerty of Toronto, 215p.

GOLDBERG, Ruth E. (1975). "Sex Role Stereotypes and Career Versus Homemaking Orientations of Women", in OSIPOW, S.H. ed. (1975), ch. 6, 91 à 115.

HAREL-GIASSON, Francine (1983). "La place des femmes dans la vie économique", Allocution d'ouverture prononcée au Forum organisé par le Conseil du statut de la femme du Québec et intitulé: 'Les femmes: une force économique insoupçonnée', Montréal, Palais des Congrès (29 octobre),31p.

HAWLEY, Peggy (1971). "What Women Think Men Think: Does it Affect Their Career Choice?", **Journal of Counseling Psychology**, vol. 18, n° 3, 193 à 199.

HAWLEY, Peggy (1972). "Perceptions of Male Models of Feminity Related to Career Choice", **Journal of Counseling Psychology**, vol. 18, n° 3, 193 à 199.

HAWLEY, Peggy et Brenda EVEN (1982). "Work and Sex-Role Attitudes in Relation to Education and Other Characteristics", **The Vocational Guidance Quarterly**, vol. 31, n° 2 (December), 101 à 107.

JANEWAY, Elizabeth (1972). **La place des femmes dans un monde d'hommes**. Paris, Denoël Gonthier, 367p.

KALIN, Rudolf et Penelope J. TILBY (1978). "Development and Validation of a Sex-Role Ideologoy Scale", **Psychological Reports**, vol. 42, n° 3, 731 à 738.

KALIN, Rudolf et Carol HEUSSER (1979). "Norms for the Sex Role Ideology Scale", Queen's University, document inédit.

KALIN, Rudolf, STOPPARD, Janet M. et Barbara BURT (1980). "Sex-Role Ideology and Sex Bias in Judgments of Occupational Suitability", in STARK-ADAMEC C. ed. **Sex Roles: Origins, Infuence, and Implications for Women**. Montréal, Eden Press, 89 à 99.

KLEMMACK, David L. et John N. EDWARDS (1973). "Women's Acquisition of Stereotyped Occupational Aspirations", **Sociology and Social Research**, vol. 57, 510 à 525.

LIPMAN-BLUMEN, Jean (1972). "How Ideologies Shape Women's Lives", **Scientific American**, vol. 226, n° 1, 34 à 42.

LYSON, Thomas A. and Susan S. BROWN (1982). "Sex-Role Attitude, Curriculum Choice, And Career Ambition: A Comparison Between Women in Typical and Atypical Majors", **Journal of Vocational Behavior**, vol. 20, n° 3, 336 à 375.

MARSHALL, Sandra J. and Jan P. WIJTING (1980). "Relationships of Achievement Motivation and Sex-Role Identity to College Women's Career.

McLURE, Gail Thomas and Ellen PIEL (1978). "College-Bound Girls and Science Careers: Perceptions of Barriers and Facilitating Factors",**Journal of Vocational Behavior**, vol. 12, n° 2, 172 à 183.

McKENZIE, Sheila Pereira (1971). "A Comparative Study of Feminine Role Perceptions, Selected Personality Characteristics, and Traditional Attitudes of Professional Women and Housewives", Ed.D., University of Houston, **Dissertation Abstracts International**, vol. 32, n° 10, 5615-A, 1972.

MEDNICK, Martha Tamara Shuch, TANGRI, Sandra Schwartz and Lois Wladis HOFFMAN eds. (1975). **Women and Achievement**. New York, John Wiley & Sons, 447p.

MINTZ, Rita S. and C.H. PATTERSON (1969). "Marriage and Career Attitudes of Women in Selected College Curriculums", **Vocational Guidance Quarterly**, vol. 17, n° 3, 213 à 217.

MORELAND, John R. **et al**. (1979). "Sex-Role Self-Concept and Career Decision Making", **Journal of Counseling Psychology**, vol. 26, n° 4, 329 à 336.

O'DONNELL, Jo Anne and Dale G. ANDERSON (1978). "Factors Influencing Choice of Major and Career of Capable Women", **The Vocational Guidance Quarterly**, vol. 26, n° 3, 214 à 221.

OSIPOW, Samuel H. ed. (1975). **Emerging Woman. Career Analysis and Outlooks**. Colombus (Ohio), Charles Merrill Pub. Co., 161p.

PENG, Samuel S. and Jay JAFFE (1979). "Women Who Enter Male-dominated Fields of Study in Higher Education", **American Educational Research Journal**, vol.

PROULX, Monique et Marielle PRÉFONTAINE (1977). "Attitudes relatives aux rôles féminins chez les étudiants francophones de première année universitaire du Nouveau-Brunswick", **Revue de l'Université de Moncton**, vol. 10, n° 2, 7 à 29.

RAPOPORT, Rhona et Robert RAPOPORT (1973). **Une famille, deux carrières**. Paris, Denoël Gonthier, 325p

RIBEIRO, Manuel (1978). "Relation entre la conception qu'ont les étudiantes du rôle de la femme dans la société et leurs aspirations scolaires et professionnelles", Mémoire de maîtrise, Département d'administration et de politique scolaires, Québec, Université Laval.

RIDGEWAY, Cecilia, L. (1978). "Predicting College Women's Aspirations From Evaluations of the Housewife and Work Role", **The Sociological Quarterly**, vol. 19, n° 2, 281 à 291.

ROSSI, Alice S. (1965). "Barriers to the Career Choice of Engineering, Medecine or Science Among American Women" in MATTFELD and VAN AKEN eds. (1965). **Women and the Scientific Professions**. Cambridge, The MIT Press.

ROSSI, Alice (1972). "Women in Science: Why So Few? in SAFILIOS-ROTHSCHILD, College Publishing, 141 à 153.

STEIN, Aletha Huston and Margaret M. BAILEY (1973). "The Sociolization of Achievement Orientation in Females", **Psychological Bulletin**, vol. 80, n° 5, 345 à 366.

STOCKTON, Nancy **et al**. (1980). "Sex-Role and Innovative Major Choice among College Students", **Journal of Vocational Behavior**, vol. 16, n° 3, 360 à 367.

STRANGE, C. Carney and Julie S. REA (1983). "Career Choice Considerations and Sex-Role Self-Concept of Male and Female

Undergraduates in Nontraditional Majors", **Journal of Vocational Behavior**, vol. 23, n° 2, (October) 219 à 226.

TANGRI, Sandra Schwartz (1972). "Determinants of Occupational Role Innovation Among College Women", **Journal of Social Issues**, vol. 28, n° 2, 177 à 199.

TANGRI, Sandra Schwartz (1975). "Implied Demand Character of the Wife's Future and Role Innovation: Patterns of Achievement Orientation Among College Women" in MEDNICK, TANGRI and HOFFMAN eds. (1975), 239 à 254.

WOLFE, Lynda K. and Nancy E. BETZ (1981). "Traditionality of Choice and Sex-Role Identification as Moderators of the Congruence of Occupational Choice in College Women", **Journal of Vocational Behavior**, vol. 18, n° 1, 43 à 55.

YANICO, Barbara J. (1981). "Sex-Role Self-Concept and Attitudes Related to Occupational Daydreams and Future Fantasies of College Women", **Journal of Vocational Behavior**, vol. 19, n° 3, 290 à 301.

YONGE, G.D. and M.C. REGAN (1979). "Female's Sex-Role Expectations and Major Field of Study", **Psychological Reports**, vol. 44, Part I, 783 à 286.

Summary

Career Choice and Concept of Women's Role

The author wants to show that there is a relation between the outlook on women's role and career choice. The results presented here were obtained in 1984 when a questionnaire was sent to a population of female students (McGill) studying both in traditional (nursing, physiotherapy, etc.) and non-traditional fields (engineering, architecture, etc.). The hypothesis was that students in non-traditional fields would have a more modern outlook on the role of women and that they would have a tendancy to choose a lifelong career. This hypothesis was confirmed although at a relatively low level and with many nuances. The author believes this was so because of numerous similarities in the population studied (age, schooling, etc.).

Des femmes d'aujourd'hui aux femmes de demain

par Louise Guyon

Je voudrais dans un premier temps vous parler des acquis gagnés par les femmes au cours des temps car il m'apparaît sage, ou optimiste, de nous situer dans une perspective historique. Je dis "optimiste" car l'histoire nous permet, presque toujours, de comprendre la portée de l'évolution et surtout de nous rassurer devant les fluctuations à court terme qui, elles, sont souvent mineures. Actuellement, on fait grand cas des enquêtes et des sondages présentant les jeunes et leur système de valeurs. Leurs propos et leurs aspirations nous semblent parfois à l'opposé de ceux de notre génération, ou même, pour les plus sévères d'entre nous, le résultat d'un échec, tant spirituel que culturel. C'est effectivement un jugement sévère, mais l'est-il davantage que celui que portait sur nous, la génération qui nous avait précédés? Nous qui adoptions avec une égale ferveur la musique rock venant des États-Unis, l'amour libre et la marijuana en même temps que nous rejetions la pratique religieuse qui nous avait ″formés″ et la ″sainte″ unité du mariage et de la famille.

Heureusement que nos mères ont su évoluer avec nous et, je pense que nos filles méritent qu'un pareil effort leur soit consacré à elles qui, paraît-il, rêvent au "Prince charmant" et désirent, avant toutes choses, "être bien dans leur peau".

Si l'on jette un regard sur le passé sur ce que fut la condition féminine à travers le temps, on s'aperçoit aussi que ce ne fut pas une histoire linéaire.

Il n'y a pas eu un commencement sombre et désespéré, se transformant au cours du temps, et à travers un mouvement unique, et enfin une situation "idéale" en 1985 ou en 2025... Une situation ou une ère dans laquelle on aura enfin la bonne formule.

L'histoire des femmes s'est écrite à partir et à travers toute une série de **situations** et de **variations** qui les ont vues avancer ou reculer, de façon alternée par rapport au POUVOIR, à l'INDÉPENDANCE, à la CONNAISSANCE et à l'AUTONOMIE.

Il y eut des périodes et des lieux où les femmes ont occupé de grands territoires. L'histoire et l'anthropologie nous apprennent beaucoup dans ce domaine: nous connaissons à présent les sociétés agricoles du néolithique moyen, la période celtique, les corporations féminines du Moyen âge, les grandes communautés religieuses, les guérisseuses et les sages-femmes pour n'en nommer que quelques-unes. Selon les époques, le droit et même la coutume ont ouvert ou restreint l'espace accordé aux femmes et ceci en dehors de toute considération de classe sociale. Cela nous le savons moins. Mais l'histoire a toujours été masculine, du moins celle qui était sanctionnée et enseignée.

Il y eut également de grands courants qui ont agi comme des raz-de-marée et qui ont englouti l'espoir des femmes pendant de longs moments:

- **le code justinien par exemple** qui a consacré la notion de **pater familias**;

- les grandes religions, le **Christianisme** qui établissait, de façon péremptoire, la supériorité de l'Homme sur la Femme. Supériorité d'essence divine puisque certains grands penseurs, dont saint Augustin, refusaient à la femme la possession d'une âme;

- et l'**Islamisme** qui a limité le pouvoir des femmes au gynécée et à l'éducation des très jeunes enfants et, évidemment, des filles.

Dans un autre domaine, peut-être pas si éloigné, il y eut le **Mouvement** psychanalytique, issu de Freud qui a tenté d'ériger en système scientifique la "vulnérabilité" et la "fragilité" de la psyché féminine. Cette fameuse "envie du pénis" dont on nous affuble encore a fait beaucoup de tort aux générations qui nous ont précédées.

Tout de suite après la Révolution française, le **Code Napoléon** (en 1804) est venu restreindre, de façon substantielle, les droits et les prérogatives des femmes. Désormais, elles étaient considérées sur le plan juridique et social comme mineures, incapables et soumises à l'autorité paternelle ou maritale.

Ce fut notre juridiction jusqu'à 1980 alors que la Loi 89 instituait un nouveau code civil au Québec.

Enfin, j'aimerais souligner l'impact de la Révolution industrielle et de **l'urbanisation** qui tout en consacrant une nouvelle classe sociale, le prolétariat, a réduit de façon dramatique le rôle social et économique des femmes. L'enfermement dans les villes a signifié, pour la plupart d'entre elles, la rupture avec le réseau de base de même que la perte des aptitudes et des compétences de travail.

Ce furent, il est vrai, de sombres jours que ceux-là. Et il y en eut d'autres! Je pense qu'il est important de ne jamais oublier que si la connaissance en matière de santé et de maladie était féminine au Moyen âge, la médecine officielle et institutionnalisée (telle que nous la connaissons aujourd'hui) a été essentiellement masculine jusqu'à très récemment.

A ce stade de notre réflexion, je pense qu'il pourrait sembler juste de développer beaucoup d'anxiété. On peut se demander "Et nos acquis actuels, ne risque-t-on pas de les voir s'évanouir ou s'émietter dans dix ans. dans un siècle?" Et c'est cette question, si angoissante finalement, qui nous réunit cette semaine en Congrès. Pour moi, c'est une question double:

Quel avenir avons-nous préparé à nos filles? et

Quel avenir nos filles se préparent-elles à elles et à leurs propres filles?

Mais avant de parler d'elles, j'aimerais essayer de conjurer notre angoisse, j'aimerais appuyer plus lourdement sur l'autre plateau de la balance.

Nos acquis sont **nombreux** et **importants** et nous en sommes les **témoins**.

Regardons encore une fois en arrière, pas trop loin cependant, car je pense qu'il est possible de consolider et d'asseoir nos acquis.

- Depuis l'acquisition du **Droit de vote** (en 1918 pour le Canada, en 1940 au Québec catholique), le mouvement des femmes a sans cesse gagné du terrain;

- La dernière grande guerre a été l'occasion pour les femmes isolées dans leurs logements urbains d'entrer massivement sur le marché du travail et d'y acquérir de nouvelles compétences. Ce mouvement a été ponctuel, il faut l'avouer; les femmes sont retournées à leurs casseroles avec le retour des maris, on l'a bien répété et c'était vrai. Mais les choses n'ont plus jamais été les mêmes par la suite. Très profondément dans la tête des femmes et dans le corps social, l'idée que les femmes pouvaient à **nouveau** investir le monde économique et même celui du pouvoir commençait à s'étendre.

- Parallèlement, ou conséquemment à ceci, **les écrits des femmes sur les femmes** ont commencé à circuler. Ce fut Simone de Beauvoir, ce fut Betty Friedan et toutes les autres qui ont suivi. Ce qui est original cette fois-ci, c'est l'existence d'un **mouvement social** plus large.

A partir d'un certain moment, les femmes ont commencé à se parler, à partager leurs expériences et leurs connaissances, à créer des solidarités. Elles sont devenues un **groupe de pression** dénonçant, réclamant, exigeant son dû mais aussi offrant la complémentarité. **De mémoire d'historien, on n'avait jamais vu ça!** Et l'histoire nous a appris que les grands mouvements sociaux sont irréversibles.

- Et il y eut finalement l'arrivée d'une **contraception** plus sûre, plus malléable et sanctionnée par la société. Les femmes ont été capables de **faire des choix** face à la maternité et à la famille. Cette révolution contraceptive a eu des impacts majeurs sur leur santé, leur mortalité, leurs rapports avec les hommes et la société.

Au Québec, le mouvement des femmes a été particulièrement vivant à partir des années soixante et soixante-dix. Des groupes comme l'AFÉAS, la FFQ, le RAIF, ont exigé des changements dans les institutions et réclamé une action gouvernementale précise. La création du Conseil du statut de la femme en 1975 a été le résultat de ce mouvement. A partir de ce moment, l'État se dotait d'une structure qui pouvait le conseiller et le critiquer en matière de condition féminine. Les groupes de femmes y trouvaient une entrée privilégiée vers les lieux de décision en même temps que des ressources et des services particuliers.

En 1978, le Conseil dévoila sa Politique d'ensemble sur la condition féminine (Égalité et indépendance). Ce fut de l'avis de tous un **événement majeur.** Le document faisait une analyse critique de la situation des femmes au Québec selon cinq grands thèmes:

- la socialisation;

- les différences biologiques et la santé;

- la famille et le mariage;

- le marché du travail;

- le loisir, la création artistique et le pouvoir.

Il présentait près de quatre cents recommandations adressées principalement aux différents ministères du gouvernement québécois, plus spécifiquement: la Justice, les Affaires sociales et l'Éducation.

L'impact de cette politique a été important et durable: d'abord au niveau des **groupes de femmes**, puisqu'il a été un instrument de connaissance et de sensibilisation qui a permis de faire progresser la réflexion et de préciser les enjeux.

Ensuite au niveau **gouvernemental** et para-gouvernemental: il y eut la création des responsables de condition féminine dans les ministères et aussi dans les réseaux d'établissements, les associations, les corporations; il y eut la création du Secrétariat d'état à la condition féminine avec sa ministre déléguée.

Il y eut également de grands débats publics tels: les colloques régionaux sur la violence envers les femmes et les enfants et sur la pornographie; les colloques régionaux sur l'humanisation de l'accouchement.

Il y eut des changements importants dans la législation comme cette **Loi sur l'égalité des conjoints** et des programmes spécifiques: celui de la désexisation des manuels scolaires; la politique d'aide aux femmes violentées, etc...

Enfin, un impact au niveau des personnes, plus particulièrement des femmes dans leurs rapports avec les hommes, les enfants, les institutions.

Aujourd'hui, on est à l'heure des bilans face à l'impact de cette politique, face à son suivi, dix ans après l'Année internationale de la femme. Les acquis sont de taille, surtout si on les considère à la loupe de l'histoire. Ce qui reste à faire l'est également ne l'oublions pas! C'est pourquoi le document-bilan du CSF s'intitule "OUI, MAIS..."

Mais la question qui nous préoccupe aujourd'hui touche non seulement ce qu'il nous reste à conquérir mais aussi **comment allons-nous consolider ce que nous avons déjà**? Cette lutte a été la nôtre, ces acquis nous les avons gagnés difficilement, pas à pas. À présent, nous préparons notre succession et nous voulons, plus que toutes choses, que l'héritage demeure et continue à s'accroître.

Les grands thèmes

A présent, je voudrais aborder avec vous certaines questions ou certains thèmes de notre vie qui m'apparaissent importants. Pour chacun d'entre eux, j'aimerais approfondir nos gains actuels et lancer la question du suivi et du renouvellement des valeurs.

La législation qui a presque toujours enfermé la femme dans le modèle patriarcal de dépendance au père ou au mari était l'un des obstacles majeurs à toute tentative de véritable autonomie. Au Québec, la Loi 89 instituant un nouveau code civil proclamait en 1980:

- l'égalité des époux;

- la liberté des personnes dans leur façon d'organiser leurs relations familiales.

À présent, les époux
- assument conjointement la direction morale et matérielle de la famille;
- exercent ensemble l'activité parentale (donc l'abolition de l'autorité paternelle);
- contribuent en proportion de leurs facultés respectives aux charges du mariage;
- sont conjointement responsables des dettes du ménage.

Les conséquences d'une telle loi sont multiples et surtout elles seront visibles pendant des décennies autant dans la charte que dans les rapports sociaux. Je pense que nous avons remporté sur ce terrain une grande victoire. Une victoire à la mesure de la bataille que nous avions menée.

Mais pouvons-nous véritablement jouir des fruits de cette victoire? Et qu'en est-il des plus jeunes? Qu'en sera-t-il des prochaines générations?

Nous aurons été celles de la **bataille**. Elles sont et seront celles de l'**actualisation**. Elles n'ont plus de bataille légale à mener, elles auront à justifier leur situation, à utiliser le pouvoir et à participer activement au contrat social.

Cette génération sur laquelle nous fondons de si grands espoirs, à qui nous léguons un héritage **légitime** mais ô combien lourd de responsabilités, nous semble bien fragile ou bien mal préparée à prendre le relais de nos luttes. Et souvent, trop souvent à notre goût, elle se déclare peu intéressée ou étrangère à notre système de valeurs, à notre combat. Notre **féminisme** lui paraît un anachronisme auquel elle déclare devoir tourner le dos pour accéder à son autonomie et à sa dignité. Voilà le discours! Mais au delà, la pratique et l'analyse nous apprennent que pour ces filles, le lien avec la mère demeure toujours très significatif. Les femmes que nous sommes, autant comme génération, mères, professeures ou vedettes, continuent d'exercer un pouvoir sur leur vie ou sur leurs valeurs.

Face au couple, au mariage ou à la famille, elles sont très ambiguës. Les études nous les présentent comme engagées dans un idéalisme romantique irréaliste (elles rêvent du Prince charmant, au mari idéal, elles désirent être des femmes et des mères accomplies). Comme nous l'étions, nous qui avons gagné la bataille juridique. Personnellement, je ne suis pas inquiète des rêves d'amour des adolescentes, je suis moins rassurée face aux institutions et aux systèmes qui exploitent ces rêves et leur cachent les connaissances nécessaires aux choix qu'elles auront à faire.

Et ces choix ne sont pas faciles à faire dans le contexte de crise sociale que nous trouverons.

Quels sont les faits?

Au Québec, en 1982, il y a eu trente-huit mille trois cent soixante mariages et dix-huit mille cinq cent soixante-dix-neuf divorces. On calcule que quarante-quatre pour cent des mariages de 1981 se termineront par un divorce.

Si le taux de natalité continue sa chute spectaculaire, c'est surtout à cause de la baisse de la fécondité après trente-cinq ans car quarante pour cent des naissances ont lieu entre vingt-cinq et vingt-neuf ans.

Par contre, les **naissances hors mariage** continuent d'augmenter; actuellement, elles constituent plus de **dix-huit pour cent du total**. Dans neuf cas sur dix, il s'agit de mères célibataires (pour la majorité vivant en union libre).

Le phénomène des mères célibataires attire particulièrement l'attention. Autrefois, celles que l'on appelait "filles-mères" étaient prises en charge par les institutions et forcées à abandonner leur enfant. Après cela, en autant que c'était possible, elles rejoignaient les rangs des candidates au mariage et à la vie de famille.

Aujourd'hui, la possibilité de choix est plus grande. Par exemple, quatre-vingt-dix pour cent des mères célibataires de moins de vingt ans choisissent de garder leur enfant. En 1983, on comptait plus de quatre mille familles monoparentales qui avaient pour chef, une femme de moins de vingt-et-un ans. Si l'on regarde les motivations liées à ce choix, on retrouve surtout:

- la satisfaction d'un besoin d'affection et

- la valorisation du rôle de mère en même temps que l'accès à un statut social.

Et pourtant, toutes les études sont là pour démontrer combien ce choix comporte de lourdes responsabilités. La grande majorité de ces très jeunes mères vont expérimenter:

- des conditions économiques difficiles;

- des problèmes de santé;

- des problèmes de logement;

- des problèmes de nutrition;

- elles vont se retrouver isolées;

- quatre-vingt pour cent ne terminent pas leurs études secondaires;

- elles risquent plus que toutes autres de se retrouver au chômage;

- et enfin, leurs enfants seront aussi plus vulnérables physiquement et psychologiquement et seront plus à risque face à la violence et aux abus.

Malgré ce sombre pronostic, un nombre grandissant d'adolescentes continuent de faire ce choix.

Parmi les femmes qui se marient, ou qui vivent en union libre, un bon nombre n'aura pas un sort tellement plus enviable, il faut pourtant l'avouer. Nous approchons dangereusement du jour ou un mariage sur deux se terminera par un divorce. Pour beaucoup de femmes qui ont choisi le mariage comme carrière à temps plein, ou même temporaire, cela signifie un changement dramatique des conditions de vie. Au Québec, près de quatre-vingt-trois mille femmes, chefs de famille monoparentale, vivent de l'aide sociale avec un revenu moyen de cinq cent vingt-six dollars par mois (1983). Par comparaison, douze mille hommes se trouvaient dans une situation identique avec un revenu moyen de cinq cent quatre-vingt-neuf dollars par mois.

C'est dire que l'égalité des conjoints, du moins sur le plan économique, n'est pas encore chose faite. Quant au partage des tâches, nous savons qu'il y a progrès, mais il reste encore beaucoup à faire.

Les jeunes femmes et les adolescentes qui sont témoins de ces situations continuent pourtant de valoriser le couple et le mariage. Une recherche menée par le CSF nous apprend que:

- cinquante pour cent des jeunes filles du secondaire cinq déclarent "qu'il est important d'être une bonne maîtresse de maison";

- soixante-quatorze pour cent "il est important d'avoir des enfants et de s'occuper d'eux".

Cependant, elles valorisent l'affirmation de la femme au sein du couple et considèrent que le partage des tâches n'est pas négociable.

Par contre, l'étude canadienne du conseil consultatif sur les aspirations des adolescentes, nous apprend près de trois-quarts des filles et soixante-quatre pour cent des garçons voulaient être mariés à trente ans. Si l'obtention d'un emploi rémunéré devient une valeur importante, pour la majorité des filles, la vie personnelle a priorité sur le travail.

Il y a beaucoup d'ambiguïté entre leur désir de réussir une carrière ou un travail, leur désir de se marier et d'avoir des enfants et leur attitude face à l'amour.

Nous avons tellement parlé de l'importance des études et du travail pour elles. **Comment peuvent-elles ne pas désirer s'y faire une place**.

Les médias, la littérature, le cinéma valorisent tellement l'amour et le rendent tellement désirable. **Comment ne seraient-elles pas tentées**?

Et dans un contexte où chaque naissance **semble** désirée et est entourée d'un halo publicitaire alléchant, **comment n'auraient-elles pas l'envie de ressembler à ces jeunes mères romantiques et entourées d'affection** qu'on nous montre partout pour vendre des produits?

C'est bien simple, elles veulent tout avoir, persuadées que maintenant tout est possible. Que leur génération est mieux préparée que la nôtre et que le contexte est bien différent.

Devons-nous nous réjouir ou nous désoler devant cette situation? Je pense que nous avons une grande responsabilité face à cette génération:

- une responsabilité de transmission des connaissances, de façon réaliste, non pas moraliste;

- celle de constituer des modèles auxquels elles peuvent s'identifier;

- une responsabilité de compréhension et de valorisation face à leurs expériences et à leurs valeurs.

Lorsque nous nous désolons face aux attitudes et aux discours des jeunes, c'est que nous avons manqué, en partie, à ces responsabilités. Ce n'est pas parce que nous avons évolué qu'elles évolueront de la même façon. Tout ça n'est pas héréditaire malheureusement. Elles ont également un chemin à parcourir et souvent il ressemble à celui que nous avons parcouru nous-mêmes à une autre période.

Le second thème, l'**Éducation et le travail** est largement analysé et commenté régulièrement. Ce fut un des enjeux majeurs de la bataille pour l'amélioration des conditions de vie des femmes.

Nos acquis en ce domaine sont de taille:

- accès aux études supérieures;

- accès au monde du travail;

- programmes d'égalité en emploi;

- obtention de congés parentaux.

Nous avons là encore gagné de grandes batailles en termes de **légitimité**, de **législation**, de **reconnaissance de droits**. Cependant, toute l'actualisation reste encore à faire, par nous et par les générations qui nous suivront.

Car la situation présente encore de graves lacunes:
- l'entrée des femmes sur le marché du travail a été spectaculaire et ceci en peu de temps.

Au début des années quarante, une femme sur quatre faisait partie de la population active. Aujourd'hui, on en compte une sur deux. Et en 1990, elles seront deux sur trois.

Cependant, elles se concentrent toujours dans les emplois traditionnels réservés aux femmes, emplois qui reproduisent les rôles féminins traditionnels dans les domaines de:
- secrétariat;

- enseignement;

- soins de la santé;

- service à la clientèle.

Cinquante pour cent des femmes qui travaillent se retrouvent dans le secteur administratif et les services et, cinq pour cent seulement dans les professions scientifiques.

Ce qui signifie également qu'elles sont moins bien rémunérées:
- **cinquante pour cent du salaire des hommes**.

Elles occupent la majorité des emplois à temps partiel. En 1982, vingt-sept pour cent des femmes actives travaillent à temps partiel, qu'elles soient célibataires, mariées ou divorcées. Et ce n'est pas par désir personnel puisque seulement une femme sur trois déclare avoir choisi volontairement le temps partiel.

De plus en plus de femmes se retrouvent au chômage. Et la situation ne va pas s'améliorer puisque les secteurs où elles sont concentrées seront les plus vulnérables dans les années à venir. Au Canada, on prévoit qu'en 1990 le taux de chômage dans les emplois de bureau sera de trente-trois pour cent. Les coupures de postes dans le secteur de l'enseignement, de la santé, des services sociaux ont touché particulièrement les femmes depuis quelques années.

Par contre, on sait que certains secteurs vont absorber une nouvelle main-d'oeuvre:

- la transformation;

- la micro-électronique;

- la biotechnologie;

- les communications.

Mais ce sont des secteurs dans lesquels les femmes sont quasi absentes aujourd'hui. **Qu'en sera-t-il dans dix ans ou dans cinquante ans**?

La réponse est malheureusement peu rassurante: au niveau des études, on note une concentration des filles dans des programmes menant aux emplois traditionnels, justement ceux-là qui offrent le moins de possibilités d'avenir. Au secondaire professionnel, quatre-vingt pour cent des filles se retrouvent dans le commerce, le secrétariat et les soins esthétiques alors que les garçons se répartissent dans une diversité d'options plus grande et plus orientée vers des emplois d'avenir.

A l'université, la grande majorité des filles optent pour les sciences humaines, les sciences de l'éducation et seulement quinze pour cent choisissent les sciences appliquées.

L'abandon des mathématiques, pratique très répandue chez les filles au cours des études, restreint considérablement l'éventail des possibilités d'emplois d'avenir. On n'a pas trouvé de "preuve scientifique" à l'appui de thèses sur l'"incapacité innée" des filles vis-à-vis les maths. Par contre, on a pu démontrer le peu d'encouragement tant des parents, des professeurs, des conseillers et des employeurs envers l'entrée des femmes dans le monde des mathématiques et des nouvelles technologies.

Et pourtant, c'est possible. Les grandes batailles légales sont gagnées. Cependant, **l'occupation** est encore à ses débuts. Il nous reste à développer de nouvelles attitudes faces au monde du travail, à changer les règles du jeu.

N'oublions pas que si les femmes continuent à **choisir** certains milieux de travail traditionnels, c'est aussi en partie parce que ce sont encore les seuls qui acceptent et permettent la maternité et la responsabilité familiale.

Les femmes sont toujours les grandes responsables de la famille, la double tâche est une réalité que vivent des millions d'entre nous. Les choix des filles seraient en ce sens le preuve de leur réalisme. Mais c'est un réalisme teinté de désespoir. Car la dernière bataille à livrer est celle de la transformation des lieux de travail, transformation en fonction de la réalité des personnes, c'est-à-dire des hommes, des femmes et de leurs familles.

Il ne suffit plus de dire "Attention, ce secteur est piégé", il faut maintenant être en mesure de leur donner des outils de réflexion et de les appuyer dans ces nouvelles batailles. Ce que nous n'avons pas encore fait.

Il importe de bien comprendre la portée de l'entrée des femmes sur le marché du travail. Les conséquences à long terme sont encore difficiles à cerner. Eli Kinzberg considère que toutes les relations humaines vont en être touchées. Nous n'avons pas encore pensé à préparer les filles à assumer les conséquences cumulatives de ce phénomène.

Le troisième thème que je veux aborder est celui du **corps et de la santé**. Dans ce domaine, les luttes ont été très serrées et elles ont mobilisé un grand nombre de femmes. Et les acquis sont nombreux:

- reconnaissance du droit à la sexualité;

- accès à la contraception;

- accès à l'avortement;

- humanisation de la naissance (en cours);

- accès à la connaissance;

- mouvement d'auto-santé;

- centres de santé des femmes;

- les grands colloques sur "les femmes et la santé".

Il y a eu, tant en Amérique du Nord qu'en Europe occidentale, une mobilisation importante des femmes dans la recherche de:

- services adaptés;
- l'autonomie et du contrôle;
- la connaissance.

Ce mouvement était particulièrement significatif car il touchait le domaine du rapport avec le corps, celui du contrôle de la vie et de la mort, celui de l'intimité et de la spécificité des femmes.

Nous avions une montagne à escalader: nous devions nous réapproprier un domaine qui avait déjà été nôtre à l'époque des guérisseuses, des sages-femmes, à l'époque des "sorcières". Mais surtout, à l'époque où les femmes se transmettaient de génération en génération les connaissances et les compétences en matière de santé, de contrôle de la vie et de sexualité.

L'institutionnalisation de la médecine moderne au dix-neuvième siècle avait dépossédé les femmes de ce pouvoir et de ces connaissances. Désormais, la santé et la maladie étaient sous le contrôle des "experts" qui seuls avaient le pouvoir de les prendre en charge. Et ces experts ont enfermé leurs connaissances en un système clos et exclusif, grâce à un langage ésotérique donc non-accessible. Les femmes étaient alors évacuées de ce système, tant légalement que moralement.

Il en est résulté une prise en charge globale du corps et de la vie intime des femmes par la profession médicale. Prise en charge qui signifie autant les actes médicaux que le contrôle moral et légal sur la contraception et l'avortement.

Les luttes se sont donc faites sur deux fronts:

- l'accès aux services et aux ressources et

- la réappropriation de la connaissance et de la prise en charge.

Nos gains se situent surtout sur le premier front et nous savons qu'ils sont encore fragiles. Par exemple, l'accès à l'avortement qui semblait acquis dans certains pays, est de nouveau remis en cause lorsque les régimes politiques changent.

Le rapport avec le corps et la santé est, à mon avis, un des plus grand défis à relever pour la nouvelle génération, et pour trois raisons:

1. les acquis ne sont pas consolidés;

2. il reste encore beaucoup à faire, ex.: la dépendance des femmes face à l'expertise médicale est encore très grande, contraception, reproduction, gynécologie, ménopause, santé mentale, prise de médicaments. De plus, l'accès à la sexualité peut être qualifié de "miroir aux alouettes" pour les filles. Ce qui nous paraît un gain, est souvent pour elles, source de conflits et d'angoisse. Face à des connaissances théoriques incomplètes, elles se trouvent dans une situation intolérable où elles subissent les pressions contradictoires des médias, des parents et des garçons. Dans cette ambiguïté, elle s'engagent souvent dans des activités sexuelles sans vraiment le désirer, par besoin d'affection ou par crainte d'être ridiculisées. Et ceci dans un contexte contraceptif encore très mal adapté à leur réalité;

3. On assiste actuellement à une **accentuation de l'impact d'autres types d'experts sur l'image du corps des femmes**. Je parle ici

de l'industrie de la mode, des cosmétiques et de la pornographie. Susan Brownmiller insiste particulièrement sur l'importance qu'a prise l'image du corps chez les adolescentes et les nouvelles configurations que cela implique.

Dans ce domaine du corps et de la santé, nous avons suscité un mouvement important, mais nous sommes forcées d'avouer que dans le quotidien, dans le vécu, nous nous retrouvons trop souvent face à nos seules ressources (dans le cabinet du gynécologue ou dans l'intimité du miroir).

Pour les adolescentes, la situation est difficile. Nous leur avons fait cadeau de la sexualité, de la contraception, etc... Elles en vivent aussi les revers:

- augmentation des avortements; en 1982, dix-sept sur cent mille naissances vivantes;

- augmentation des maladies transmises sexuellement (avec sa conséquence de risque d'infertilité définitive); en l'an deux mille, une femme sur deux aura été atteinte d'un salpingite, avant trente ans;

- prise de médicaments dès le début de l'adolescence; en 1982, quarante-deux pour cent des femmes de vingt à vingt-quatre ans prennent la pilule;

- problèmes émotifs et psychologiques de plus en plus importants, ex.: augmentation de suicides chez les jeunes.

Elles devront donc assumer ces acquis dont nous parlions avant de pouvoir en allonger la portée.

Et là-dessus, nous avons de grandes responsabilités envers elles:

- améliorer le niveau et la transmission des connaissances, les rendre accessibles et compatibles à la réalité des jeunes, ex: la recherche d'une contraception adaptée;

- améliorer la qualité de nos rapports avec les jeunes, aller au-delà de la simple théorie. Les filles ne recherchent pas tant la connaissance que la possibilité d'exprimer leurs craintes et de partager leurs expériences;

- créer de nouvelles solidarités entre pairs et entre les générations;

- continuer à améliorer les relations entre les sexes dans le sens de l'égalité et du partage;

- rétablir leur confiance en elles-mêmes, valoriser leurs efforts afin de les préparer à se prendre en charge dans tous les aspects de leur vie.

Nous devrons aussi ouvrir les milieux d'intervention à la réalité des adolescentes et des jeunes femmes.

Lorsque l'on crée des ressources pour les jeunes, on oublie trop souvent que cette jeunesse est sexuée et que les besoins varient en conséquence.

Conclusion

Pour conclure, j'aimerais nous ramener à la question du début: **La nouvelle génération pourra-t-elle consolider les acquis et poursuivre l'amélioration des conditions de vie des femmes**?

Pour moi, la réponse est évidente: cette génération possède, au moins autant que la nôtre, les éléments et le dynamisme pour poursuivre le mouvement.

Elle a de plus accès à un nombre accru de connaissances et pose un regard plus critique sur les institutions et le pouvoir.

Mais nous aurions grand tort de penser que leur lutte et leur avancée se feront de la même façon que les nôtres. Je pense qu'elles risquent même d'être fort différentes.

Nous avons été, et sommes toujours, la génération des grandes luttes, des mouvements larges et monolithiques; la génération des mouvements de masse. Et cette façon de faire, d'agir, était justifiée par l'édifice énorme qu'il nous fallait investir. Aujourd'hui, les portes sont enfoncées, les pistes sont ouvertes, il reste à occuper tous les étages, à nous installer à demeure.

Nous devons penser à de nouveaux objectifs, à de nouvelles stratégies. Nous devons penser à tenir compte de la génération qui nous suit et même à lui laisser beaucoup d'espace.

La génération de nos filles est plus individualiste, plus axée vers le court terme, elle est aussi confrontée à des choix multiples. L'expression du discours des femmes devient aussi plus diversifiée, moins monolithique.

Nous nous inquiétons de ne pas trouver de relève dans nos grandes institutions féministes: dans les regroupements de femmes, dans les instances gouvernementales. Peut-être oublions-nous de bien regarder l'entrée continue des femmes dans les milieux de pouvoir et dans les nouvelles instances socio-culturelles (mouvement coopératif, groupes de quartier, organismes communautaires).

Et surtout, peut-être n'avons-nous pas bien estimé l'entrée massive de l'expression féminine dans les arts et la littérature. **Dans ces lieux, on assiste non seulement au développement d'un discours de femme mais aussi à l'émergence de nouveaux modèles.**

Et ceci est bien de la génération des filles dont nous parlons aujourd'hui. En d'autres termes, elles vont continuer le mouvement, mais de façon moins spectaculaire, plus diversifiée, plus intégrée.

Il nous appartient de leur faire la place qui leur revient mais aussi de les aider à s'y installer. C'est à ce seul prix que notre héritage sera transmis, que notre capital pourra fructifier.

Eleanor Halmer Morton déclarait (1978): "Une femme, c'est une visionnaire et une planificatrice, c'est une matrice; une femme, c'est une personne qui guérit les autres, qui construit des ponts, des enfants et des voitures; elle écrit de la poésie et des chansons; elle est amante, ouvrière; une femme, c'est une personne qui fait des choix".

Les adolescentes ne deviennent pas des adultes du jour au lendemain, capables de faire ces choix, en pleine possession d'outils et d'habiletés, empreintes d'estime de soi, de jugement et d'expérience, si elles n'ont pas eu le support nécessaire et la possibilité de se développer véritablement. Nous avons donc un important rôle d'accompagnement à jouer.

Nous devons pour cela investir plus intensément:

- dans la recherche: sur les situations des adolescentes sur leurs valeurs, sur la socialisation et l'apprentissage des rôles sociaux, sur la production domestique et sur les nouvelles technologies qui ont et auront un impact grandissant sur la santé et la reproduction.

- dans l'action: particulièrement accentuer la prévention primaire dans le domaine de l'éducation, de l'emploi, de la santé et des services sociaux, de la violence;

- investir dans la communication et la sensibilisation et tout ceci est la responsabilité partagée de l'État, des institutions, des intervenants (parents, professeurs, professionnels de la santé et des services sociaux, etc...), des communautés et finalement des filles elles-mêmes qui sont absentes physiquement aujourd'hui de ce lieu de débat mais qui devront en être l'élément dynamique dans tous ceux qui suivront.

Summary

From The Women of Today to Those of Tomorrow

Looking at recent acquisitions of feminism, the author wonders about the future prepared by the present generation of women for their daughters and generations of girls to come. For each of the following, she speaks of gains and of what is still to be done. First, she describes the many present difficulties of women: economic, social, marital, etc. Surprisingly traditional career choices (hairdressing, secretarial work, etc.) are still being made by young women despite the knowledge of these facts. Second, education and work for women are considered: higher education, equal opportunities, etc. Third, women body and health: contraception, humanized birth, right to information, etc. The author concludes by an act of faith in the potential and creativity of the younger generation when time comes to go forward.

Cinderella Meets Mr. Byte

by Heather Menzies

Once upon a time before Cinderella moved in with those ugly step-sisters, the economy was centred in the home and hearth and, beyond it, the barnyard, communal pasturelands and hunting grounds. (Appropriately, therefore, the word economy derives from the Greek word oikos meaning home or household). It's thought that the first tool, the digging stick was invented by woman, because women were the gatherers of roots, berries and such which in some societies - such as the Kung bushmen of the Kalahari Desert - still constitutes two-thirds of the diet. Among the original people who inhabited this part of the planet, Iroquois women were renowned for their plant breeding, and traded many varieties of corn up and down the length of this continent. The pioneer white women from France, England and the United States were practitioners of science and technology in a whole variety of pre-industrial crafts as they worked to sustain life and give it meaning in those backwoods years of pre-Confederation Canada. They knew how to leech lye out of ash to make soap; how to extract rennet from wild artichoke and later calves' stomachs to make cheese; how to cure flax to get linen fibres and work these in with wool to make the characteristic homespun; how to make candles and butter, how to spin, weave and sew, including hooked rugs and quilts which they exhibited at agricultural fairs as proudly as they showed their best cured cheeses and best-woven cloth.

But with the coming of industrialism, machines took over more and more economic activities, moving them out of the home into the steam-powered factories of the day. What had been domestic work done by women became industrial employment performed and certainly managed mostly by men. (Not only did contemporary culture sternly regard women's place as confined to the home and hearth, but the law did not recognize women as persons.)

Not only was there less and less to do at home, but the tools required to run a household increasingly had to be purchased. At about this point, Cinderella realized she'd better make herself beautiful, get herself off to the ball and find Prince Charming, because a husband had become essential to full participation in society. The husband supplied the money necessary to buy all those things which women had previously made by themselves, including the tools which had been simple enough that they could after be home made; but now they were becoming as complex and as removed from women's sphere of knowledge and competence as they were becoming expensive to buy and operate. All these tools - for washing dishes and clothes, for cooking food and preserving it - cut down on the time it took to do what little work remained to be done within the household economy. Having used a wood stove on my family's farm, I know how quickly I can get heat from an electric stove, and how long it takes to chop wood and kindling, to set and light the fire and to trim the air vents and build up a good heat. Similarly the fridge lets you shop only once a week instead of once a day, while the supermarket allows you to do all your shopping in one store, although generally you need a car to get to the shopping centre and back.

All of these conveniences left homemaker-housewives of the 1950s and 1960s terribly bored and terribly dependent; dependent on money and on the breadwinner husband who earned it. Women read The Feminine Mystique and other eye-opening books that launched the current wave of the women's movement mid 1960s, and they resolved to liberate themselves from the gilded cage of the suburban home. It had become little more than an empty shell, its vital activities having been transferred into the factories, offices, hospitals, schools and other institutions of our modern technological society.

Cinderella, realizing that living happily ever after didn't necessarily mean (nor was it guaranteed by) sitting passively on the sidelines of other people's lives, decided to change back into work clothes and go looking for where the meaningful work of society was going on - that is, the paid labour force.

She found she had to participate on its terms, which meant fitting into a prescribed occupation in a bureaucratic institution. Cinderella got a job; in some cases, she even joined a union.

Around about this time too, the Cinderella myth was wearing a bit thin. First there was the so-called sexual revolution. Divorce rates soared as Prince Charming took to finding younger and prettier Cinderellas with which to ride off into the sunset, often forgetting to pay child-support and alimony to the original belle of the ball. Then there was inflation, beginning with the formation of OPEC - in the 1970s and the international debt crisis of this decade, so that today it takes two wage earners to keep family income from sliding backward in real purchasing power even with annual salary increases.

Today, single-parent mothers represent the fastest growing form of the family unit. According to the 1980 census, one in ten families in Canada is headed by a woman, usually divorced or deserted by her husband. Equally staggering is the fact that sixty percent of married women work on a regular, on- going basis outside the home, and for the same reason their husbands do: economic necessity. The male-breadwinner and stay-at-home housewife scenario is all but extinct, representing a mere sixteen percent of households in 1981. In other words, Prince Charming can't make the mortgage payments and car payments nor pay for the groceries on his income alone anymore.

A young woman entering the labour force today can expect to be there only four years less than her male contemporaries. That's an amazing shift in one generation! When I graduated from school, not so long ago, I expected that I'd work until I married or until the first child came along, and that my main work in life would be in the home looking after my husband and family. Young women today can expect to remain at home only until they've weaned their babies and their maternity leave runs out. That's the new pattern.

Unfortunately the work world is still geared to the old pattern more than this new one. Women are still on the periphery, not in the core of creative, decision-making work.

Women represent seventy-five percent of the part time workers, earning an average of only eight thousand dollars a year. Seventy-seven per cent of women are in the traditional female - secretary, waitress, cashier, bank teller, or in teaching, health care and social work. Sixty-six per cent of women alone are concentrated in three support or operations-type jobs in the service sector: clerical, sales and service work. Furthermore that concentration is growing, as the chart showing greatest job growth for women during the 1970s indicates.

Situated as they are on the margins of the labour force as part time workers, with relatively little union protection and seniority and particularly because they're concentrated in support or operations-type occupations rather than in professional and decision-making positions, women are uniquely vulnerable to the automation that is currently sweeping every sector of our economy. In sawmills, automated saws, planing equipment and lumber-sorting machines are taking over the work of sawyers, planers and lumber sorters.

In factories, numeric controlled machines are taking over the work of skilled machinists. Robots are manning (sic) the assembly lines, putting together cars, planes, tractors, refrigerators and stoves. And materials-handling systems are running completely unmanned warehouses, ferrying the parts out to robot work stations as these are needed and positioning the finished product ready for shipment.

In the service sector where eighty percent of women work, the operations work involves filling in forms, maintaining account books, typing and sending out invoices, etc. The work is now being automated as this huge sector of the economy moves into a self-serve phase. In the telephone industry, automated switching systems allow the customers to now make even overseas long-distance calls without operator assistance. In consequence, whole offices have been closed - for instance, in Ste. Agathe, Sorel and Thetford Mines, Quebec. Between 1980 and May of last year, the number of telephone operators employed by Bell Canada dropped from seven thousand two hundred to five thousand five hundred. The automated teller machines take over from tellers in providing the four basic bank services: deposits, withdrawals, transfer and credit-card transactions. Software does the work as soon as the customer presses the appropriate buttons requesting the particular service. Software also does a whole lot of background work, eliminating the need for many other clerical workers in collating information, preparing reports and so on. Similarly, in supermarkets and department stores, the electronic cash register doesn't just eliminate cashier work by taking away many of the time-consuming but also challenging aspects of this work (such as remembering prices to punch them in, and calculating and making change). By keeping track of every item sold, the computer inside the cash register automatically maintains store records and can even trigger an automatic re-order of inventories when they drop to a certain level.

The two phases of automation can most readily be seen in the office set ing. The first phase involves the installation of computer equipment - data processing or word processing machines for specific local purposes. In the second phase, these appliances are integrated into a communications network to establish what some people call a "management information system" and others call the paperless" office of the future." When Canadian Pacific introduced its nation-wide electronic information system in 1977, the system handled three hundred types of information - generally bills and other financial material. By 1982, as departments like Personnel and Public Relations were being plugged into the system and turned into paperless offices, the system was handling two thousand types of information - including electronic mail and memos of all sorts.

It might be useful if I took you into a mock day in the life of such an office. First, that office can be located anywhere - wherever you have your computer terminal and a phone line into which to plug it. Instead of putting a key in the lock of a specific office door, and desk and filing cabinet, you merely key onto your computer terminal using your personal I.D. number. Up comes your electronic in-basket or electronic mailbox, with all the items coded according to priority. There's a U for urgent opposite a memo from your boss; she wants to see you in her office at two that afternoon. Obviously, you deal with that item first, by keying in a quick reply and pushing the "send" button to route it automatically into her in-basket. Next you deal with the electronic mail that's come in. There's a note from a colleague across the country who knows you've just attended a conference on drug abuse among pre-teenagers, and would like a copy of any notes or references you brought back. You have this stored in your own personal files, so you merely key in the command to access that document in the files and send a copy to this colleague. You probably won't even have to write the colleague's address; it'll be stored on-line in your electronic directory. Having dealt with your mail, you see that you have an hour to go before your first meeting of the day, and you decide to prepare for it - let's say it's about job training programs for young people - by checking the figures on the frequency with which individuals return for more training or even repeat the same course. No need to look around for a report on this, let alone one that's up to date. You merely key in what you want and immediately, the relevant data is drawn either from government or college data bases. It's processed into the information you requested and up it comes, possibly in graph form, you press a button to have it reproduced on your printer, finish your coffee and off you go, just as the built-in electronic clock sets off a beeper indicating that you have fifteen minutes to get to the meeting.

You can see how extensively office work is transformed, and how much of traditional office work is eliminated. No more retyping, filing, mail handling, (a major part of traditional administrative support and clerical work). No more report preparation and related management (a major part of traditional office management or middle-management work).

In the first research I did into the potential employment effects of automation for Canadian women, I looked at a typical corporate office, an insurance company, the banks and supermarkets, and I found the same three trends in all cases:

First, the erosion, through deskilling, and the elimination of work at the operations level or clerical, sales and service work.

Second, an enrichment and intensification of professional and more senior management work as computers and integrated information systems become new work tools for these people, greatly expanding their sphere of activity and control.

Third, a growing skills gap between the professional-managerial and the support-operations occupational levels as middle-ranking occupations are reduced or eliminated through automation and the more senior ranks become more technically sophisticated, leading to a possible polarization of the labour force.

Given the rate at which employment opportunities were being reduced or eliminated at the support level of clerical, sales and service work yet given the slow rate at which women were finding employment in the more non-tradition al areas, I concluded that up to a million women in Canada could be unemployed by 1990 simply because of technological change.

This report, **Women and the Chip**, was published in 1981 during the first national conference examining the question of technological change and employment. Since then, largely due to some excellent research and public information work by the Science Council of Canada, there is now a major campaign through the schools to get young women into non-traditional areas, notably science and technology. Which brings me to the Mr. Byte in the title of my speech. Mr. Byte not necessarily being a husband who's into high-tech and video games, but a high-tech employer. Here I'm tacitly reinforcing the statistics which say that women can expect to spend more time with men as employers and co-workers than as husbands and in-laws.

The industries most often cited as the promising frontier of high technology include: 1) robotics, computer-aided designing and manufacturing; 2) biotechnology; 3) communications and informatics; and 4) artificial intelligence. Within these, the occupations and career paths most often mentioned include:

- Engineers, particularly electrical or electronics engineers who can design and build robots, computers and communications devices and do research in these areas.

- Systems analysts and designers who have backgrounds in mathematics and computer science and who will design the masterplan for automating offices, factories, warehouses, hospital operations and so on.

- Programmers and programmer analysts who take the masterplan and work out its specifics, down to the level of replicating every contingency into a piece of software that will both keep hospital patient records and produce these in the form needed by doctors, nurses, and hospital administrators as these persons request them.

- Computer operators, data processors, word processors: these people feed information into and through the system.

They're also calling for more geneticists for biotechnology work; more physicists, and other scientists. And beneath the professional level, more technologists and technicians specializing in different areas of technology use: communications systems and networks for telephones or cable systems; industrial control systems (for instance, in a pulp and paper or pharmaceutical or petrochemical plant), servo-mechanisms used in robots of all kinds, medical diagnostic or therapeutic equipment of all kinds.

I could go on and on, because this brings me to a point that I've been trying to make since writing **Computers on the Job** three years ago. I am convinced and the trends are bearing me out so far, that the bulk of new employment in the next ten to twenty years won't lie in the design and development (or even in the sales and distribution of new technologies) but in their application in all the familiar lines of work from accounting to urban planning, from nursing to social work. Although the work in all these areas is being transformed through the addition of high-tech equipment, information systems and the like - requiring some new skills and some adjustment - the core activities of the work will remain the same. Let me give you some examples, drawing from the list of occupations where women substantially increased their representation during this past decade.

In management, where women have greatly increased their numbers and are now nearly fifty percent of the occupational group, although concentrated in the junior administrative ranks most vulnerable to automation, there are a number of computer applications which young women could consider learning. If you study commerce and go into financial management, you'll work with spread sheets and be able to do sophisticated analysis using computer simulations. In personnel management, as the computer takes over the work of keeping track of employees and their benefits etc., personnel managers can enhance their role as career-development coaches - for instances establishing learner centres inside the company or government department and subscribing to information services specializing in learning materials which of traditional office work is eliminated. No more **retyping**, filing, mail handling, (a major part of traditional administrative support), say in the food industry will learn how to use new equipment and how to write computer programs for analysing test results etc.

Draftpersons of the future, if they have a future, will do more creative work, doing cost analyses on various potential designs. Incidentally, fashion designers (a growing area of professional activity in Canada) will also be advised to become computer wise, for the computer can crank out a cost-benefit study on alternative garment designs - drawing on international data bases with the latest prices for cotton from India versus Argentina, and comparing the unit cost of using three colors versus two.

The economist will use the computer in much the same way as the financial manager does, as an analytical and planning tool.

The social worker, like most counsellors, will use it as a gateway to information about all the services which a client might use. The downside is that social workers employed by the city of Montreal here and now are being reduced to little more than computer operatives or clerical workers, punching in client information on the basis of which the computer computes what level of welfare the individual is entitled to receive and that's about it.

This brings me back to the main thrust of my talk here this afternoon. I realize that I haven't completed my list. But I think I've said enough to give you the message: that there are a lot of job opportunities in the less radically non-traditional job areas for women (in fact, a lot more than in the extremely non-traditional areas such as electrical engineer and physicist, which only employed twenty-seven thousand men and one thousand three hundred women in 1981, and where employment increased by less than two hundred percent over the previous decade whereas all the occupations I included on my list increased their showed employment increases over two hundred percent.) Therefore, when young women consider career options, they should consider studying the applications that are appropriate to their chosen field of study - be that as traditional as nursing or as non-traditional as economics, and working those subjects into that field of study - i.e. a bit of systems theory and a programming course in a business or commerce program of study, and Computer-aided design and computer simulations in a fashion-design, interior decorating architecture or urban planning course of studies.

Getting into high-tech indirectly would also be easier for most young women, I'm sure, because getting women into the science-technology area is not proving to be easy. In the workplace, there is sexual harassment and the old-boys network which closes ranks against the influx of young women representing the other fifty percent of the labour force and therefore potentially double the competition for jobs and career opportunities. In universities and colleges, female students in the hard sciences - engineering and the like - find they have to stick together for moral support to change the macho culture in these fields with their vulgar and at-times pornographic student publications and activities. Sexual politics is at work even over the use of lab equipment, particularly as this becomes as expensive as the flight simulator at the University of Toronto which cost a cool one million dollars.

At the high school level, this is a major problem. The girls get their minimum required time on the computer, while the keeners who sit at the front of the class get to use it the rest of the time and after school when they work up their own computer games, communicate via their own computer network and turn the computer into their turf.

But according to the research, women are excluded from science and technology long before they even get to school. Science and technology is perceived as masculine, not feminine. Partly this is because science-technology work is associated exclusively with work done outside the home, unlike the social sciences and humanities which can be applied to work both at home and in the public sphere. But more fundamental science and technology is a way of knowing, seeing the world and dealing with it that is characterized by logic, deduction, dissection, manipulation of parts and external control. It's said that because boys build their own little worlds with erector and meccano sets, they develop the aptitude and skills that are considered a prerequisite to working in the abstract world of math and science. On the other hand, girls clutch dolls to their bosoms and develop a caring regard for the world as it is and as a whole.

The girls I've talked to tend to have trouble leaving that world behind and entering the world apart represented in a lab experiment or a computer program. As Ellen, a sixteen-year old told me: "We're given the science of Nobel prizes. It's out of reach, out of touch with everyday life. There's no environmental aspect, nothing about the world around you." A fourteen-year old by the name of Katie who wishes they'd stop "pushing" science and technology so hard at school commented: "Science is this dead art." A third, thirteen-year old Sarah told me: "I'd like science to be taught for the kids in the back of the class; more on adapting to things as they are; more about the effects of things."

I hate to see these bright young women turning away from science and technology, because there is more to science and technology than what it's become, and what is presented as. But I think they're saying something important about what it has become, including as a subject in high school. Therefore, I think it behooves us to explore the nature and the history of modern science and perhaps to reclaim some of the historical antecedents which are abandonned, excluded or made to disappear as modern science was being developed and put to work in the service of the modern industrial economy.

The roots of modern science go right back to the first man-made world, the Greek City State where Pythagoras, the great mathematician who we all studied at school stated: "There is a good principle that has created order, light and man, and a bad principle that has created chaos, darkness and woman." Aristotle based his dualistic separation of form from matter on the division of the sexes, naming form as dominant over matter and male, dominant over female. The female, he said, is passive, and the male is active.

By the time Francis Bacon and René Descartes were laying the philosophical foundations of the Scientific and Industrial revolutions, female had come to be associated with "unruly" nature, and the disorderly sphere of emotions, while the male represented mind over matter, and control over nature and the irrational unknowns of the emotions. Out of that revolution came all the modern sciences, including scientific management, which interestingly was pioneered by the same man who is credited with designing the first prototype computer: the analytical engine. This man, Charles Babbage was possibly the first person to see human beings not just as manual labor, but as units of labour with set skills which could be assigned to set tasks within a series of inter-related tasks and made to work with clocklike efficiency through the external control of management.

I stated earlier that the women and grandmothers who moved into the labour force in the 1950s and 1960s did so fairly uncritically. But then they only expected to work on the fringes, part time and for pin money. But you and your friends who will spend the best years of your life there, I think your generation must take a more critical attitude. You shouldn't feel obliged to adjust to the work world entirely on its terms. In fact, I would argue that doing so might be hazardous to your future employment and even to your health. To explain: the high-tech frontier of robotics, artificial intelligence, informatics etc. is very much the offspring of the intellectual tradition I've just described, with head dominating heart, the mind and its creations over matter and natural reality. The society that is taking shape out of this frontier, unless it is modified by another influence and another perspective, threatens to take us into a cybernetic world, a world so far apart from the natural world - the world of human and ecological relationships - that we will no longer be able to live the old way and might even make the earth quite uninhabitable. This is my great fear for the future, and my challenge to you as women: representatives of another perspective and even another frontier.

It might be stretching to make a point, but because women have come so recently into the industrial workforce and have remained so long on the outside, our perspectives and our memories represent a last frontier of the pre- industrial era when economics was a means to an end and not an end in itself, when science like so many vocations was a labor of love and not something one did strictly for money. There is in our heritage at least the glimmering awareness that the modern sciences of high technology aren't all that science and technology was or could ever be. To help give young women a critical perspective on modern science and technology we need to reclaim the alternative paths of its development, many of which were pursued by women. These women were forgotten not only because they were women but because they pursued science in a more holistic or intuitive way, or because they practised it and didn't restrict it to the exclusive halls of institutions.

Just reclaiming from the shadows women like Rosalind Franklin whose work discovering the helical character of DNA is believed by many to have been vital to the work that led three male colleagues (Watson, Crik and Wilkins) to win the Nobel prize; women like Sophie Germain who had to pretend to be a man (like George Eliot and George Sand in literature) in order to be published. Sophie Germain took the pseudonym M. LeBlanc in corresponding with the mathematician Gauss and even won a prize from the French Academy of Science for a paper she wrote under that name. Or women like Emilie de Breteuil who translated Newton's Principia Mathematica into French and who explored the properties of fire in a laboratory she had built in the castle where she lived with Voltaire.

If these women were restored to the science texts, I'm sure that science would no longer seem such an alien subject for women; especially if the books portrayed them practising science in their own way. That is, not as a scientist who happened to be a woman, but as a woman scientist, for then the public's conception of science would be enlarged because it would be amplified by the example of these scientists.

In an excellent biography of the geneticist Barbara McClintock who recently won the Nobel prize for her genetic research using corn, called A Feeling for the Organism, the author describes McClintock's scientific method as combining sentiment and intuition with traditional objective research and analysis. I quote: "McClintock had succeeded in synthesizing the uniquely twentieth-century focus on experiment with the naturalist's emphasis on observation. The role of vision in her experimental work provides the key to her understanding."

Ellen Swallow is another scientist whose approach and philosophy deserves to be restored to public knowledge. The first woman to study chemistry at MIT in Boston and the first woman on its chemistry faculty, this woman insisted on taking science to the people and was always off somewhere doing public demonstrations on water-sampling techniques for instance. Over the years, she created a new science, an interdisciplinary environmental science which, in 1892, she named ecology.

I could go on and on, and talk about the fact that women commonly used mouldy bread as a poultice on cuts and wounds long before Alexander Fleming officially discovered that a penicillium mould could kill bacteria.

Reading this sort of history might inspire women such as those I quoted earlier who found themselves turned off by high-tech science. It also might give them the confidence they need to pursue science as they conceive of it, because in doing so, they will not be all alone but will be following in the footsteps of people like Barbara McClintock and Ellen Swallow and all those pre-industrial people for whom science was a search for knowledge and technology was a set of tools.

If you want to be a doctor, at medical school, you might press for more information on nutrition, on generic drugs and on social issues such as wife battering so that, when you graduate you have the tools to encourage preventive health care and to deal with whole people, not just an isolated part of them. If you end up working as a hospital administrator and want to temper the high-tech approach, you might foster patient self-government and a more collegial approach to patient care. If you become an educator, you might resist the current tendency to reduce education to skills training to adjust people to fit a slot in a technological system and help restore it to its proper role in a liberal democracy. If you go into research work, you might reopen some of the lower-technology paths which were abandonned in the course of industrialization - for instance, textile manufacturing techniques in India and Africa or craftscale cheddar cheese making in Canada.

And if you get into administration and management, you might apply your knowledge and skills toward such objectives as decentralizing control of the new technologies and reducing working hours. This latter is important not only because technology is taking over so much of society's workload and as long as employment is the best available mechanism for distributing income, that work will have to be shared. But there's another reason: so that people can more easily integrate their personal lives with their public worklives. I mentioned earlier that simply adjusting to the work world on its terms might prove hazardous to women's health, and I mean that sincerely. I refer specifically to two problems: burnout as supermoms; and infertility.

I meet many modern Mr. Bytes in Ottawa and at conferences across Canada and the U.S. They regularly work sixty and more hours a week - i.e. evenings and weekends. Therefore, they have little or no time for a meaningful personal and family life. If you marry such a Mr. Byte, not only do you risk a divorce but you'll probably end up doing all the work of running the household and taking care of the children - when you start having children, and if you do. It's not easy integrating the two. First, you face having to work extra hours to establish yourself in career type work, versus job type work. Second, there are daycare spaces available for only one in every six children in Canada. Third, there's the distance between home, workplace and daycare centre, and all the time it takes getting between these places twice a day.

It's not suprising that women are postponing having their first child until they approach the age of thirty. But increasing numbers of women are now finding that the birth control they've been using has left them infertile. As one indication of this, the number of ectopic pregnancies (that is, where a pelvic problem caused by the use of birth control technology causes a fertilized egg to lodge outside the uterus, a situation that requires the surgical removal of the embryo) rose from roughly 3,500 in 1978 to roughly 5,000 in 1982.

I don't say this to alarm you or to scare you off pursuing a career, including a career in science and technology. I think though that this problem, which has reached "epidemic proportions" according to a recent account in a U.S. newspaper, is a symbol of our age. It warns us that if we don't pursue careers on our terms and according to our sense of priorities in life but if instead we adjust to the high-tech world too much on its terms, we risk jeopardizing the most vital part of our heritage: our reproductive power.

What am I saying here today? I'm saying, know that the work world is being radically transformed by computers and other technology and that many of the traditional sources of employment for women are drying up quantitatively and qualitatively. Second, I'm saying that in looking for non-traditional careers, follow the lead taken by women in the last decade or so, spreading out into the professional and management areas, into chemistry and economics as well as computer science, into library work, writing, television production and into the technical end of these work areas as well, then integrate relevant courses in computers and high tech. into these study areas. And third, I'm saying, be true to your vision and your perspectives and explore the heritage which has shaped them; then work from that vision to help transform the modern sciences of high technology lest they do more harm than good to us as individuals and to society as a whole.

Sources & Suggested Readings:

Rita Arditti, Pat Brennan & Steve Cavrak, 1980, **Science and Liberation**, Black Rose Books, Montreal.

Evelyn Fox Keller, 1983, **A Feeling for the Organism: The Life and Work of Barbara McClintock**, W.H. Freeman & Co., New York.

Anthony Hyman, 1982, **Charles Babbage: Pioneer of the Computer**, Princeton U. Press, Princeton (New Jersey).

Carol Merchant, 1980, **The Death of Nature: Women, Ecology & the Scientific Revolution**, Harper & Row, San Francisco.

Joan Rothschild Ed., 1983, **Machina Ex Dea: Feminist Perspectives on Technology**, Pergamon Press, New York.

Judy Smith, 1980, **Something Old, Something New, Something Borrowed, Something Due: Women and Appropriate Technology**, Women and Technology Project, (315 S. 4th. E., Missoula, MT. 59801, U.S.A.)

Sommaire

Cendrillon rencontre Mr. Byte

Nous ne sommes plus au temps où Cendrillon, après avoir épousé son Prince charmant, vaquait tranquillement aux soins et aux affaires domestiques. Les anciennes façons de vivre, souvent très raffinées dans leur genre et efficaces dans leur ordre, représentaient alors la voie d'accès la plus commune à quelque chose qui pouvait en quelque manière présager la science et la technologie de notre société industrielle. C'est pourtant dans ce monde industriel nouveau que la Cendrillon moderne rencontre Mr. Byte. Dans un premier temps, Mr. Byte croyait innocemment pouvoir laisser Cendrillon à la maison pour aller seul au dehors gagner sous forme de salaire, ou de revenu, le nécessaire au soutien de la famille. Mais arriva un jour où Mr. Byte le nourricier ne parvint plus à payer seul l'hypothèque, la voiture et l'épicerie. Cendrillon dut sortir à son tour de la maison. Mais pour aller où et faire quoi? Pas nécessairement ni en tous points ce que font les hommes, ni non plus quelque chose qui ressemblait à ce qu'elle faisait auparavant. L'auteure suggère avec force une voie moyenne pour les filles d'aujourd'hui et les femmes de demain: un programme de formation et un choix de carrière qui essentiellement les mettraient en mesure de participer aux tâches distinctives de la science et de la technologie sans risquer en même temps de les faire sombrer dans une complaisance aveugle à l'endroit des valeurs que la science et la technologie de style mâle entraînent avec elles, et sans courir aussi le danger de perdre dans ce nouveau milieu de travail les qualités irremplaçables qui font leur richesse comme femmes, en particulier, leur sens intuitif de l'humain et leur fécondité.

Les coûts du féminisme

par Denise Bombardier

Il est toujours bon et rassurant de se retrouver entre nous. Il existe dans la plupart des rassemblements de ce genre, une connivence joyeuse. Il s'y dégage aussi une force qui est l'addition de nos volontés et de nos énergies. Au-delà de nos divergences circonstancielles une réalité s'impose, totale. Nous voulons nous parler, nous voulons nous comprendre et nous souhaitons apprendre.

Si c'est le temps d'y voir cependant il faut accepter de tout voir. Mon métier de journaliste ne repose pas sur le militantisme mais plutôt sur la distance critique. Voilà pourquoi mon discours pourra sembler, à certaines, un contre-discours mais il m'apparaît fondamental, si on veut donner de l'élan, de la puissance à notre action qui n'est rien d'autre que la bataille de l'égalité, de se pencher sur les handicaps, sur les désavantages à moyen terme inhérents à cette bataille, c'est ce que j'appelle les coûts du féminisme.

Mon objectif n'est pas la démobilisation, au contraire, je crois sincèrement qu'il y a plus d'efficacité dans la démarche lucide que dans l'aveuglement ou la négation de certaines réalités, dussent-elles en décourager quelques-unes.

La naïveté, qui ne recouvre que l'ignorance, nous est plus nuisible que tout. Nous devons savoir ce que signifie concrètement dans la vie quotidienne, dans notre milieu de travail, dans nos relations sociales, dans nos relations personnelles avec les hommes, être féministe!

A une féministe radicale vivant une vie militante entourée de femmes, à l'abri du regard et du jugement de ceux et celles qui ne pensent pas comme elle et qui m'accusait un jour d'être une femme-alibi, d'ailleurs c'est un argument que j'avais entendu assez souvent, j'ai répondu (je réponds toujours) que le véritable engagement pour moi, c'est d'être confrontée chaque jour aux hommes qui m'entourent. Lorsque nous vivons avec eux et que nous les obligeons à se redéfinir, ne serait-ce que parce que nous leur envoyons une image non-stéréotypée de la femme, nous faisons notre part, notre grande part pour la cause des femmes. Mais nous en payons le prix et quel prix parfois! Je me souviens un jour, un Ministre qui m'avait dit, il avait peut-être bu un verre d'eau de trop, ça lui permettait de dire au fond ce qu'il pensait: "Vous savez Denise Bombardier, vous êtes beaucoup trop intelligente pour être séduisante." Moi, je ne lui ai pas dit: "Vous, vous ne l'êtes pas assez pour l'être."

Les jeunes filles doivent savoir tout cela; elles doivent savoir que rompre avec la loi de la mère, la loi de l'amante, la loi de l'épouse comporte des risques car il n'est pas facile de changer le cours de l'histoire, il n'est pas facile d'être des pionnières, d'être les définisseuses de nouveaux modèles. La majorité des femmes souhaitent toujours avoir des relations avec les hommes. Elles souhaitent vivre avec les hommes; ce qui change depuis quelques années, c'est que les femmes ne veulent plus vivre avec les hommes dans n'importe quelles des conditions. C'est ainsi que les nouvelles exigences de ces dernières compliquent, si l'on peut dire, les rapports avec les hommes.

Il est fini, croyons-nous, le seul temps ou l'affirmation du féminisme soulevait, dans un groupe d'hommes, des réactions amusées voire sarcastiques. Il est de bon ton pour un homme et d'abord les hommes publics d'affirmer son ouverture d'esprit et de proclamer son attachement à la cause des femmes. De la même façon qu'on donne pour preuve de son anti-racisme qu'on a des amis Noirs et de son anti-sémitisme qu'on a des amis Juifs, on assure qu'on a des amies féministes ou qu'on l'est soi-même.

Le vocabulaire s'est donc épuré. Les machos ont abandonné les mots trop démasquants. Ils ne diront plus en public, par exemple, devant témoin, que telle directrice de service exerce autorité parce qu'elle est par ailleurs une frustrée sexuelle entendant par là que son épanouissement sexuel est inversement proportionnel à son ambition.

Ils ne le diront pas, soyons honnêtes, certains ne le penseront plus mais la majorité le pense encore et parce qu'elle le pense nous le sentons, nous le percevons et il est moins facile qu'il ne semble de feindre, de faire comme si cela n'existait pas. Le prix à payer pour exister professionnellement c'est d'accepter de ne plus être objet sexuel, soit, mais également objet de désir. Qu'on m'entende bien, j'abhorre comme nous toutes la notion d'objet sexuel qui est dégradante et qui mène à l'exploitation de la femme mais je dis que la frontière peut être plus mince qu'on ne le croit entre ce que l'on désigne sous l'étiquette d'objet sexuel et cette autre réalité qui est l'objet de désir et éventuellement l'objet d'amour. Donc être féministe c'est accepter le risque d'être moins un objet de désir.

Bien sûr, nous savons que pour ceux que nous appelons, entre nous, les vrais hommes, c'est-à-dire les hommes quelque peu libérés de leur éducation sentimentale stéréotypée, nous serons, nous sommes toujours des femmes. Mais ceux-là ne sont pas légion. C'est donc à un abandon temporaire que nous faisons face. Se faire faire la cour, fut-ce par des hommes moins intéressants que nous, loin de constituer une offense à notre endroit comme certaines ont tenté de le faire croire, constitue un hommage à notre différence non seulement physique mais morale et émotionnelle.

Marquer la différence avec l'autre c'est affirmer aussi l'identité de l'autre et la femme n'existe pas que par la négative à travers le regard de l'homme, elle a aussi besoin de son regard pour se sentir femme. De la même façon que l'assurance de la vérité de l'homme passe aussi par le regard que la femme pose sur lui. Nombreuses sont les jeunes filles qui vivent difficilement cette réalité. J'en veux pour preuve l'enquête journalistique qu'a menée une de mes consoeurs du journal **Le Devoir**, enquête qui a été faite auprès des étudiantes du niveau secondaire et collégial de Montréal. Que disent-elles ces jeunes filles? Eh bien, qu'elles récusent l'étiquette féministe parce que cela fait fuir les soupirants potentiels. Les garçons ont peur de nous si on s'affiche comme féministes, affirment-elles. On se retrouve toutes seules entre filles, c'est pas drôle. Voilà ce qu'elles disent.

Et il faut les écouter. D'ailleurs ce phénomène n'est pas particulier au Québec. Une enquête de ce type effectuée dans quelques universités américaines de prestige en arrivait aux mêmes conclusions. Les jeunes filles mettent sous le boisseau leurs convictions féministes de peur de se retrouver seules, en tout cas sans garçons. Cette solitude, parlons-en aux femmes de trente ans célibataires et professionnelles. Elles savent que c'est le prix à payer pour vivre autonomes et indépendantes. Pour utiliser une formule que vous trouverez sans doute brutale: les hommes de pouvoir attirent les femmes et les femmes de pouvoir font fuir les hommes. Qui peut le contester?

Et cette solitude de la femme, elle ne se limite pas à sa vie personnelle. Dans son milieu de travail aussi la femme de carrière est isolée. Ses combats journaliers pour s'affirmer se déroulent toujours sous le mode de l'ambiguïté. Est-ce parce qu'elle est une femme que surviennent les tensions ou est-ce simplement qu'elle se place sur le terrain traditionnellement masculin de l'affrontement ou de la lutte pour le pouvoir et de ce fait même est soumise aux mêmes pressions que ses collègues?

Difficile de savoir. Il est clair cependant qu'elle trouve moins de support que ses confrères mâles car plus elle monte dans la hiérarchie plus elle est isolée. Elle n'est pas "member of the boys club", elle est une "outsider". Avec tout ce que cela signifie et elle sait que le groupe lui fera sentir au moindre faux pas que sa présence en son sein repose davantage sur son statut de femme que sur sa compétence. Et si tel n'est pas le cas, elle pourra elle-même penser cela. La femme au travail, dans les secteurs réservés aux hommes, est une personne en résidence surveillée; elle doit avoir la force de vivre ainsi. C'est pourquoi encore peu de femmes et de jeunes filles veulent se lancer dans cette aventure et comment les en blâmer!

Pour réussir dans une carrière, il faut souvent avoir un mentor, un protecteur en quelque sorte, dans la place. Le réseau mâle fonctionne à merveille de cette façon depuis des siècles. Par exemple, ici au Canada, on a mis beaucoup d'emphase sur les liens d'amitié de Biran Mulroney, le Premier Ministre; on a dit que cette amitié, ce réseau d'amitié a été un des facteurs explicatifs de sa victoire. Ses amis l'ont soutenu fidèlement au cours des décennies et une fois au pouvoir il a fait appel à eux. Il s'est entouré de ces derniers parce que cela représente une sécurité pour lui. Les femmes ne bénéficient pas de réseau semblable.

Une jeune fille de dix-huit ans qui dirait comme Brian au même âge: "Je veux devenir Premier Ministre un jour." ne pourrait créer autour d'elle aucun groupe de supporters prêts à l'appuyer. On peut croire plutôt qu'elle créerait le vide, un vide de garçons mais aussi un vide de filles.

Pour se concrétiser, l'ambition d'une fille, d'une femme doit être soutenue par un mentor capable de l'aider parce que détenteur d'un pouvoir effectif. Or, peu de femmes peuvent jouer ce rôle puisqu'elles sont absentes des postes de décision.

Quand on dit d'un homme qu'il est ambitieux, mon Dieu, c'est quelqu'un de bien; quand on dit d'une femme qu'elle est ambitieuse, cela laisse supposer les pires choses... j'en sais quelque chose.

On devrait s'accaparer l'ambition. Les femmes ambitieuses donc doivent trouver grâce auprès d'hommes susceptibles de les protéger avec tout ce que le terme peut contenir d'ambiguïté, donc de pièges. Beaucoup de femmes sentent confusément que le seul véritable pouvoir qu'elles exercent sans apprentissage, le seul pouvoir qu'elles connaissent d'instinct, pourrait-on dire, c'est le pouvoir de séduction. Et ce pouvoir au bout du compte, il peut toujours se retourner contre elles. Les hommes me direz-vous sont également obligés de séduire pour réussir, pour franchir les échelons d'une profession; c'est vrai. Mais il faut quand même reconnaître que la séduction que l'on exerce sur une personne de son propre sexe diffère profondément de celle exercée sur le sexe opposé. Il y a donc là un danger pour les femmes et plus elles sont jeunes et inexpérimentées plus le danger est grand.

Le prix à payer pour réaliser son ambition de femme est donc que le charme soit un critère tout aussi important que la compétence et que ce charme n'existe que par la définition qu'en font les hommes en situations hiérarchiques de reconnaître et de récompenser la compétence.

Les femmes qui échappent à cette loi du milieu sont celles qui oeuvrent dans des secteurs codifiés, soumises à la règle de la discrimination positive des quotas comme dans la fonction publique par exemple. Et ce n'est pas la majorité des femmes sur le marché du travail. Et si tel est le cas, s'il existe cette loi de discrimination positive, un autre piège se présente plus pernicieux peut-être celui-là, c'est de choisir une femme parce qu'elle est une femme et je ne suis pas loin de penser que le choix de certaines femmes incompétentes ou moins compétentes n'est pas le fruit de l'erreur; c'est une façon de faire la preuve par la négative, ce que l'on appelle en anglais le "token women", la femme de service à vrai dire.

Cette réalité existe comme a existé, à une époque encore récente de notre histoire, le Canadien français de service. Qui d'entre nous n'a pas été blessée, ne s'est pas sentie triste d'entendre les femmes en situations officielles de pouvoir, affirmer qu'elles n'étaient pas féministes, qu'elles récusaient l'épithète et ce qu'elle recouvrait. Il faut nommer des femmes dans des fonctions importantes mais il ne faut pas nommer n'importe quelle femme. Il vaut mieux à la limite que ce soit un homme qu'une femme incompétente. Ainsi la lutte pour l'égalité n'est pas dénaturée.

Un autre danger nous guette, terrible celui-là parce qu'il est dévastateur à long terme. C'est de remplacer le machisme des hommes par le machisme des femmes. Et sans doute, ces adolescentes qui se défendent du féminisme sentent-elles confusément que l'absence de modèle pourrait les entraîner dans cette voie, une voie qui tourne le dos aux hommes, ou qui situe les relations hommes-femmes dans un cadre de fausse égalité nuisible aux femmes. Un jour, j'avais des confrères européens de passage, et ce sont des gens informés.

La plupart des gens qui descendent à Montréal veulent voir ces fameux clubs de gogo boys. Et vous savez que pour entrer là il faut être accompagné d'une femme et comme ces confrères étaient de bons journalistes, sérieux apparemment, ils ne pouvaient pas entrer seuls... je me suis laissée entraîner. Il y avait là des jeunes filles de 20 ans, 25 ans assises seules à des tables regardant les garçons donner un strip-tease (ils se déshabillent complètement). Certaines d'entre elles appelaient à leur table des garçons parce que, quand on appelle à la table, il faut débourser un 5.00$ qu'on met dans le slip du garçon qui finit par enlever son slip et approcher son sexe, à peu près à 10 cm de la figure de la jeune fille.

J'ai vu le regard des filles qui était le même que le regard des hommes dans ce genre de situation et je ne pouvais pas croire qu'à l'intérieur même d'une génération, on en soit arrivé si rapidement à copier tout ce que l'on dénonce par ailleurs... c'est ce que j'appelle le machisme des femmes.

Et j'en veux également, comme exemple, de ces femmes patrons qui traitent leur personnel subalterne féminin avec une insolence voire une brutalité copiée sur le comportement des patrons mâles. Ces mêmes femmes pourront avoir avec des subalternes mâles, souvent plus jeunes, une attitude de ce que je pourrais appeler le paternalisme sexué s'il n'y a pas de contradiction dans les termes.

Je suis allée l'autre jour rencontrer une femme dans une fonction officielle qui avait comme assistant un jeune homme d'à peu près 25 ans, alors qu'elle devait en avoir 45. Je suis entrée, je lui ai donné la main (il fallait passer par le bureau de ce jeune homme pour entrer dans son bureau) et quand elle est passée près de lui, elle s'est avancée vers lui et elle lui a fait une caresse sur les cheveux voulant me signifier par là je ne sais trop quoi... je me suis dit tout de même!

Bien sûr, les cas de harassements sexuels existent presque totalement dans l'autre sens, mais en les combattant, on ne peut pas se fermer les yeux sur le comportement de femmes minoritaires, j'en conviens, mais dont la mentalité se calque sur ceux que nous dénonçons. D'autant plus que, règle générale, ces femmes machistes utilisent d'une façon systématique l'argument féministe; la cause féministe leur a permis d'accéder à des fonctions jusque-là réservées aux hommes et c'est au nom du féminisme trop souvent qu'elles disent agir ainsi. C'est ce que j'appelle de la perversion.

Un autre prix à payer lorsqu'on est féministe c'est de constater que la cause est utilisée par des femmes que l'on pourrait qualifier de parasites. Ces femmes de la bourgeoisie dans la force de l'âge, entretenues toute leur vie par des maris dont parfois le coeur a flanché, qui dénonçaient les féministes il y a à peine 10 ans, les qualifiant souvent de lesbiennes dans les pires cas et de femmes agressives non-féministes et qui aujourd'hui utilisent l'argument féministe parfois pour matraquer financièrement les maris, en tout cas essayer, qui les délaissent ou pour rejeter leurs enfants, voire leurs petits-enfants comme autant d'entraves à leur nouvelle liberté, qui ne repose sur rien d'autre qu'une dépendance déguisée.

Bien sûr, elles ont élevé leurs enfants, nous élevons toutes nos enfants. Bien sûr, elles ont joué les servantes sophistiquées, certes, mais servantes tout de même, mais elles prenaient le thé l'après-midi alors que nous étions à transpirer sur des copies d'examens à la conquête de diplômes, alors que nous nous bagarrions dans nos milieux de travail pour nous faire accepter malgré le défaut majeur que nous avions d'être femmes et alors que nous sortions épuisées d'avoir gagné notre vie sou par sou, ces femmes se sont accommodées de leurs situations, en ont profité, - les statistiques sur la santé le prouvent, moins de maladies cardio-vasculaires, etc. - elles nous ont méprisées, nous la génération des agressives. Des féministes de ce genre, ce ne sont pas des modèles pour les jeunes filles, ce n'est pas en exploitant ceux qui nous ont exploitées qu'on crée l'égalité.

Loin de moi l'idée que les femmes n'ont pas été victimes des hommes, eux-mêmes souvent victimes de leur éducation. Loin de moi l'idée que les exploiteuses de la vie du couple ce sont les femmes, nous n'avons qu'à regarder la situation des femmes abandonnées et des femmes bafouées et des femmes maltraitées, mais il faut admettre que, dans un certain milieu, il existe une catégorie de femmes qui nous exploitent et qui bénéficient des retombées de notre combat sans en assumer une once de responsabilité.

Un autre prix à payer lorsqu'on est féministe, et qui est relié à la solitude possible des femmes, c'est de vouloir un enfant sans pouvoir en avoir. Je m'explique. De plus en plus de jeunes filles considèrent que la maternité doit suivre et non précéder la carrière car elles sentent bien l'impossibilité de réussir les deux en même temps. J'interviewais vendredi dernier, pour la revue Châtelaine, Pauline Marois qui me racontait sa campagne électorale. Elle est entrée en campagne électorale à la direction du parti le 21 juin et elle a accouché de son enfant le 6 juillet. Elle est repartie trois jours plus tard et a retrouvé l'enfant en septembre. Elle ne peut pas être un modèle pour les femmes. On ne peut pas dire aux femmes: elle peut le faire parce que c'est elle, mais en aucun cas elle ne peut servir de modèle et elle en a conscience d'ailleurs.

Or, réussir demande du temps et on arrive vite à la trentaine. À cet âge, nous avons l'expérience qu'on commence à harnacher la vie, à la contenir à l'intérieur de nos désirs et de nos rêves. C'est le moment où l'enfant peut paraître. Beaucoup de jeunes femmes cependant sont seules, pour des raisons invoquées au début de cette conférence. Pour elles, il n'est pas question de se faire faire un enfant sans la présence du père à leurs côtés parce que, ça non plus, ça ne peut pas être un exemple pour les femmes, pour toutes les femmes. Il y a des femmes qui peuvent faire ça, qui décident de faire ça, c'est leur droit, mais ça ne peut pas être un exemple. On ne peut pas dire voilà le modèle de demain.

Alors, elles voient s'additionner les années précieuses où psychologiquement et physiquement elles se sentent si prêtes à vivre l'expérience maternelle. Les toutes jeunes filles dont le rêve légitime est aussi d'être mères craignent de se retrouver dans cette situation et leurs témoignages montrent bien qu'elles sont prêtes à sacrifier leur ambition d'indépendance qui passe obligatoirement par le travail pour faire comme leurs mères ont fait avant elles, pour faire ce que l'histoire de leur sexe les a déterminées à accomplir. La maternité se vit à l'intérieur d'une période de temps précis; mettre au monde des enfants au-dessus de 40 ans comporte des inconvénients importants, nous en convenons tous. Les jeunes le sentent bien et un grand nombre ne veut pas compromettre cette possibilité.

En ce sens rien n'a changé. Je sais qu'hier il a été question du refus des jeunes filles d'assumer leur féminisme, et j'en parle moi aussi aujourd'hui. Mais les premières féministes étaient des femmes qui étaient arrivées dans la quarantaine, dans la cinquantaine, des femmes qui avaient eu des hommes dans leur vie, qui avaient eu des époux, qui avaient eu des amants, des femmes qui avaient eu des enfants et qui sont arrivées dans un cul-de-sac; mais ces femmes-là avaient tout connu.

SUMMARY

Costs of feminism

Seeing reality as it is and facing it courageously seems preferable to a reassuring but false idealization. Young women must be conscious of the difficulties of moving toward an autonomous, creative, independant life. Treading new paths often means hardships, minunderstandings, misinterpretations, solitude, fatigue and sacrifice. The normal aspirations of women are often seen in a negative way. A man seeking success and power is an attractive figure, while such a woman is frowned upon. One sometimes tires of trying to reconcile so many apparently contradictory needs and aspirations. Since no woman is a superwoman, the cost of feminism seem indeed very real and quite high.

From Dreamers to Doers

by Elizabeth Crocker

"Chesire Puss...would you tell me, please, which way I ought to walk from here?"
"That depends a good deal on where you want to get to," said the Cat.
"I don't much care where," said Alice.
"Then it doesn't matter which way you walk," said the Cat.
"- so long as I get somewhere," Alice added.
"Oh you're sure to do that," said the Cat, "if you only walk long enough."
Alice in Wonderland, Lewis Carroll

"Do you know where you're going to? Do you like the things that life is showing you? Where are you going to, do you know?"
Do You Know Where You're Going To?, Gerry Goffin

"Experience is an arch wherethrough gleams the untravelled world...To strive, to seek, to find, and not to yield."
Ullysses, Alfred Lord Tennyson

The theme of this conference is "Time for Action" and, as such, has been well chosen. As we look at the girls of today, the women of tomorrow, and project what the next fifteen years will bring, we have cause for concern if current statistical trends continue. The current indicators are as follows: (1) One in three (or more) marriages will end in divorce; (2) more than one in five women will live in poverty; (3) almost half of the women who live alone will subsist on an income below the poverty line; (4) half of the women will be unfit and overweight (women between the ages of thirteen and twenty-nine are the least fit of all Canadians and yet this is the bulk of our child-bearing population); (5) many women will be unemployed and those who are employed will not make as much as men for work of equal value. Add to this already gloomy picture other present-day concerns about the future of the world because of the nuclear threat and the various increasing incidences of certain diseases (cancer, environmental allergies, AIDS), and it would not be difficult to imagine that youth would feel depressed about their future. The purpose of this paper is to show what current influences are contributing to apathy and acceptance of the statu quo rather than to creative energy for self-reliance and change, and to also show that today's youth tend to be unrealistic dreamers and how they can become realistic doers.

In spite of the acknowledged importance of the early years in shaping people's development, there's no question that youth are extremely impressionable and are ripe for major influences that may or may not enhance values see in early experience. Because of this, schools could and should be doing a great deal more to positively impact on youth... teachers should be more aware of their significance as role models and should be given additional training to help them see their potential...

guidance counsellors could and should do a great deal more thanmerelydispensefactualinformationaboutwhatopportunitiesalreadyexists they should be helping youth to identify their goals and dreams, to brainstorm, to create opportunities where opportunities don't necessarily exist - a current radio show guest, for example, gave this advice to youth - "Don't get a job. Start a company! School courses could and should be much more stimulating in the areas of creativity and problem-solving; tool consideration should be given to integrating knowledge and skills for real life situations into curriculum content.

The significance of the impact of television must also be addressed. The amount and content of television watched by youth does nothing to suggest to girls that all things truly are possible... instead, the majority of programs are male-dominated, violent, unrealistic (Dallas and Dynasty particularly fall into this description), and generally based on stereotypes. Too, it must be remembered, that even if someone is watching something worthwhile on television, the mere watching of it means that one is not doing something that might be more active.

Unfortunately, even if someone prefers to read rather than watch television, the picture is not necessarily rosy. Many books read by youth are churned-out romances and/or, again, male-dominated. Exceptions can be found but often youth need to be guided to the alternatives.

It comes as no great surprise, of course, that parents are also powerful role models for youth. How parents handle their relationships and how they pursue their goals makes a difference to children and youth. A recent study has shown that daughters of mothers who had insisted that their own needs and wishes were important too rather than always putting their children first to the exclusion of their own needs grew up to be achieving, independent women who were less intimidated by stressful events that those from the entirely child-centered homes. People who have been doing research into the phenomenon of 'superkids' (those who do well in life in spite of awful circumstances) are also finding that some of the strongest adults are those whose childhoods were not particularly easy. (I will refer to a quote from a book, **Between Ourselves**). Girls with working mothers tend to have higher expectations of themselves.

As an employer over the years, I have been struck by the numbers of youth applying for very limited jobs who seem to display a sense of apathy. Those who are keen, eager, willing to learn and who convey a sense of self-confidence and enthusiasm about life are the ones that stand out a mile. Because of the very clear difference between the two groups, I have become interested in how can help shift the balance.

Dreaming is not enough, although it's a great place to begin. Peoples including youth, who have the toughest time mobilizing themselves are those like Alice, who really don't know what they want to do. We know from the study **What Will Tomorrow Bring**? that youth still think in terms of happy endings... that they will have a husband, a family, a large home, exotic travel and a job whenever they want it. This is not the kind of dreaming that is helpful because it is without personal focus, without an action plan... and so it is only a fantasy.

The kind of dreaming that is helpful and that we don't see enough of it the kind that says...I'd really like to... and I could do that because... or to do that I would need to... Having dreams and goals is powerful in terms of self-esteem. Lots of studies have shown that if someone's self-esteem is healthy, they can move mountains. Lots of things can impact on self-esteems various examples of 'the power of positive thinking' will be given buidling of the following quotes: "Only she who attempts the absurd can achieve the impossible.", "You're never going to change anything sitting down.", "Never measure the height of a mountain until you reach the top... then you'll discover how low it was."; and "Nobody grows old by merely living a number of years. People grow old by deserting their ideals. Years will wrinkle the skin, but to give up enthusiasm wrinkles the soul."

In conclusion, the point must be made that the future doesn't have to be the way it's supposed to be. Action or apathy are never imposed... they are chosen... and we all can choose to take action for ourselves. In the words of John D. Rockefeller "I believe that every right implies a responsibility, every opportunity, an obligation, every possession, a duty"... and I would add, 'every dream implies a pursuit.'

Sommaire

Du rêve à la réalité

Elizabeth Crocker s'inquiète de l'apathie de nombreux jeunes. Elle aimerait voir se transformer les rêveries et l'acceptation du statu quo en énergie créatrice orientée vers le changement et l'auto-suffisance. Elle note l'importance d'encourager les jeunes filles à être actives dans l'organisation de leur vie. À cet égard, les mères qui ont su exprimer et faire respecter leurs besoins personnels sans se centrer uniquement sur la famille semblent avoir permis à leurs filles de devenir des femmes plus autonomes, davantage orientées vers le succès et plus capables de faire face au stress. Elle rappelle enfin l'importance pour l'estime de soi d'entretenir des rêves, mais aussi et tout autant celle de travailler à leur réalisation effective.

Vers un nouveau paradigme: compte rendu d'une recherche-action

par Catalina Ferrer et Simone LeBlanc-Rainville

Notre présentation vise à décrire, dans les grandes lignes, une expérience de recherche-action portant sur la création et l'utilisation d'un guide pédagogique susceptible de favoriser un nouveau type de rapport entre les sexes. Dans un premier temps, nous retracerons l'historique du projet puis nous exposerons nos postulats de base. Nous aborderons ensuite l'orientation donnée au guide ainsi que le type de pédagogie préconisée. Le contenu du guide comme tel fera l'objet d'un court résumé. Finalement, nous jetterons un regard sur les limites de notre expérience.

Ce qui nous a guidées dans le choix des éléments qui composent le contenu de notre exposé, c'est principalement le souci d'être conformes à l'esprit qui sous-tend notre guide. En d'autres mots, nous cherchons moins à vous transmettre des connaissances qu'à échanger avec vous sur l'expérience que nous avons vécue et à vous donner, peut-être, le goût de tenter une expérience analogue.

Historique du projet

Le projet s'est déroulé en Acadie, plus précisément au Nouveau-Brunswick, province de l'Est du Canada, voisine du Québec. Le Nouveau-Brunswick est la seule province canadienne officiellement bilingue. Elle compte près de quarante pour cent de francophones. Le système d'éducation comporte deux réseaux d'écoles, l'un de langue anglaise et l'autre de langue française. Le syndicat des enseignant(e)s est une fédération de deux associations: l'une francophone et l'autre anglophone. Il ne fait pas de doute que c'est dans le domaine de l'éducation que l'élément acadien du Nouveau-Brunswick possède le plus d'autonomie politique.

C'est le Comité de la femme enseignante de l'AEFNB (l'Association des enseignantes et enseignants francophones), sous la direction de Nicole Dupéré, qui a eu l'idée de faire préparer un guide pédagogique destiné à promouvoir l'égalité des sexes par le biais des différentes disciplines scolaires. Les membres de ce comité connaissaient l'existence d'un guide québécois sur le sujet, mais l'ouvrage leur paraissait très peu adapté à la réalité acadienne. Il leur semblait évident qu'un document préparé par des pédagogues vivant dans le milieu serait plus axé sur les problèmes locaux et aurait ainsi plus de chance d'être utilisé par les enseignant(e)s qui, de plus en plus, rejettent ce qui est perçu comme du colonialisme, que son origine soit les États-Unis, le Canada anglais, la France ou le Québec.

On s'adressa à la Faculté des sciences de l'éducation de l'Université de Moncton pour trouver des personnes désireuses d'entreprendre le projet. Or, depuis quelque temps déjà, le Doyen de la Faculté recherchait l'occasion de resserrer ses liens avec l'Association des enseignantes et enseignants francophones. Il vit donc d'un très bon oeil ce projet de collaboration et, sachant que nous nous intéressions toutes deux à la question du sexisme, il proposa de nous confier la responsabilité de réaliser le guide pédagogique. L'Université nous accorda une décharge partielle de cours pour mener la tâche à bien.

Déroulement

Tout comme les membres du Comité de la femme enseignante, nous étions l'une et l'autre convaincues que la préparation d'un tel guide offrait la possibilité d'un travail d'équipe avec les enseignant(e)s en exercice. Si nous ne pouvions demander aux enseignant(e)s de faire la recherche comme telle, nous pouvions les consulter dans la prise de décisions quant au contenu du guide. Procéder ainsi, c'était non seulement tirer profit de leur expérience en salle de classe, mais c'était également les sensibiliser aux questions traitées. Voilà pourquoi, après avoir fait la recension des écrits, nous avons organisé, dans quinze localités de la province, des ateliers au cours desquels des activités-types étaient présentées. Ces ateliers se tenaient presque toujours après la classe. Ils attiraient surtout des enseignantes. Dans quelques cas, il a été possible d'offrir des ateliers d'une demi-journée dans le cadre de journées pédagogiques. Les enseignants se sont alors montrés plus nombreux. Il reste que dans l'ensemble, ce sont surtout des femmes qui ont participé à l'expérience.

Les ateliers avaient un double objectif: recueillir les réactions des enseignant(e)s aux activités proposées et sensibiliser les participant(e)s à la nécessité d'incorporer éventuellement ce genre d'activités à leur enseignement. En équipe, les participant(e)s répondaient à un questionnaire visant à déterminer s'il fallait ou non modifier les activités avant de les inclure dans le guide.

L'analyse des résultats de cette tournée à travers la province révéla que de nombreux aspects de la question du sexisme étaient fort mal connus et que la plupart des enseignant(e)s, tout en reconnaissant l'importance de traiter le sujet en classe, étaient réfractaires à une orientation trop exclusivement axée sur les problèmes des femmes. Par exemple, une activité portant sur le problème de la femme battue a suscité le commentaire suivant: "il faudrait préparer une autre activité qui traiterait également des hommes battus". Le type de pédagogie préconisé souleva aussi une certaine résistance. Par exemple, si les élèves étaient invité(e)s à donner suite à l'étude d'un thème en organisant une manifestation, l'activité était jugée "trop radicale" par un certain nombre d'enseignant(e)s.

En retravaillant les activités, nous avons essayé de tenir compte des commentaires reçus. Nous ne pouvions cependant pas déclarer forfait ou trahir nos propres principes. Il nous a semblé que la meilleure façon de procéder était d'abord de fournir aux enseignant(e)s de la documentation sur les divers thèmes abordés afin d'éclairer leur position. Nous avons donc réuni, en annexe des activités proposées, des textes courts et, dans la mesure du possible, rédigés par des gens du milieu. De plus, nous

nous sommes efforcées de faire apparaître, de façon plus explicite, les liens entre les injustices subies par les femmes et celles que subissent tous les dominés de la terre. En montrant le rapport qui existe entre le sexisme et les autres formes de discrimination, le guide pouvait, selon nous, trouver des résonances chez les deux sexes d'un peuple qui a connu et connaît toujours plus que sa part d'exploitation. En procédant ainsi, nous restions fidèles à notre conception du sexisme tout en respectant le plus possible la position de ceux et de celles qui ne se sentent pas disposé(e)s à militer dans les rangs du féminisme. Mais, si nous n'avons pas fait de concessions sur le plan idéologique, nous avons cru bon d'en faire sur le plan pratique. Nous avons laissé de côté certains thèmes que nous trouvions importants mais qui risquaient de provoquer un boycottage du guide. Le lesbianisme, par exemple.

En fait, le véritable thème qui court en filigrane à travers tout le guide c'est beaucoup plus qu'une invitation à lutter contre le sexisme, c'est une invitation à changer de paradigme. Nous verrons plus loin en quoi consiste ce paradigme.

Les enseignant(e)s ont eu une deuxième occasion de nous donner leurs commentaires car le manuscrit a été soumis à un échantillon d'enseignant(e)s à travers la province.

Il s'écoula plus de deux ans entre le début du projet et le moment où le guide sortit des presses, en mars 1985. Ce long délai s'explique en grande partie par l'importance que nous avons accordée à la consultation et à la sensibilisation des enseignant(e)s. C'est d'ailleurs dans le but de faire connaître l'ouvrage au plus grand nombre possible d'enseignant(e)s que l'AEFNB en a fait le lancement officiel durant son congrès annuel en mai 1985. A cette occasion, le représentant du ministère de l'Éducation a donné publiquement son appui à l'orientation et au contenu du document.

Au total, le projet a coûté jusqu'ici environ quarante mille dollars. Les fonds ont été fournis en grande partie par le Secrétariat d'État. L'AEFNB a fait sa part en permettant à la directrice de l'information, Nicole Dupéré, de consacrer une partie de son temps de travail à la coordination du projet. De plus, l'AEFNB a déboursé la somme de douze mille dollars pour couvrir une partie des frais de publication. Quant à l'Université de Moncton, sa contribution s'est faite surtout par le biais de la décharge de cours qu'elle nous a accordée. La Faculté des sciences de l'éducation a assumé des frais divers totalisant plus de deux mille cinq cents dollars.

Nous en sommes présentement au stade de l'implantation et de l'évaluation. En collaboration avec un spécialiste en évaluation, nous préparons une expérimentation du guide qui se fera dans une quinzaine de classes suivant le processus habituel d'évaluation de matériel didactique (prétests, post-tests, jury, etc.). Nous sommes persuadées que cette évaluation nous fournira des précisions dont nous pourrons tenir compte au cours des ateliers que le Comité de la femme enseignante nous invite à donner afin de faire connaître le guide. Nous tenons à ce que l'expérimentation se fasse selon des modalités compatibles avec la pédagogie que nous préconisons dans le guide.

Postulats de base

Tout ce qui touche de près ou de loin à la question du sexisme soulève de nombreuses controverses qu'il n'y a pas lieu d'exposer ici. Par contre, pour éviter les ambiguïtés ou les malentendus, il nous paraît opportun de présenter brièvement notre perception du problème ainsi que les principaux postulats de base auxquels la recension des écrits et la réflexion personnelle nous ont conduites. Ces postulats nous ont servi de balises dans notre dialogue avec les enseignant(e)s.

Les changements qu'a connus la société occidentale au cours des dernières décennies peuvent laisser croire à première vue que la femme est maintenant, à tous égards, l'égale de l'homme. La moindre analyse de la situation fait cependant apparaître que les femmes font face à de nombreux problèmes qui ne vont qu'en s'aggravant: chômage, ghettos d'emploi, manque de services de garderie, double tâche de travail, harcèlement sexuel, viol. On peut allonger la liste presque indéfiniment.

1. Le sexisme est le produit d'une société de domination.

Nous avons emprunté notre définition des termes "stéréotype" et "sexisme" à l'ouvrage de Lise Dunnigan (1975). Celle-ci définit ainsi le mot stéréotype:

"(...) modèle rigide et anonyme sur la base duquel sont reproduits (de façon automatique) des images ou des comportements" (p. 3).

Quant au sexisme, Dunnigan le conçoit comme "une orientation qui défavorise un sexe en faveur de l'autre" (p. 3).

Cette définition suppose que le sexisme ne touche pas que les femmes. A notre point de vue, c'est le potentiel humain de chaque individu(e) que menace le sexisme. Nous avons mis en exergue du guide cette phrase de Kate Millett qui résume notre pensée là-dessus:

Par suite de tous les processus de ségrégation dans l'éducation, dans le travail, dans la société, chaque personnalité se réduit à la moitié - et souvent moins - de son potentiel humain.

En reconnaissant que le sexisme peut être défavorable aux hommes, nous ne voulons pas mettre sur le même pied le tort subi par les hommes et celui dont les femmes sont victimes. Les injustices faites aux femmes répondent, selon nous, à un modèle de société, la société partriarcale, centrée sur des rapports de domination et de compétition. Certaines catégories d'hommes, certaines races, certains peuples font aussi les frais de cette société patriarcale, mais les femmes, elles, en tant que catégorie d'individu(e)s, en sont les victimes universelles. Que quelques femmes-alibis échappent aux effets les plus flagrants du patriarcat, cela ne change rien au problème. Le sexisme n'est pas la véritable cause de la discrimination subie par les femmes, il est le produit d'une société de domination qui engendre toutes sortes de discriminations.

Bien que nous trouvions utile le travail que font les réformistes, nous n'en pensons pas moins que rien ne sera véritablement changé sur cette planète aussi longtemps que le patriarcat continuera d'exercer son emprise.

2. On ne naît pas sexiste, on le devient.

Le sexisme s'apprend, comme tout autre élément socio-culturel. Par le processus de socialisation, l'individu intègre à sa personnalité les images sexistes véhiculées par les différents agents sociaux. Ce processus, qui commence à la naissance, s'étend sur toute la vie de l'individu. Il est, de plus, renforcé par tout le poids de l'histoire. Comme dit Marie Cardinal "il y a si longtemps que le moule est fait, que des milliards et des milliards de femmes s'y sont coulées". On a le goût d'ajouter: et que des milliers et des milliers de "grands hommes" ont cautionné.

3. L'école véhicule le sexisme.

En tant qu'agent de socialisation, l'école transmet la culture patriarcale et donc le sexisme. Elle ne le fait pas toujours de façon explicite, mais on n'a qu'à examiner les manuels scolaires, par exemple, pour s'apercevoir que l'école donne du monde une vision "masculiniste", centrée sur les préoccupations et les valeurs de la société patriarcale. On note dans certains manuels récents un souci de présenter une image moins stéréotypée de la femme et de l'homme, mais ce n'est souvent qu'un changement en surface. Les valeurs de fond restent les mêmes.

Une certaine organisation pratique des matières scolaires contribue à donner aux élèves une conception clairement stéréotypée des rôles. Dans notre province, il reste encore des écoles où les filles vont au cours de sciences familiales pendant que les garçons étudient les arts industriels.

A cela s'ajoutent les pratiques sexistes des enseignant(e)s et des conseillers et conseillères en orientation qui, par inconscience souvent, par ignorance parfois, incitent les élèves à s'inscrire dans le vieux paradigme patriarcal et sexiste. Existe-t-il des élèves qui n'ont pas vu un(e) enseignant(e) se comporter de façon à laisser croire, par exemple, que les garçons sont meilleurs en mathématique et en sciences?

En réalité, l'école ne fait que véhiculer, en les renforçant, les valeurs dominantes.

4. Viser d'abord le changement de la perception du problème plutôt que le changement de comportement.

Comme l'explique Lifton (dans Hansen, Warner, Smith, 1976), le changement dans la perception d'un problème facilite le changement des attitudes et des comportements. Puisque le sexisme nous apparaît comme le produit d'une société de domination, il nous semble important d'amener les élèves à examiner les causes de ce problème. L'analyse de la société patriarcale nous paraît nécessaire afin que le changement de comportements et d'attitudes se fasse de façon critique et réfléchie plutôt que de manière aveugle, comme cela pourrait se produire suite à l'emploi de procédés relevant de la manipulation. Nous partons de l'idée qu'il est nécessaire de changer la perception du problème par le biais d'une démarche critique, c'est-à-dire par la prise de conscience. Si l'on veut que les jeunes se comportent de façon non-sexiste, il faut les aider à acquérir des connaissances qui leur permettront de jeter un nouveau regard sur le monde en général et sur le problème de la domination et du sexisme en particulier. Les attitudes et les comportements non-sexistes découleront, croyons-nous, de cette nouvelle perception du problème.

Selon Lifton (op. cit.), le changement de perception se fait difficilement si l'individu(e) est sur la défensive. Parce que la lutte contre le sexisme peut être perçue comme menaçante par les gens qui n'ont pas encore fait une analyse approfondie de la situation, elle pourrait susciter de la résistance. C'est pourquoi, dans l'analyse que nous proposons, nous avons choisi de mettre l'accent sur les nombreux avantages que procurerait à la fois aux hommes et femmes la création d'une société plus humaine, fondée sur de nouvelles valeurs telles que la collaboration, l'altruisme et la sympathie.

Orientation du guide: le nouveau paradigme

Le guide s'intitule **Vers un nouveau paradigme**. Ce titre trouve son origine dans l'expression qu'utilisent un nombre grandissant de personnes - des scientifiques, des philosophes, des sociologues, des psychologues - pour désigner le nouveau cadre de pensée, la nouvelle structure intellectuelle qui commence à prendre forme dans toutes les sphères de l'activité humaine. On entend par "nouveau paradigme" cette nouvelle perspective où il devient possible à la fois de repenser la réalité et d'espérer l'avènement d'un nouvel ordre du monde, un ordre qui ne serait plus centré sur la domination de la nature, des personnes et des peuples.

Des milliers de personnes, de par le monde, participent déjà à ce nouveau paradigme. On les retrouve dans des organismes ou des réseaux de toutes sortes: les regroupements pour la paix dans le monde, les mouvements féministes, les "partis verts" qui revendiquent un mode de vie et un environnement plus sains, les institutions où l'on pratique une médecine "holiste" centrée non pas sur la maladie mais sur la personne et sur sa capacité de se guérir, les écoles transformationnelles où, dans un esprit d'éducation totale, on vise le développement de tout le potentiel humain, les groupes qui se forment un peu partout pour travailler à des causes telles que l'instauration d'un nouvel ordre économique mondial, la lutte contre la faim ou l'humanisation de la technologie.

Nous croyons que les activités proposées dans le guide s'inscrivent dans ce mouvement vers un nouveau paradigme, qui annonce une nouvelle ère pour l'humanité. Travailler à la construction d'un monde plus humain par le biais de la création de nouveaux rapports entre les personnes et les peuples, telle est l'invitation qui est lancée aux enseignant(e)s et à leurs élèves.

Mais ces rapports ne seront pas nouveaux s'ils ne sont qu'une copie des rapports traditionnels hommes-femmes. Si, par exemple, les femmes se substituent aux hommes en intériorisant toutes les valeurs patriarcales, rien ne sera véritablement changé. Il ne s'agit pas de revendiquer un renversement de la situation actuelle ou d'accroître uniquement le nombre de femmes dans les postes traditionnellement occupés par des hommes. Comme le dit Patricia Mische, au lieu de réclamer une part du gâteau, il faut essayer de faire un tout autre gâteau. De plus en plus, les hommes, aussi bien que les femmes, reconnaissent que le paradigme fondé sur les valeurs traditionnellement véhiculées par les femmes (sympathie, conciliation, altruisme, intuition, paix, etc.) constitue la plus grande force de renouveau pour notre planète, menacée de disparition. De même que les êtres humains gagnent à développer les aspects masculins et féminins de leur personnalité, la société peut tirer profit d'un changement de paradigme. Le mieux-être, voire la survie de l'humanité semble exiger le passage à ce nouveau paradigme.

Si les activités proposées sont faites dans cet esprit de renouveau, elles devraient stimuler les jeunes à vouloir façonner un nouvel avenir. L'avenir, disait Teilhard de Chardin, est entre les mains de ceux qui peuvent proposer aux générations de demain des raisons valables de vivre et d'espérer.

En amenant les jeunes à prendre conscience de ce que l'humanité gagnerait à troquer l'ancien paradigme pour un autre qui favoriserait davantage le plein épanouissement des êtres humains quels que soient leur sexe, leur âge, leur race ou leur culture, les enseignant(e)s peuvent contribuer à l'avènement d'un monde réellement nouveau.

Pédagogie préconisée

A travers les activités proposées dans le guide, nous avons voulu inviter les enseignant(e)s à pratiquer un certain type de pédagogie qui, croyons-nous, s'inscrit dans la ligne du nouveau paradigme décrit plus haut.

Quels sont les buts visés par cette pédagogie? Essentiellement, le développement optimal de chaque être humain. Ce développement optimal suppose que chaque être devienne autonome, responsable de soi et de sa collectivité.

Présentée de façon très succincte et forcément incomplète, la pédagogie que nous privilégions dans le guide possède les caractéristiques suivantes.

C'est d'abord une pédagogie de la libération, qui cherche à développer des êtres capables d'initiative et d'indépendance, capables aussi de réfléchir et de se débarrasser de leurs stéréotypes sociaux et de leurs préjugés de tous ordres. Axée sur la prise de conscience de la réalité, cette pédagogie vise à former des personnes à la fois épanouies sur le plan personnel et capables d'assumer leurs responsabilités envers la société. Elle porte sur l'être humain dans sa relation avec le monde. Par conséquent, elle accorde une place prépondérante aux contenus qui reflètent les problèmes contemporains.

Cherchant à réconcilier la théorie et la pratique, cette pédagogie invite au dialogue plutôt qu'à la réception passive du savoir ou de l'endoctrinement. Mais le dialogue tel qu'il est conçu ici implique à la fois pensée critique, confrontation d'idées et réflexion sur la réalité en constant devenir. Paulo Freire (1983) fait du dialogue "l'essence de l'éducation vue comme pratique de la liberté". Pour lui, la parole, qui constitue l'essence même du dialogue, a deux dimensions: l'action et la réflexion. "Si la parole est privée de sa dimension action", dit-il, "la réflexion se transforme automatiquement en bavardage (...). Si, à l'inverse, l'action est privilégiée au point d'exclure la réflexion, la parole devient activisme (...) et empêche le dialogue" (pp. 71 à 72).

Finalement, cette pédagogie, qui repose sur la coopération et le partage, vise à éliminer les liens de domination.

Dans ce type de pédagogie, l'enseignant(e) est appelé(e) à devenir un agent de changement. La tâche lui incombe de créer les conditions favorables à l'atteinte des objectifs visés. Il importe que le climat de la classe et de l'école favorise la prise de conscience, la saine confrontation, le dépassement de soi, la croissance. Le rapport qui se développe alors entre l'enseignant(e) et l'élève est centré sur le dialogue et non sur la domination. C'est un rapport dialectique où l'enseignant(e) et l'élève apprennent à dépasser leurs préjugés et leur conditionnement.

Comme le dit Freire (1983):

"l'éducateur n'est plus celui qui simplement éduque mais celui qui, en même temps qu'il éduque, est éduqué dans le dialogue avec l'élève. Ce dernier, en même temps qu'il est éduqué, est aussi éducateur. Tous deux ainsi deviennent sujets dans le processus où ils progressent ensemble" (p. 62).

Il n'est donc pas nécessaire que l'enseignant(e) attende d'être complètement imbu(e) des idées du nouveau paradigme avant d'entreprendre une démarche de sensibilisation avec ses élèves. Selon l'expression de Machado, "caminante, no hay camino, se hace camino al andar".

Contenu du guide

Le guide n'est pas un livre de recettes, mais un déclencheur d'idées, un point de départ.

1) **Les objectifs**
À long terme, le guide vise:

- à favoriser l'avènement d'une nouvelle société fondée sur l'égalité des sexes, des personnes et des cultures et sur des valeurs telles que l'altruisme, le partage, la collaboration, le respect et la sympathie;

- à contribuer au développement de l'être humain total, capable de tirer profit de tout son potentiel, quels que soient son sexe, sa race, sa culture.

A court terme, le guide propose des objectifs à deux niveaux: la prise de conscience et l'action. Il cherche à sensibiliser les élèves:

- à l'inégalité actuelle des sexes et aux dommages que cette inégalité cause aux femmes;

- à l'existence des stéréotypes sexistes et à leurs effets néfastes sur le développement des femmes et des hommes;

- à la nécessité de créer de nouveaux rapports femmes-hommes;

- à la situation particulière de la femme acadienne;

- à l'obligation qui incombe à chacun et à chacune d'apporter sa contribution personnelle à la création d'un nouvel ordre du monde.

L'objectif ultime est d'amener les élèves à poser des gestes conformes aux nouvelles valeurs acquises.

2) **Les thèmes**
Le guide comprend cinquante-quatre (54) activités classées selon six thèmes: image publique, rôles et stéréotypes, travail rémunéré, violence, contribution des femmes, revendications des femmes à travers l'histoire.

3) **Types d'activités**
Les objectifs visés par le guide appellent une variété d'activités pédagogiques d'autant plus grande qu'il faut couvrir l'ensemble des disciplines scolaires de la première à la douzième année.

Quant à la pédagogie préconisée, elle se traduit par l'importance accordée aux discussions, à la confrontation de points de vue, aux analyses. Les activités sont présentées de façon à motiver les élèves à faire des interviews, des sondages, des projets de toutes sortes. Dans le but de faire connaître les résultats de leurs recherches et de leur réflexion, les élèves sont invité(e)s à rédiger des comptes rendus, des lettres, des articles dans le journal local et celui de l'école. L'implication dans le milieu est encouragée. Dans certains cas, le type de pression qu'il y a lieu de faire auprès des autorités est suggéré.

Limites du guide

Nous sommes conscientes que ce guide n'est pas la panacée dont on pourrait rêver. Il a ses limites intrinsèques auxquelles s'ajoutent celles qui proviennent de l'extérieur.

La principale limite du guide lui-même est son manque d'universalité. Il n'aborde pas tous les thèmes et n'explore pas en profondeur ceux qu'il touche. Ce n'est, en fait, qu'un outil de travail, un point de départ. Le véritable travail reste à faire dans les écoles.

Pour qu'un changement significatif s'opère dans les attitudes et les comportements, il faut beaucoup plus que des activités sporadiques. Le climat qui règne dans la classe et dans l'école devra être favorable au changement. Dans ce domaine, les gestes posés sont souvent plus éloquents que la parole. Même si les activités proposées sont bien faites, elles auront peu d'effets si l'ambiance de l'école incite par ailleurs à la peur du changement.

La pédagogie que préconise le guide est exigeante pour l'enseignant(e). Elle suppose de la créativité, de la souplesse et de la disponibilité. Les enseignant(e)s ancré(e)s dans la routine pourraient se sentir bousculé(e)s dans leurs habitudes et trouver bien des raisons pour ne pas s'engager. Et parmi ceux et celles qui désirent ardemment s'atteler à la tâche, le manque de temps pour satisfaire à toutes les exigences du programme sera sans doute un obstacle à la réalisation de certaines activités.

Le guide prêche le changement dans le respect du pluralisme; il invite à la tolérance. Or, cette exigence elle-même peut créer des situations ambiguës où, par exemple, il devient difficile de préciser les limites du sexisme ou celles du respect des êtres humains.

Le changement des attitudes et des perceptions est un processus long et complexe. Dans le cas du sexisme, les préjugés viennent de si loin et sont liés à la personnalité qu'on ne saurait espérer les extirper tous à brève échéance chez soi et chez les autres.

Même si l'école joue un rôle important dans l'apprentissage des rôles sexuels, nous croyons qu'à elle seule elle ne saurait faire le changement social qui permettrait une véritable égalité des sexes. Elle peut cependant prendre le leadership dans ce domaine en créant un environnement qui incite les enfants à effectuer le changement de perception nécessaire.

Conclusion

Le paradigme qui a inspiré le projet que nous venons de résumer et qui sous-tend tout le guide pédagogique auquel le projet a donné naissance est porteur d'espoir, nous en sommes persuadées. Il fournit aux jeunes une voie d'action en les invitant à construire une société nouvelle. Fondée sur les valeurs traditionnellement véhiculées par les femmes, cette société ne peut être que plus humaine, plus écologique. C'est donc l'humanité tout entière qui a intérêt à travailler à son avènement.

La recherche-action que nous avons menée a été pour nous une expérience riche d'enseignements. Les nombreux contacts qu'il a fallu maintenir avec le milieu scolaire tout au long de la préparation du guide nous ont convaincues que notre démarche n'était pas vaine et qu'elle répondait à un besoin réel. L'accueil qui nous a été réservé au cours des ateliers que nous avons donnés depuis la parution du guide nous incite à croire que notre document est perçu comme un instrument dont on peut se servir avec profit pour aider à l'évolution des mentalités.

Bien entendu, il faut aux enseignant(e)s du courage et une bonne dose de foi dans l'avenir pour s'engager dans la voie que propose le guide. Comme le dit Marilyn Ferguson:
"les nouveaux paradigmes sont à peu près toujours accueillis avec froideur, et même moquerie et hostilité. Ils apparaissent comme des hérésies et suscitent l'attaque. L'histoire en fournit maints exemples: Copernic, Galilée, Pasteur, et bien d'autres (...). La nouvelle perspective exige un revirement profond (...), ceux qui ont travaillé dans l'ancien cadre y sont attachés par l'habitude."

Nous osons espérer que les enseignant(e)s sauront se montrer à la hauteur de ce nouveau défi.

BIBLIOGRAPHIE

Autres temps, autres moeurs (1981). Guide pédagogique pour une éducation non sexiste. Ontario: L'institut d'études pédagogiques de l'Ontario.

Breau, Alice. (1985). Bilan du mouvement des femmes. **Le papier**. No 5.

Cain, Mary Alexander. (1980). **Boys and Girls Together**.Non-sexist activities for elementary schools. Florida: Learning Publications, Inc.

Champagne-Gilbert, Maurice. (1980). **La famille et l'homme à délivrer du pouvoir**. Ottawa: Leméac.

Cardinal, Marie. (1980). Dans Suzanne Horer, **La sexualité des femmes**. Paris: Grasset.

De Beauvoir, Simone. (1949). **Le deuxième sexe**. Paris: Gallimard.

Decroux-Masson, Annie. (1979). **Papa lit, maman coud**. Paris: Denoël/Gonthier.

Descarries-Bélanger, Francine. (1980). **L'école rose...et les cols roses**. Québec: Éd. Coopératives.

Dunnigan, Lise. (1975). **Analyses des stéréotypes masculins et féminins dans les manuels scolaires au Québec**. Québec: Conseil du statut de la femme.

Ferguson, Marilyn. (1981). **Les enfants du verseau**. Paris: Calmann-Lévy.

Freire, Paulo. (1983). **Pédagogie des opprimés**. Paris: Maspero.

Fromm, Erich. (1978). **Avoir ou être**? Un choix dont dépend l'avenir de l'homme. Paris: Laffont.

Gianni-Belotti, Elena. (1974). **Du côté des petites filles**. Paris: Éditions des Femmes.

Greer, Germaine. (1970). **La femme eunuque**. Paris: Laffont.

Groult, Benoîte. (1975). **Ainsi soit-elle**. Paris: Grasset.

Hansen, James C., Warner, Richard W. et Smith, Elsie M. (1976). **Group Counselling: Theory and Process**. Chicago: Rand McNally.

La pédagogie progressiste (1983). Montréal: Les publications La maîtresse d'école Inc. **Les images des femmes** (1982). Rapport du groupe de travail sur les stéréotypes sexistes dans les médias de radiodiffusion. Québec: conseil de la radiodiffusion et des télécommunications canadiennes.

McKee-Allain, Isabelle, Clavette, Huguette. (1983). **Portrait socio-économique des femmes du Nouveau-Brunswick**. Tome 1. Moncton.

Millett, Kate. (1971). **La politique du mâle**. Évreux: Stock.

Normile, Reba. (1984). **Toward Other Images**. Idea book for teachers. Toronto: Federation of Women Teachers' Associations of Ontario.

Pour créer de nouveaux rapports femmes-hommes (1981). Montréal: Centrale de l'enseignement du Québec.

Saint-Jean, Armande. (1983). **Pour en finir avec le patriarcat**. Montréal: Éditions Primeur.

Summary

Toward a New Padadigm

The authors start from the observation that sexism is not the true cause of discrimination of women: it is rather itself a product of a society of domination that gives birth to a multitude of discriminations. This society of domination has a well known name: that of the patriarchal society. Nothing serious will be changed in our world as long as this society will shape generation after generation, particularly the school, through the patriarchal model of domination of men on women, in all orders of things and activities. The authors propose a new paradigm in education to change the perception of problems pertaining to human relationships: behavior will follow the radical change of attitudes when time comes. In this perspective, one should search for the optimal development of each human being, regardless of sex, cultural or social particularities. The guide created by the authors in this project would like to make a long-term contribution to the coming to life of a society that is more humane, and where all is equal.

Summary

[illegible]

La grande entreprise doit miser gagnante!

par Claude Beauregard

Le programme de cette conférence internationale sur la situation des filles aborde un large éventail de préoccupations souvent dites féministes, mais qui sont aussi bien des questions qui intéressent toute la société. Il reste que le titre donné à ma communication tranche quelque peu avec ceux de la quarantaine d'autres qui apparaissent au programme: LA GRANDE ENTREPRISE DOIT MISER GAGNANTE. S'il est vrai, comme je le crois, qu'il s'agit là d'un défi d'une importance certaine pour la société, c'est du même coup une question qui intéresse les femmes et les filles autant que les hommes et les garçons et qui, dans un certaine mesure, conditionne l'avenir des uns et des autres.

La grande entreprise joue un rôle important dans la plupart des sociétés. Elle engendre, entre autres choses, un flux d'activités économiques qui se répercutent bien au-delà des emplois directs qu'elle procure. Par sous-traitance, par transfert technologique, par les effets d'entraînement de leurs conventions collectives de travail et de leurs politiques de gestion du personnel, par l'exercice de leurs responsabilités sociales - dont celle d'offrir au public des biens et des services à des prix concurrentiels - les grandes entreprises jouent un rôle structurant dans l'économie et influencent l'évolution sociale.

La grande entreprise dispose de ressources considérables et de ce fait paraît particulièrement puissante; elle constitue certes une force appréciable, mais elle n'est pas pour autant invulnérable. Elle demeure soumise aux lois du marché et de la concurrence. Elle fait face à de nombreux défis. Son succès dépend de sa capacité concurrentielle et de son adaptation à l'environnement. La qualité de la haute direction et de son style de gestion est évidemment un facteur essentiel, mais la performance de l'ensemble de son personnel est déterminante.

Pour poursuivre et prospérer, la grande entreprise doit recruter, développer et retenir, pour chaque poste, la PERSONNE qui constitue pour elle le meilleur investissement et donne le meilleur rendement pour un niveau donné de rémunération globale. RIEN N'INDIQUE QUE CETTE PERSONNE DOIVE ÊTRE HOMME OU FEMME.

Je ne prétendrai pas ici que les femmes occupent dans la grande entreprise toute la place qu'elles pourraient y tenir; les causes de cet état de fait sont multiples et cette conférence internationale sur la situation des filles en révèle plusieurs qui tiennent au système de valeurs, à certains conditionnements de l'éducation familiale et du système d'éducation national et, sans doute, à une prise de conscience relativement tardive dans la grande entreprise du potentiel que représentent les femmes.

Il est certain que dans un passé encore récent, la grande entreprise a pratiqué, le plus souvent sans s'en rendre compte, une certaine discrimination envers les femmes; il est même probable qu'une telle discrimination persiste encore dans certaines grandes entreprises, bien qu'à un degré nettement moindre qu'il y a, disons, dix ou quinze ans.

Parmi les facteurs qui ont contribué à redresser la situation, il me semble qu'il faut reconnaître la présence en plus grand nombre sur le marché du travail de femmes qualifiées. Cette disponibilité nouvelle résulte d'une évolution sociale qui devrait aller en s'accentuant. Cette évolution en ce qui regarde la place des femmes à travers le monde et la grande entreprise doit en tenir compte. Ainsi, par exemple, Bell Canada International dans l'exécution de ses contrats successifs de quelques milliards de dollars en Arabie Saoudite ne pouvait y affecter des cadres féminins; il convient toutefois de signaler que les quelque sept cents vacances ainsi créées chez Bell Canada par ces départs de cadres masculins ont été l'occasion de promotions tant pour les femmes que pour les hommes. Il reste que la grande entreprise ne peut tout simplement pas imposer à l'étranger ses valeurs et ses pratiques nationales.

Les Canadiens seraient d'ailleurs quelque peu présomptueux de faire la leçon aux autres, car, s'il y a encore poutre dans l'oeil de certains, il y avait au moins paille dans le nôtre il y a moins de quinze ans. Chez Bell Canada, par exemple, c'est au début des années soixante-dix que nous avons entrepris d'éliminer les disparités salariales entre les hommes et les femmes, pour un même poste. Il faut bien voir que nous émergions alors d'une époque encore récente où la société considérait que l'homme avait charge de famille, actuellement ou potentiellement et que, à ce titre, il était justifié, voire nécessaire, de lui consentir un traitement plus élevé qu'à la femme occupant un poste ou une fonction identique. Ce raisonnement était non seulement socialement discutable, même à l'époque, mais il ne reposait guère plus sur une analyse de rendement économique.

Il s'est fait beaucoup de chemin depuis. La plupart des grandes entreprises d'ici ont nommé des coordonnateurs de programmes d'égalité des chances en emploi. Une mesure spécifique, à caractère symbolique mais qui n'a pas été sans effets pratiques, a consisté à rendre "neutres" les titres des postes et fonctions; ainsi, en anglais par exemple, on a remplacé chez Bell la désignation "repair-MAN" par "repair technician". Au fur et à mesure de leur acceptation par le public, mais le plus souvent en nous situant à l'avant-garde de l'opinion, nous avons introduit les désignations féminines des postes et des fonctions, utilisant selon le sexe du titulaire les désignations commis(e), préposé(e) de service, le ou la téléphoniste, ingénieur(e), avocat(e) et ainsi de suite.

J'ai mentionné plus tôt la nécessité pour la grande entreprise de s'adapter à l'environnement. C'est d'ailleurs le cas pour toute entreprise, mais cela se vérifie de façon différente selon le type et surtout la taille des entreprises: un petit commerce, un petit manufacturier, une petite entreprise de service peut s'établir dans un créneau donné du marché, s'entourer d'employés du quartier en quelque sorte, se doter d'une personnalité peu orthodoxe et gérer pratiquement à contre-courant des pressions sociales de l'heure.

L'ENTREPRENEUR, souvent individualiste de nature, fonctionne volontiers de cette façon, y compris dans les nouveaux domaines de haute technologie; ainsi on remarque, par exemple, que ces nouvelles entreprises, même de taille moyenne, semblent tout ignorer du syndicalisme, une institution de la société avec laquelle la grande entreprise a le plus souvent partie liée.

Ainsi la grande entreprise, dont les effectifs sont habituellement beaucoup plus importants et la responsabilité sociale plus globale, doit nécessairement s'adapter, et sur plusieurs fronts. Sa grande visibilité la rend plus vulnérable, mais, fait tout aussi important, elle doit prendre acte de ce que son personnel représente à coup sûr un microcosme qui reflète assez fidèlement les valeurs sociales ambiantes. C'est dans cette perspective, par exemple, qu'une entreprise comme Bell Canada a mis en oeuvre un régime d'horaire flexible, qui se trouve être un mode d'aménagement de l'horaire de travail qui convient particulièrement bien aux femmes, mais répond aussi aux aspirations de bien des couples, voire de célibataires des deux sexes, qui de plus en plus aiment avoir des choix dans l'organisation de leur vie professionnelle. L'heure est aux "diversified lifestyles".

Mais une des mesures les plus efficaces pour contrer ce qu'on appelle parfois la discrimination systémique aura été, dans certaines grandes entreprises, la révision de tous les critères d'embauche et de toutes les descriptions de tâches pour en éliminer les exigences arbitraires, artificielles, qui n'avaient rien à voir avec les aptitudes et compétences requises pour assumer les fonctions en cause et combler un poste donné. C'est une mesure préalable, à mon avis, à tout programme d'embauche et de mutation de femmes et d'hommes dans des emplois non traditionnels: des femmes monteurs de lignes exposées aux quatre vents sur les poteaux de téléphone ou descendant dans les canalisations souterraines, les hommes téléphonistes... une intéressante révolution dans ce dernier cas, au sens physique du terme, puisqu'à l'origine de cette industrie les téléphonistes étaient tous des jeunes garçons! Il paraît qu'on les a remplacés progressivement par des jeunes filles, qui se sont avérées beaucoup plus courtoises avec les clients! C'était avant l'école mixte, l'égalité des sexes et les femmes debout dans le métro!.

L'élimination de critères d'embauche non justifiés en regard des exigences réelles d'un poste - à ne pas confondre avec l'exigence d'un diplôme de génie pour combler un poste d'ingénieur, même si l'on sait que peu de candidates sont disponibles - est une mesure essentielle qui permet, notamment dans la grande entreprise, de pourvoir les échelons subalternes de la hiérarchie d'un nombre suffisant de femmes pour éventuellement leur assurer une présence équilibrée à tous les échelons de l'entreprise. Doublées de programmes de perfectionnement spécialement conçus pour les femmes, les mesures dont j'ai parlé (et d'autres, telles que le travail à temps partiel, les garderies en milieu de travail ou financées en tout ou en partie à l'extérieur de l'entreprise) favoriseront grandement l'intégration des femmes. Il est important de noter que la nature des opérations d'une entreprise, même grande, ne permet pas toujours d'appliquer toutes les mesures évoquées ici. Ainsi, il faut des concentrations d'employés appréciables pour pouvoir mettre sur pied une garderie en milieu de travail, et il faut vraisemblablement que ce service puisse être mis à la disposition de tous les groupes d'employés de l'entreprise si l'on veut éviter le mécontentement, voire l'accusation de discrimination portée par les groupes exclus en raison, par exemple, de leur isolement géographique par rapport aux groupes des établissements plus populeux de l'entreprise.

Il est toutefois une mesure, qui a ses défenseurs ardents, que les entreprises, grandes et petites, n'entendent pas mettre en oeuvre ni se faire imposer. Il s'agit de l'approche dite "d'Action positive" (Affirmative Action, en anglais) et qui consiste à embaucher ou à donner des promotions à des femmes (ou aux membres d'autres "minorités visibles" comme on désigne depuis quelque temps au Canada les autochtones, les Noirs, les handicapés, etc.) PARCE QUE femmes. Une telle politique, qu'on désigne parfois plus subtilement de "programme d'accès à l'égalité" - un euphémisme pour ce qui s'avère le plus souvent un régime de "discrimination positive" en quelque sorte - est habituellement accompagnée de quotas à l'embauche, ou encore d'objectifs numériques à atteindre dans un laps de temps donné, sous peine de diverses sanctions le plus souvent économiques.

Une telle politique est inacceptable parce qu'elle signifie embaucher ou accorder une promotion à une femme parce qu'elle est femme et qu'elle satisfait, ne serait-ce que minimalement, aux critères d'embauche et de promotion, alors qu'il s'agit d'embaucher ou d'accorder une promotion au MEILLEUR candidat ou candidate. Je le rappelle: L'ENTREPRISE DOIT MISER GAGNANTE, et le rendement de son personnel, à tous les niveaux de l'entreprise, est déterminant.

Mais il est d'autres raisons pour écarter la solution des quotas et de la "discrimination positive". Nombre de femmes, chez les cadres notamment, trouvent cette approche blessante et, dans certains cas, intenable; nombre de candidates ainsi "favorisées" risquent de se "casser le cou", leur échec rejaillissant sur d'autres femmes. Je ne prétends pas pour autant que les hommes et les femmes promus "au mérite" ne déçoivent pas à l'occasion, ne s'avérant pas à la hauteur de la tâche; mais il est raisonnable de croire que le nombre d'échecs serait plus élevé si les candidats promus n'étaient pas les meilleurs. Tout aussi grave, du moins pour l'entreprise, serait le fait que l'on renonce à l'excellence comme norme d'embauche et de promotion. La capacité concurrentielle de l'entreprise en souffrirait, son marché se rétrécirait et, à la limite, elle pourrait faire faillite.

Bien sûr, les résultats ne seraient pas à tout coup aussi dramatiques mais, encore une fois, là n'est pas la voie de l'excellence, alors que c'est cette dernière qui, de plus en plus, assurera le succès de l'entreprise et sa capacité de créer des emplois.

Mais, en fin de compte, c'est peut-être moins les contre-indications de "l'Action positive" que l'efficacité durable à laquelle peuvent atteindre les autres mesures que j'ai évoquées, qui me fait personnellement opter pour ces dernières. Ce point de vue est partagé par nombre de grandes entreprises, dont Bell Canada. Et qu'on ne se méprenne point: une grande entreprise comme Bell Canada poursuit une politique énergique d'intégration des femmes à tous les niveaux de l'entreprise et dans toutes les catégories de personnel. Nous obtenons des résultats intéressants, même s'il sont encore loin du niveau de représentation féminine que justifieraient les données démographiques et même la disponibilité des femmes sur le marché du travail. Mais nous soignons particulièrement l'embauche; entre 1981 et 1985 Bell, au Québec, a recruté vingt-cinq ingénieures et quatre-vingts ingénieurs, un rapport qui dépasse de façon appréciable la proportion des effectifs féminins dans la profession, voire dans les promotions successives des écoles de génie au cours de ces mêmes années. Nous avons aussi appliqué la quasi-totalité des mesures dont j'ai parlé aujourd'hui. J'estime pouvoir dire honnêtement que chez Bell - et vraisemblablement dans bon nombre d'autres grandes entreprises - les seuls facteurs qui limitent maintenant l'intégration des femmes à tous les niveaux de l'entreprise sont à toutes fins pratiques les facteurs présents dans l'environnement.

Aujourd'hui, la priorité d'action me paraît être d'encourager les jeunes filles à s'inscrire en sciences, dans les formations techniques, dans les champs d'études non traditionnels et à postuler des emplois non traditionnels. Les familles et les éducateurs ont aussi la responsabilité d'éviter les stéréotypes, de renseigner adéquatement garçons et filles sur les carrières et de meubler sans biais l'univers des valeurs des uns et des autres.

Les grandes entreprises ont besoin d'hommes et de femmes compétents. Les femmes constituent un réservoir de candidatures encore faiblement exploité et les entreprises devront de toute nécessité y recourir, non seulement à cause du grand nombre de postes à combler annuellement suite aux départs à la retraite, et compte tenu de la pénurie de candidats qualifiés dans certains secteurs, mais surtout en vertu même de l'urgence qu'il y a de recruter et de retenir le personnel au service de l'entreprise en fonction du paramètre EXCELLENCE.

Or, l'EXCELLENCE, il n'y a aucune raison d'en douter, se trouve sans doute plutôt également partagée comme potentialité entre les femmes et les hommes. La grande entreprise ne peut se permettre de ne pas aller la chercher là où elle se trouve.

Je dirai en terminant que l'accession, actuellement en progression, des femmes dans tous les secteurs et à tous les niveaux de gestion de l'entreprise - qui atteindra éventuellement une proportion équitable (et donc s'approchant des rapports démographiques constatés sur le marché du travail) - pourrait bien modifier quelque peu la culture des entreprises. Nul doute à mes yeux que les femmes y feront un apport distinctif et valable. Mais je ne miserais pas tout, et de loin, sur cet apport distinctif. Trop d'hommes et de femmes, si je puis dire, affichent un heureux équilibre de qualités dites masculines ou féminines pour penser que l'apport des femmes va révolutionner l'entreprise. Cette dernière évoluera en fonction du dynamisme d'une équipe de PERSONNES qui poursuivent l'excellence, avec la diversité de leurs talents, dont aucun n'appartient en propre à l'homme ou à la femme, ou du moins, à telle femme ou à tel homme. Dans la vraie vie, qui n'est pas que statistiques et traité de socio-psychologie, les qualités relèvent de la PERSONNE et non de la catégorie HOMME OU FEMME.

La grande entreprise constitue un univers un peu particulier, qui ne convient pas à tous; on peut d'ailleurs en dire autant de la fonction publique, de la petite entreprise, de la vie professionnelle en cabinet privé, en somme, de divers milieux de travail. Mais dans chacun d'eux, filles et garçons peuvent se tailler une place à la mesure de leurs talents et de leurs ambitions. Quant à la grande entreprise, qui encore une fois doit miser gagnante et, pour ce, table largement sur son personnel, elle offre des conditions de travail intéressantes, des cheminements de carrière diversifiés, des programmes de perfectionnement, et des occasions de promotion pour les plus performants.

Les opérations de la grande entreprise sont souvent complexes, ses activités et projets, d'envergure; ce qui amène des défis particulièrement stimulants et porteurs de grandes satisfactions. À ces défis, les hommes et les femmes que la chose intéresse peuvent et doivent se mesurer.

Summary

Large Corporations Must Bet On Winners

The author reveals recent developments in women's rights in large corporations. Bell Canada, for instance, has taken many steps to provide equal access to jobs, fair recognition of competence and performance and promotion on potential and track record regardless of sex. He does not however believe in positive discrimination for women. In his eyes such a policy threatens the overall excellence of an enterprise. He concludes his presentation by three statements. First, he insists on his company's intention of actively and energetically seeking integration of women at all levels. Second, he notes the necessary support of family and educators to encourage youth in general to cease categorizing, and young girls in particular, to study science and to dare enter non-traditional fields. Finally, he appeals for more consciousness of the masculine and feminine qualities in both men and women, for respect of these traits and true possibilities of their expression, thus encouraging each person, man or woman, to use his or her full potential.

The Effects of Child Sexual Molestation on the Developing Female Identity: Treatment Issues and Strategies

by John A. Hunter, Jr., Susan Childres-Temple et Debra Down

Introduction

Only recently has society been willing to recognize the severity and per vasiveness of child sexual abuse. With that recognition has come a surge of publications (e.g. Finkelhor, 1979, 1984; Herman, 1981; Meiselman, 1978) examining the immediate and long-term consequences of sexual molestation and delineating methods of treatment for the victims. The purpose of the present article is to describe the process of a short-term, semi-structured group intervention or adult women who requested treatment for the after-effects of sexual abuse suffered as children. The article relates the format utilized in two therapy groups conducted by clinicians of the Human Studies Program of the Community Mental Health Center and Psychiatric Institute, and discusses key issues and themes that arose during the course of treatment.

Empirical investigation probing the long-term consequences of child sexual abuse is currently in a state of relative infancy as compared to the psychological literature in other areas. A primary focus has been on identifying crucial characteristics of the abuse experience, the abused child, and the abusing person that significantly affect the victim's adult psychological functioning. Although not conclusive, such studies have identified several factors that may predict negative psychological outcome in adult child sexual abuse victims.

These findings are as follows. When the perpetrator of the abuse is a father or stepfather to the victim, there appears to be greater trauma associated with the experience (Finkelhor, 1984; Russell, 1983: Tufts, 1984) although this does not appear to hold true for abuse perpetrated by other relatives (Finkelhor, 1979; Russell 1983; Tufts, 1984; Hunter, Childers, Drown & Deaton, 1985).

Emotionally, women who are sexually victimized as children report feelings of isolation or stigmatization (Courtois, 1979; Herman, 1981), a negative self- image (Courtois, 1979; Herman, 1981), persistent fear and anxiety (Briere, 1984), and a higher incidence of suicide attempts than non-victims (Briere, 1984; Herman, 1981). Interpersonally, they recount difficulties trusting and maintaining satisfactory relationships with others (Briere, 1984; Courtois, 1979; Herman, 1981; Hunter, Childers, Drown, & Deaton, 1985; Meiselman, 1978). Within this context, sexual relationships are particularly problematic (Briere, 1984; Courtois, 1979;

Finkelhor, 1979; Herman, 1981) with specific sexual dysfunctions ranging from inorgasmia to promiscuity. Many victims of child sexual abuse are revictimized through nonconsensual sexual experiences later in life (de Young, 1982; Fromuth, 1983; Herman, 1981; Russell, 1983) or physical abuse in their marital relationships (Briere, 1984; Herman, 1981, Russell, 1983). Behaviourally, a history of childhood sexual abuse has been linked with later life prostitution (James & Meyerding, 1977; Silbert & Pines, 1981) and substance abuse (Briere, 1984; Herman, 1981).

Lest these findings paint an overwhelming dismal picture of the woman who has been sexually molested as a child, it must be remembered that many of the studies cited here utilized only women seeking treatment as sources of information. It is quite possible that such women display markedly higher disturbance in their functioning than those with a history of childhood sexual molestation who do not seek treatment. In summary, however, it appears that the experience of sexual victimization as a child, particularly if that experience is with the father or stepfather and involves genital contact and physical force, does place the female at risk for emotional and self-esteem deficits, difficulties in interpersonal relationships, sexual dysfunction, and behavioural problems. Indeed, these empirical findings were clearly and clinically demonstrated in the women who entered the treatment groups we will describe.

Group Format and Characteristics

Two therapy groups composed of women who had been sexually molested as children (less than eighteen years of age at the time of molestation) were formed. One group had nine members at its inception and the other had ten. There was a twenty-one percent drop-out rate for both groups combined. The women in the groups were either self-referred or referred by other mental health professionals in the Tidewater, Virginia area.

Each group met for ninety minutes, one time per week, and were co-led by female therapists of the Community Mental Health Center and Psychiatric Institute. The groups were supervised by the senior author of this report. Each group was of sixteen weeks duration and was goal-oriented in design. Although therapists could, and did, direct therapeutic attention to whatever areas they deemed important, the following guidelines served to provide uniformity between groups. Sequentially, therapists focused on the following: the telling of the molestation experience with an emphasis on externalization of rage and guilt and the building of trust; an examination of the pattern of response and effects of the molestation (e.g. guilt, self-blame, low self- esteem, identity confusion, etc.); an exploration of current relationship functioning and its relevance to the molestation experience; the encouragement of mastery and the working through of the molestation experience; and, finally, dealing with termination issues as they related to past issues of abandonment and separation.

The women in the groups ranged in age from eighteen to forty-five years old, with the mean age being thirty-one years of age. 27.7% of the women in the groups experienced sexual molestation involving intercourse; 55.6% of the women were molested by a parent or step-parent; 33.3% reported that force was used in the molestation; 11.1% reported the threat of force; and 55.6% reported no force or threat of force. Sixty-one percent of the women were cohabiting at the time of this study. 66.7% of the women were molested a total of more than ten times. The range of duration of molestation was less than one month to ten years, with the mean duration being 3.91 years. 77.7% of the women in the groups did not see themselves as being at fault for the molestation. 94.4% of the women were caucasian; and 5.6% were black (one group member). The mean number of years of education was 13.72 years. The average income was twenty thousand four hundred and seventy-one dollars.

Treatment Issues

The therapeutic arena offered an opportunity for adult child sexual abuse victims to reengage in familiar interpersonal battles and recreate the "cycle of victimization" which had become a pervasive part of their existence. The treatment was often compelling, yet frustrating and exhausting as these women attempted to sabotage any potentially gratifying experiences. It was found that the emotional stress of conducting these groups was very high, and that weekly group supervision was crucial in maintaining therapist objectivity and emotional endurance.

The therapists' role required an understanding of the impact of sexual abuse and abandonment on ego development and its relationship to mood, self- esteem, capacity for delay, and intimacy. Therapists aspiring to work with groups of abuse victims must anticipate that these women will initially be openly defiant, belligerent and hostile. It was found that aggression and anger typically mask underlying feelings of emptiness, sadness, loneliness, disappointment, and vulnerability. The therapists' ability to tolerate and weather the rage, as well as the therapists' recognition of the underlying fears of rejection and abandonment, are crucial variables in the successful treatment of sexually abused women.

Within the treatment process, the following dynamic issues were identified as critically important to successful outcome: 1) the capacity to trust others; 2) the use of guilt and self-blame; 3) the need to control; 4) the confusion between sexuality and affection; 5) the recapitulation of the abusive relationship; and 6) the need to preserve the "good" object in the non-abusing parent.

The struggle to trust others was immediately displayed in the treatment process. This was manifest in our groups when the women openly challenged the therapists in demanding guarantees of safety surrounding the use of video tape equipment. The provocative behaviour of the group may have represented a defensive posture to ward off underlying vulnerability. These women anticipate rejection and may actively provoke the anticipated rebuke as a means of maintaining what is "familiar", although unpleasant.

As these women began to explore the abusive relationships, profound guilt emerged. Often times, the guilt was reflected in the womens' fears that the recognition of the abuse severely injured the family members, or more particularly, the mother (typically the non-offending parent). The experience of the abuse was often linked with internal feelings of guilt, worthlessness and self- blame. This process of anger turned toward the self helped to protect the family and its homeostasis. Therapeutically, this dynamic was often exhibited in the effort to prove the therapists could not be helpful and that no change could occur. This theme was portrayed in one therapy group when, during the second group meeting, several group members openly challenged the therapists' ability to run the group in the absence of a personal history of sexual abuse.

The need to control was exhibited throughout the group process. Faced with the anticipation of rejection and abandonment, these women sought to control others, particularly potential caretakers. The use of their roles as victims was both a statement of their helplessness and their power and omnipotence. They repeatedly structured situations in such a way that they could not get their needs met, yet projected the blame onto others as reflective of their emotional unavailability. Clinically, this was demonstrated in one of the groups when members would assemble fifteen to twenty minutes late for each meeting. This passive-aggressive position appeared to serve as confirmation of their view of the world as inconsistent and unable to give them what they needed.

The confusion between sexuality and affection was demonstrated in the womens' use of seduction as a means of establishing and defining interpersonal relationships. The seductive behaviour may be seen as a means of mastering or working through the abusive relationship. The seduction may also be seen as a means of gaining power and control via identification with the abusing parent (aggressor). The women in the group would describe repeated incidents of sexual exploitation. One women stated that she would give sexual pleasure to others but not allow her partners to touch her. Elements of sadistic play were frequently described.

The need to recreate traumatic experiences in new relationships typified the women's attempts to actively master the previously passively endured trauma. The identification with the perpetrator was defensively used to avoid the feelings of helplessness, fear, and abandonment linked to the previous abuse. These women often fluctuate between their role as victim and victimizer with little capacity for modulation. Therapeutically, this process could be readily discerned in their projection of the "devalued bad self" onto the therapists and their provocation of the therapists to behave in the expected way which confirmed the projection. In therapy, these women will provoke feelings of anger and helplessness in the therapists thereby confirming their view that the therapists are "useless" or "inadequate".

The need to preserve the "good" image of the non-abusing parent was seen in the use of splitting as a means of avoiding future loss. Splitting involves reacting to others as if they are either "all good" or "all bad" depending on whether they are gratifying or frustrating needs. The women's fantasies of a gratifying relationship can limit the sense of isolation, emptiness and aloneness.

Typically, these women defended their mothers as protecting them "to the best of their abilities". The therapeutic work attempted to redefine the nature of this highly ambivalent relationship so as to enable these women to examine the masochistic/sadistic qualities which predominated their relationships. The most difficult part of the therapeutic work was enabling these women to mend the split within themselves and helping them accept the pain and loss associated with this internal schism.

In conclusion, the treatment of women who were sexually abused as children required an appreciation of the dynamics, as well as an awareness of their underlying despair regarding "the futility of relationships and opportunities for gratifying experiences" (Rossman, 1984). The group modality offered an opportunity for these crucial relationship issues to be addressed.

The therapists had to be willing to tolerate the feelings of helplessness, anxiety, anger and rejection which predominated the interactions of these women. Regularly scheduled supervision as a means of maintaining therapeutic perspective and offering support was found to be crucial. The major focus of the group was on the "here and now" as opposed to the "there and then". The use of provocative behaviours and identification with the aggressor were the main therapeutic transactions which had to be understood and subsequently interpreted.

The therapists offered a model for new relationship functioning. The masochistic/sadistic pattern which had characterized their previous relationships had to be continually challenged and opportunities for healthy interactions defined. Ultimately, the goal of the therapeutic treatment was to enable these women to separate present relationships from the abusing and disappointing relationships of the past. Although it required the expenditure of much energy and effort, considerable movement toward healthier relationship functioning was observed in the majority of group members.

References

1. Briere, J. (1984, April). The Effects of Childhood Sexual Abuse on Later Psychological Functioning: Defining a "Post-Sexual-Abuse" Syndrome. Paper presented at the Third National Conference on Sexual Victimization of Children, Washington, D.C.

2. Courtois, C. (1979). The Incest Experience and Its Aftermath. **Victimology, 4** .

3. de Young, M. (1982). **The Sexual Victimization Children**. Jefferson, NC: McFarland & Company Inc.

4. Finkelhor, D. (1979). **Sexually Victimized Children**. New York: Free Press.

5. Finkelhor, D. (1984). **Child Sexual Abuse: New Theory and Research**. New York: Free Press.

6. Fromouth, M.E. (1983, August). The Long Term Impact of Childhood Sexual Abuse. Unpublished doctoral dissertation, Auburn University, Auburn, Alabama.

7. Herman, J.L. (1981). **Father-Daughter Incest**. Cambridge, MA: Harvard University Press.

8. Hunter, J.A.; Childers, S.; Drown, D. and Deaton, F. (1985). **Prediction of the Long-Term Effects of Child Sexual Molestation**. Manuscript in preparation.

9. James, J. and Meyerding, J. (1977). Early Sexual Experiences and Prostitution. **American Journal of Psychiatry, 134**, pp. 1381 to 1385.

10. Meiselman, K. (1978). **Incest**. San Francisco: Jessey-Bass.

11. Russell, D.E.H. (1983). Intrafamily Child Sexual Abuse: A San Francisco Survey. Final report to the National Center on Child Abuse and Neglect.

12. Silbert, M.H. and Pines, A.M. (1981). Sexual Child Abuse as an Antecedent to Prostitution. **Child Abuse and Neglect, 5**, pp. 407 to 411.

13. Tsai, M., Feldman-Summers, S. and Edgar, M. (1979). Childhood Sexual Molestation: Variables Related to Differential Impact of Psychosexual Functioning in Adult Women. **Journal of Abnormal Psychology, 88**, pp. 407 to 417.

14. Tuft's New England Medical Center, Division of Child Psychiatry (1984). **Sexually Exploited Children: Service and Research Project**. Final report for the Office of Juvenile Justice and Delinquency Prevention, U.S. Department of Justice, Washington, D.C.

Sommaire

Les abus sexuels subis dans l'enfance et leurs effets sur le développement de l'identité féminine: traitement et problèmes soulevés

Un processus de thérapie brève (quatre-vingt-dix par semaine pendant seize semaines) a été utilisé dans un contexte semi-structuré. Les participantes étaient des femmes ayant été victimes d'abus sexuels dans leur enfance et cherchant de l'aide. Le travail en groupe a suivi les étapes suivantes: la narration de l'expérience elle-même, l'expression des sentiments ressentis (culpabilité, colère, etc.), l'exploration des relations interpersonnelles présentes et leur rapport avec le passé: l'encouragement à maîtriser et à résoudre (work through) la situation et enfin, une préparation à la fin de la thérapie. Ce travail s'est avéré utile mais extrêmement exigeant pour les thérapeutes. Une supervision hebdomadaire a semblé essentielle: elle a permis de prendre du recul et de continuer à jouer un rôle constructif malgré les très grandes difficultés rencontrées.

Sommaire

Sexual Power and Politics: Juvenile Prostitution

by Terence Sullivan

Abstract

This paper reviews recent development in the field of juvenile prostitution. Recent federal level initiatives in both the United States and Canada have raised a number of queries regarding the causes and consequences of juvenile prostitution. This paper traces Canadian legislation as it affects juvenile prostitution, examines economic and rational factors in the maintenance of prostitution and the economic self interest of professional groups in defining and serving the 'best interests' of young prostitutes. The paper concludes with a discussion of the family as a vehicle for regulating sexual behaviour, and lays out three lines of enquiry to serve as check points for legislative reform and pathways for future study.

"But most thro' midnight streets I hear
How the youthful harlot's curse
Blasts the newborn infant's tear
And blights with plaque the Marriage
Hearse"

William Blake, London.

In Blake's time, young prostitutes were simultaneously objects of scorn and subjects of pity and concern for Victorian reformers of social conscience. In 1985 as we ponder the status of girls a century or so later, it is not the spectre of deadly venereal disease which has raised concern over juvenile prostitution. A glib explanation would trace our current concern to the increased visibility of prostitution generally coupled with our changing consciousness regarding the status of women. Prostitution appears as the most bare-faced form of sexual and economic exploitation. As such, our lawmakers are in a dither, and our legislative reform agenda is bursting with divergent iniatives to combat juvenile prostitution.

In the United States, congressional hearings on the protection of children from sexual exploitation through juvenile prostitution and pronography have generated a flurry of research studies (Weisberg, 1985; Young, 1978). In Canada, federal concern regarding the sexual exploitation of young persons has resulted in two rery recent reports. The Report of the Committee on Sexual Offences Against Children and Youths (1974), hereafter known as the Badgley Report, details a range of original and secondary research, and suggests a large number of specific social and legal reforms desighed to afford better protection to sexually exploited young persons including juvenile prostitutes. The Report of the Special Committee on Pornography and Prostitution (1985), hereafter known as the Fraser Report, while focusing primarily on adults, also proposes a large number of specific reform and protection amendments relevants to young people. To make matters more interesting the Ministry of Justice has introduced Bill C.49 in an attempt to control street soliciting while simultaneously conducting discussions on the Badgley and Fraser reports.

The Canadian studies, as well as earlier American counterparts, represent epic pieces of medico-legal discourse and are enormously intimidating. In examining the data crossing medical, legal, sociological and psychological frameworks, informed criticism becomes an generous task. To speak critically about a subject as sacrosanct as the protection of children from sexual exploitation risks public outrage and professional ostracism. Yet it is precisely the obvious expertise, the apparent humanism and classlessness in the conduct of such studies which beg for critical inquiry.

The paper focuses on juvenile prostitution for two reasons. The current flurry of proposed Canadian legislative activity related to juvenile prostitution and sexual consent is the first reason. Secondly, juvenile prostitution represents the intersection of three important institutions of sexuality: the family, prostitution, and the free market economy.

The central argument of this paper is that much of contemporary discourse follows from an historic pattern of regulating family life through prescription and proscription on sexual behaviour. Contemporary medico-legal discourses on sexuality grant authority to certain professional classes while reinforcing an essentially conservative bio-political economy mediated through the agencies of the liberal welfare state (O'Neill, 1985). This is rarely clearer than in the case of juvenile prostitution. The pattern develops by pathologizing 'disturbed' family relations and offering up state sanctioned and mandated legal/therapeutic interventions designed to restore 'healthy', normative, familial sexuality. These professional arguments popularized in psychiatric, social work, and child care literature define a certain 'regime of truth, and play down or ignore much of the bio-political economy surrounding juvenile prostitution (Foucault, 1978). Needless to say, intervention strategies generally ignore this economy and focus on individuals and families as repositories of blame and points of intervention.

A few caveats are worth mentioning. The existence of real sociosexual problems such as rape, sexual assault, and family violence are not at issue here. Nor is the intention to argue that an individual's constitutional and psychological history do not play important roles in juvenile prostitution. Rather, the intention is to focus on the way this phenomenon is popularly portrayed and regulated in teh context of the family and the economy. These explorations are intended, in the spirit of Foucault (1978, 1979, 1980), to look at the development of prohibitions, specialized knowledge, and their links to certain social groups. The intention is not to unmask all dominant, socially ratified discourse on child sexuality as ideological instruments of oppression. Concern over the safety of children is real, and steps to protect children from harm generally do improve their safety.

The lines of enquiry follow three related sub-themes. First, Canadian legislative history is reviewed in the context of a number of the social forces at work. Secondly, the economic and market forces affecting prostitution are looked at from a number of related dimensions. Thirdly, the role of the state in regulating families is commented upon in the context of enhanced children's rights.

The Law and Juvenile Prostitution

The particularly Canadian focus of this paper follows from the author's familiarity with Canadian sources and legislation. Detailed information on recent American legislative activity can be found in Weisberg (1985).

The legislative history of prostitution in Canada is well documented in the report of the Canadian Advisory Council on the Status of Women (1984) entitled Prostitution in Canada. The earliest Canadian legislation enacted in lower Canada in 1839 grew out of vagrancy statutes designed to move undersirables from the street and arrest inmates of bawdy houses. A Canadian clone of the 1864 English Contagious Diseases Act was enacted in 1865. This legislation was created by a lobby of upper class doctors, military officers and politicians, and was intented to regulate the necessary evil of prostitution by minimizing the effects of venereal disease. In England, following the enactment, a massive campaigh was mounted by Josephine Butler to repeal the legislation on grounds of discrimination. The argument was raised that the regulation presupposed a supply of women motivated largely by poverty, drawn from the working classes, and subjected them alone to police harassment on streets of designated towns. The English controversy generated five hundred books and pamphlets, twenty thousand petitions, nine hundred public meeting and took until 1886 to repeal (NIELD, 1973). The Canadian version of the statute expired unceremoniously while the debate on whether or not to regulate or license followed, on a quieter scale, the English debate. Early Canadian legislation aimed at prohibiting all persons from procurring the defilement of women under twenty-one years by false pretenses was enacted in 1869. International concern over the scandal of child prostitution and white slavery resulted in public pressure to afford greater protection to girls and women.

In 1886 in Canada a piece of legislation entitled Offences Against Public Morals and Public Inconvenience prohibited householders from allowing women under sixteen to reside for purposes of prostitution. The legistation also made it an offence to entice women to prostitute or to seduce any girl of previously chaste character between twelve and sixteen years of age. The Criminal Code of 1892 made it unlawful for parents of guardians to encourage the defilement of their charges and conspiracy to defile was created as an offence. This legislation moved from the regulating effect of earlier Acts to a prohibitive function in an attempt to eradicate prostitution.

Between 1840 and 1900 the Toronto Goal register showed that the majority of people convicted under these acts were prostitutes who "were financially impoverished, generally illeterate, frequently immigrant, and overwhelmingly female" (C.A.C.S.W., 1984, p. 12). The profiteers, procurers, madams, and property owners were rarely prosecuted. Attempts at prohibition were unlikely to succeed when directed at prostitutes, the least powerful players in the prostitution game.

Early legislation aimed at rehabilitation or reform logically focused on children. A rash of early child protection statutes were enacted at the turn of the century to remove young girls from the custody of their parents where the parents indulged in sexual behavior of a socially unacceptable manner in the home. Girls were apprehended and transferred to the newly established industrial refuges. The rehabilitative approach legislated plans to rescue and reform prostitutes and train children so they would never enter the ranks of prostitution. This thrust had the effect, in certain jurisdictions, of special programs and prisons being set up and the serving of longer prison terms in the name of rehabilitating women. Indeed, these rehabilitative approaches, promotted by middle and upper class women advocates on the argument that hookers were blameless for their condition, sometimes resulted in greater discrimination. It was working class and immigrant families who found their children apprehended, and it was again the working class prostitutes who served terms in the new women's prisons.

In 1972, the vagrancy section of the Criminal Code was repealed in favour of prohibiting soliciting in a public place. A series of on soliciting in a public place ended in the Supreme Court ruling in Hutt v. The Queen (19780 that soliciting be 'pressing and persistant'. There were a flurry of municipal by-laws passed, challenged in the provincial courts of Quebec and Alberta, and finally, in Westendorp v. The Queen (1983), those by-laws dealing directly with prostitution were declared ultra vires or overstepping jurisdiction. This currently leaves the issue of prostitution within federal jurisdiction.

The Hutt and Westendorp decisions are seen by many, including police, as the chief contributing factors to the increase in the street trade. Municipal by-laws, although expensive and awkward to enforce, did dramatically reduce visible prostitution. Moreover, the enforcement of the by-laws showed that the people who were getting most of the charges were the hookers, not the clients, even though clients were chargeable under the by-laws in some jurisdictions.

The Badgley Report (1984) recommends criminalizing juvenile prostitution for both hookers and their clients with severe sanctions on pimps. Amongst other recommendations, publicizing the names of clients is suggested as a kind of modern day charivari or public humilation (Shorter, 1975). The Frazer Report (1985) suggest a strengthening of sanctions against customers of juvenile prostitutes as well as strengthened sanctions against pimping and procuring.

Until now, Canadian law as it affects juvenile prostitution has historically been uneven and discriminatory both in its spirit and its enforcement, essentially punishing rather than protecting, without significantly affecting those who benefit from prostitution.

The Nether Economy of Juvenile Prostitution

Questions on the economy of prostitution, who benefits, and which services exchange on which markets, have occupied many commentators, in fact, much of the great nineteenth century debate by social reformers concerned the economic motivation for prostitution. The contemporary spiral of this debate has arisen because of the visibility and scale of prostitution and its effect on local markets. While there are certainly residents who are simply harassed and morally offended by the activities of street prostitution, much of the public pressure arises from fears over property values and business activity. In jurisdictions where juvenile prostitution is good for business, such as Thailand and the Philippines, prostitution flourishes. In those jurisdictions there are plenty of local pressures to allow an unfettered free market approach to prostitution. In 1977, for example, about a thousand men from Germany alone went to Thailand on sex-included package tours ("Tourism and Prostitution", 1979).

If we move to examine who actually trades and exchanges through prostitution beyond the client and prostitute, there are many who actually benefit from this market. There are those who profit directly, such as pimps and owners of bawdy houses and certain hotels. There are other supporting players including some bellhops, taxi drivers, police indirectly in the course of their work. The role of helping professionals will be further developed below.

The question of economic inducements to prostitution was a big part of the nineteenth century debates. In Parent-Duchatelet's classic and comprehensive survey on the habits and health of nineteenth century Parisian prostitutes he comments:

Of all the causes of prostitution in Paris, and probably in all great towns, there are none more influential than the want of work, and indigence resulting from insufficient earning. What are the earnings of our hairdressers, our seamstresses, our milliners? Compare the wages of the most skillful with those of the more ordinary and moderately able, and we shall see if it be possible for these latter to procedure even the strict necessities of life. (Cited in Nield, 1973, p. 460)

In the nineteenth century debates, prostitution circulated in lumpen proletariat culture, part of the fabric of life of the urban poor, the victims of a uncertain economy "frequently unemployed and always underpaid, continuously disadvantaged in a social system which equated profit with virtue and poverty with personal inadequacy..." (Nield, 1978, p. 8)

Today, in North America few people wish to acknowledge any real link between the youth unemployment rate and juvenile prostitution. In the contemporary liberal welfare state, it is argued, there are sufficient social programs to meet the basic needs of the unemployed and the disadvantaged. Twentieth century inner cities have travelled far from the cities of the Victorian period when a surplus of families and individuals flocked to the industrial cities looking for work and poverty, disease and destitution were indeed grave and abundant. Achieving even a subsistance-level existence was truly difficult. In the modern welfare state, subsistence through social programs is quite possible, but one must have the knowledge, motivation, and tenacity necessary to gain access to social welfare assistance.

Are there significant economic and labour-market based incentives for juveniles to prostitute? In the few existing Canadian studies it is commonly observed that young prostitutes have poor education and few marketable skills:

They often did have social insurance cards, drivers license, health care cards or credit ratings. All of these take time, money and knowledge that a young or poorly educated person on the edges of a welfare system often lacks. (C.A.C.S.W., 1984, p. 43)

In the Badgley Report's (1984) sample of two hundred and twenty-nine juvenile prostitutes of both sexes, the median educational attainment was grade ten and most of the young people had no desire to continue their formal education. Of the young people interviewed in the Badgley study, about eighty percent of the females and sixty-three percent of the males had no other form of employment at the time they were interviewed. For those with other forms of employment, the jobs were typically low-skill, low-wage positions as waiters, cashiers, ice cream vendors, kitchen helpers and housekeepers. This is reminiscent of the findings of an early American study of prostitution. At the turn of the century in the city of New York, two of three classes of hookers were described:

In the first place there is a large class of women — foundlings and orphans and the offspring of the unusually poor — without training, mental or moral, they remain ignorant and disagreeable, slovenly and uncouth, good for nothing in the social and economic organism... In many cities there are great classes of women without any resources excepting their earnings as needlewomen, day-workers, domestics, or factory hands. A season of non-employment presents them with the alternatives of starvation or prostitution. There form the 'occasional prostitutes' who, according to Blaschko, far outweigh all others in the city of Berlin. ("The Social Evil", cited in Prostitution in America, 1976, p. 9)

In the Badgley Report (1984), about forty percent of the young people regarded street prostitution as a full-time job, about twenty-five percent as a part-time job, and about thirty percent saw it as occasional work. About sixty-five percent worked on the street at least four days a week. (There is a very detailed analysis of time and work patterns in chapter forty-five of Badley's Report.) Average gross daily earnings for most of the young male prostitutes were $140.85; for the females, $215.49. For the females, this sum annualizes out to about forty dollars based on a four-day work week and six weeks holiday per year. This figure is impressive. Only about ten percent of Badgley's young female hookers reported having a current pimp, although close to forty percent reported having had a pimp in the past and where active, the pimp generally took most of the earnings. This impressive income figure should be considered as income from the low end of the skill range in the market scale. Although little is known about real annual incomes from the up-market work involved in massage parlors, private clubs, escort and beeper services, the income appears to be somewhat better, and working conditions are substantially better.

It is easy to understand the attractiveness of a prorated forty thousand dollars a year income against the average earnings of other workers in Canada when the average income for women of all ages was nine thousand five hundred and twenty-two dollars in 1981 (Women in the Labour Force, 1984). The risks of harassment, arrest, and violence are fewer in the more protected work environment of a body parlour or up-market hotel although there are few real benefit arrangements. Where there are employment arrangements, employees often rely on customer tips rather than salaries (Prus and Stylliances, 1980). Badgley's (1984) analysis of the reasons for turning to prostitution is instructive:

The reason given by most of the youths for turning to prostitutions was that it afforded them the opportunity for rapid financial gain (emphasis added): sixty-six boys (78.6%) and ninety-five girls (65.5%) said this was among their primary reasons for becoming prostitutes (p. 991).

A smaller but significant portion of boys (29.8%) and girls (17.2%) reported inability to find employment as a primary reason for becoming prostitutes. Only a small percentage (11.4%) reported being forced or coerced into prostitution, although subtle and less dramatic inducements no doubt operate on these young people. What might be inferred from Badgley's survey of two hundred and twenty-nine male and female juvenile prostitutes regarding inducement to prostitution is this: while inability to find work remained the second most often reported inducement, opportunity for big fast money stood up as the single largest motivator. In Canada where youth unemployment is likely to hover close to twenty percent for the next few years, lack of work and marketable skills do appear to make prostitution a troubling but lucrative job creation strategy for a minority of young people. Although not studied explicitly, one conjectures that numbers of these young hookers were ignorant of access to social assistance, ineligible for assistance because of their transient lifestyle, and many simply not prepared to subsist on welfare level incomes or low skill jobs. This type of young hooker is similar to the third class of prostitutes described in "The Social Evil":

A third class, one which is more or less typical of American prostitution, is made up of those who cannot be said to be driven into prostitution either by absolute want or by exceptionally pernicious surroundings. They may be employed at living wages, but the prospect of continuing from year-to-year with no change from tedious and irksome labour creates discontent and eventual rebellion. (Cited in Prostitition in America, p. 10.)

Employment, job creation and retraining are rarely mentioned as treatment alternatives, although the Badgley Report (1984) does recommend circumscribed specialty programs:

...the Government of Canada establish support for special multidisciplinary demonstration programs (child protection, police, education, medical and youth job training services) for five years (renewable) designed to reach and serve the needs of these youths, focusing upon: affording immediate protection; counselling; and education and job training (p. 1047).

This recommendation is laudable in its acknowledgement of the training and employment problem. It brings to mind a passage by Freud written in 1907 acknowledging the not unrelated problem of sex education. Freud (1981) stated, "Hence, once again, we see the wisdow of sewing a single silk patch onto a tattered coat — the impossibility of carrying out an isolated reform without altering the foundations of the whole system" (p. 181).

The tattered coat in this instance is Canada's economic decline coupled with the more invidious ethic promising rapid financial gain. This need for rapid financial gain is a curious feature of the body politic. The subsistence needs of the body can usually be met through the subsistence level income of the welfare system, but in our economy it is hard to distinguish the subsistence needs of bodies from the insatiable need for social prestige associated with certain forms of consumption (O'Neill, 1985). The bodies of young hookers, low on the total scale of social prestige, are inscribed with a certain text vis-a-vis their need for prestige items from the catalogues of consumer culture. Young hookers, for example, enjoy fast cars, expensive drugs like cocaine, which put them in a league with sexualized high-rollers like John DeLorean. The integration of sex into industry, commerce, and advertising has served to sexualize those certain prestige products of Hugh Hefner's 'Playboy' such as sports cars, cocaine, liquor, and hi-tech toys, while simultaneously commoditizing and objectifying women's bodies in the illusion of freedom to pursue the good life.

This prescription of consumption channels for the expression of libidinous energy in directions which are politically useful is fully developed in the successive works of Marcuse (1955, 1964; Ober, 1982). This identification of sex and industry Marcuse develops under the discussion of repressive or institutionalized desublimation. This term refers to the repression and channeling of sexuality through prescribed pathways of commerce and industry, while isolating the tender and erotic components which Freud posits as the basis for all civilized human relationships. In this way the boundaries of sexual freedom appear to increase simultaneously with greater control of the individual as consumer of sexualized commodities. For Marcuse, the Victorian morality of The Contagious Diseases Act era has essentially the same status as the free market shibboleth of today. Both are mythological in the sense that they both illustrate great discrepancies between what is promised as the model moral and economic fibre of the community and what is practiced from day-to-day. The myth of unhampered free market competition promoted in the Reagonomic discourse of 1984 promises a moral and equitable community, but delivers something quite different.

The Playboy and Penthouse agenda ghettoize into silence everything that does not fit with the freedom to pursue the good life:

The paradox of modern corporate culture is that it panders to the libidinal body, titilating and ravishing its sensibilities, while at the same time it standardizes and packages libidinal responses to its products. In North America the libidinal body politic is the creature of the corporate culture and its celebration of the young, white, handsome, heterosexual world of healthy affluence. In this sense the libidinal body is an unhealthy distortion of the political life of the community since it fails to cope with the poor, the sick, the aged, the ugly, and the black. Everthing that fails to conform to its image of suburb-inanity has to be segregated and pushed into the ghettos or race, poverty, crime, and insanity. (O'Neill, 1985, p. 140.)

To use Foucault's (1978) terms, the same strategy commercializes sex, promotes scientific and quasi scientific studies of sexual performance, down to the measurement of genitalia and the selection of a spectrum of sexual accoutrements to improve performance. The same strategy gives us the celebration of Brooke Shields and Michael Jackson as pubescent sex icons in the sale of jeans, cosmetics, soft drinks and all manner of commercial clap-trap. These sexualized, commoditized egoideals are standards forever beyond the means of ordinary people, frustrating them in their quest for the competitive youthful good life, and leaving them passively resigned and susceptible to whatever is offered instead. The sexual freedom arising from the sexual revolution of recent decades is the freedom to consume what is sexualized and the freedom to organize our de-eroticized sexual interts around the corporate agenda.

The prospects for an overhaul of advertising regulations affecting the apparent age of models, or regulating erotic tenderness back into the imagery of human sexuality seems unlikely. Likewise, the overall shortage of jobs and decent wages for young people do not seem to be a much discussed intervention route in the current prostitution debate. In some respects it's surprising that more jeveniles are not prostituting. Presumably, however, there is no free prostitution market anymore than with any other commodity. The ghettoized urban zones where young prostitutes cirulate are well defended pieces of territory where only a certain number of bodies can circulate. A whole contraband economy operates there, controlling who cruises where and who works for and with whom. Moreover, what is requested by tricks in exchange for money runs from relatively vulnerable humane acts (tender clinging, conversations about loneliness and isolation) to brutalizing, violent acts against prostitutes which are strong disincentives to hook. The social exchange dimensions of juvenile prostitution are severely restricted. The wish to rise socially, characterized by symbolic consumption of prestige commodities, is frustrated through the ostracization of prostitutes from the social and family lives of their clients. Prostitution is a socially isolating and dangerous job, one with high pay, few benefits, and occupational risks, but one that nevertheless is a significant point of entry into the labour force for some young workers.

Professional Regulation of the Family

Much of the current concern over protecting children from prostitution arose as a consequence of increased public concern regarding sexual abuse. Since child abuse arose in the sixties as an object of public concern, sexual abuse, runaways, and now juvenile prostitution have been successively constructed as objects of public concern (Weisberg, 1985). Streetproofing children is part of the contemporary scene. In practice, the protection of children is guided by what is in the 'best interests' of the child. What is 'in the best interests' of children, what legal and service remedies are available to them, what principles of family autonomy and children's rights should be considered? These are still hotly contested in decisions to terminate parental rights or bring children into care (Kintzer, 1984). The moral imperative of protecting children from harm has to be separated from assumptions that state intervention is de facto beneficial. The principle of the 'least restrictive alternative' is increasingly considered as the least destructive and most demonstrably beneficial intervention. As Rutter (1984) reminds us, neither having the right intention nor proceeding with humane forms of intervention, grant immunity from harm. For example, with the best of intentions, the educational and child welfare authorities in Canada have done considerable harm to Indian communities (Sullivan, 1983).

In the past two decades child welfare authorities, after a pattern of somewhat zealous placement of children in alternate car efacilities, have come to the conclusion that the 'best interests' of the child are generally served through the best interests of the family and placements have been d4eclining. This is in part through the slow recognition that public caretaking is an enormously expensive undertaking with some questionable benefits. The depth and range of intervention sugggested by reform related to sexual abuse and prostitution in the Badgley Report (1984), for example, need to be carefully weighed against the known benefits that will accrue.

There are no good data indicating an increase in sexual abuse, although reporting is certainly increasing since there is a great awareness and a legal obligation to report. Vern Bullough (cited in Davis, 1982) argues that sexual abuse examined from almost any perspective is down radically from the immediate and remote past. It is down, he argues, because the factors affecting it most, family size, rural isolation, lock of awareness and legal penalities, are all more favorable now than ever before. What sectors promote unsubstantiated fears and ideas that sexual abuse is increasing?

Bledstein (1976) and McKnight (1985) have documented how professionals monopolize service production. There is a constant play on public fears of disorder and disease, embedded in deliverately mystifying jargon. Vernacular or home-spun remedies to social problems are diminished in credibility and an intensified demand for professional service is created. Deficiencies and disturbances are created that translate into the professional classes adapting, on behalf of the state, the socialization functions of the family. McKnight (1985) reminds us that a commodity intensive society such as we live in institutionally corrupts care. The need for care, that need for the self-conscious help on which the modern family is built, is the foundation of what Illich (1983) calls the 'disabling professions'. As an example, in referring to the need for expanded hospital-based treatment programs for sexual abuse, The Badgley Report (1984) states "... the efficiency of particular measures in improving the care and protection of these patients is unknown" (p. 669). Many of the benefits of intervention seem to do with improved or more rapid detection, investigation, professional collaboration, and counselling, in short, with the production needs of the service providers rather than direct benefits to the victim. These services were developed for the victim's benefit but at the present time their efficacy is at least dubious.

The need for services to the sexually abused child and family was not always evident. In fact, sexual abuse, that best kept secret, was not a topic to be taken seriously in Victorian times, if we can judge by Freud's colleagues. Freud presented his early version of the seduction theory in 1896 and got a very icy reception from his colleagues. Recently, however, Jeffery Masson (1984) rose to brief celebrity status by alleging Freud's cover-up about the prevalence and trauma of incestuous seductions. This high minded scandal unfolded in the pages of the Times, New Yorker, Atlantic and elsewhere. Masson argued that the Freudian seduction theory was abandoned by Freud in a long circuitous rationale to cover-up and protect Freud's colleague and confidant, Fleiss. The seduction theory essentially purported that sexual abuse (missbrauch) in early childhood was the cause of adult hysteria. This view Freud later retracted in his theoretical development of childhood sexuality and the Oedipus complex. The existence of widespread sexual contact between parents, or those in a position of trust, and children, now popularly called sexual abuse, was dismissed in Freud's time by Kraft-Ebbing as a "scientific fairy tale" (Masson, 1984, p. 35). What was once bad for business is now good for business.

With increased contemporary focus on sexual abuse, there is a proliferation of manuals detailing standarized investigation/assessment protocols for investigating sexual abuse, as well as a host of treatment remedies for the victim, the offender, and the other family members (Lawton Speert & Wachtel, 1983). There is much talk of incest survivors despite the lack of any coolheaded analysis of the short-term consequences of incest. There is a great demand for sex abuse expertise. Constantine and Martinson (1981) observe that this is a conflicting and changing period relative to childhood sexuality. Fifty years ago Freud preached the ubiquity of the incestuous family romance. Today mere parental acknowledgment positive and negative incest experiences is seen as reprehensible, part of a campaign of the pro-incest lobby. In one of the few balanced reviews of thirty studies on the effects of child-adult sexual encounters, Constantine and Martinson (1981) detail the effects of cross generational encounters from positive to neutral to extremely negative..

The question of whether or not sexual abuse and prostitution are linked in any simple way appears to be unclear. Myers (1980) talks about prostitution and self mutilating behaviour as survival skills in coping with the consequence of sexual abuse. James and Meyerding (1978) and Weisberg's (1985) sample of clinical populations show much higher than expected reports of sexual abuse. However, these are both distorted samples. Clinical samples are more likely to show sexual and physical abuse histories as well as greater familial discord, crowded and poor housing, and a number of other economic predictors of psychosocial risk described by Garmezy and Rutter (1984). Badgley's (1984) study of two hundred and twenty-nine unselected juvenile prostitutes suveyed on the street show no higher incidence of sexual abuse than other youth. Silbert and Pines (1981) surveyed two hundred somewhat older youth on the street in order to avoir sampling of 'service oriented' prostitutes like those picked up in the Weisberg (1985) study. Although lacking comparison data, Silbert and Pines (1981) show roughly sixty percent of their street sample as having histories of sexual abuse.

That victims of sexual abuse need treatment is more or less already accepted by helping professionals. There are some writers who have attempted to moderate claims regarding how injurious or disturbing incestuous experiences are (Bourgeois, 1979; Lukianowicz, 1972; Fox, 1980). Constantine and Martinson (1980) have differentiated the disturbing effects as a function of age and consent. If there existed a simple predictive relationship between incest-sexual abuse and prostitution, prostitution would appear to have a familial cause, and aggressive family-based intervention would be warranted. In short, a clear link between abuse and prostitution would move the intervention level away from broader economic and social factors predicted by political choices and policies, and create a clear mandate and increased demand for the specialized helping professionals who make their incomes by constructing social problems, and then setting out to remedy them.

Foucault (1978, 1979, 1980) pioneered historical research on the process whereby the subject of the modern welfare state is constituted through the professional discourse about sexed and familied bodies. Foucault identifies four independent lines along which specific mechanisms of knowledge and power historically became centered on sex. These are identified as 1) the hysterization of women's bodies; 2) the sexualization of children; 3) the socialization of procreative behaviour; and 4) the psychiatrization of perverse pleasure. The family of today, according to Foucault (1978):

«...must not be understood as a social, economic, or political structure of alliance that excludes or at least restrains sexuality... on the contrary; its role is to anchor sexuality... the family is the interchange of sexuality and alliance; it conveys the law and the juridical dimension in the deployment of sexuality; and it conveys the economy of pleasue and the intensity of sensations in the regime of alliance (p. 108).»

«...then a pessing demand emanated from the family: a plea for help in recxonciling these unfortunate conflicts between sexuality and alliance; and caught in the grip of this deployment of sexuality which had invested it from without, contributing to its solidification into its modern form, the family broadcast the long complaint of its sexual suffering to doctors, educators, psychiatrists, priests and pastors, to all the 'experts' who would listen... The family was the crystal in the deployment of sexuality: it seemed to be the source of a sexuality which it actually only reflected and diffracted. By value of its permeability, and through the process of reflections to the outside, it became one of the most valuable tractical components of the deployment (p. 111).»

The family of former years has been gradually and strategically defamilized to the extent that individual rights are given prominence over family integrity. The second dimension of this strategy becomes the legal mandating of family centered interventions by what Donzelot (1979) call the "tutelary complex" which is comprised of professional agencies who have taken on much of the authority and socializing function of the family in exchange for a clean bill of family health. A century ago the family fulfilled a number of social functions including economic, productive, educational, recreational, medical and affectional. Today, the first five have been taken over by social institutions mediated by the church, state, and the tutelary complex. The affectional-erotic dimension of family life is under heavy scrutiny.

O'Neill (1983) argues that much of the current concern over the child's rights in the family parallels earlier Victorian concern about the child in the factory sweatshops, only now the factory is in the home! His analysis involves a skillful dissection of the intrusion of the liberal welfare state into domestic life. He develops his argument around a critique of feminist economics.

The ideology of feminist economics proposes a free economy of legal, contractual arrangements in lieu of the traditional family economy which it portrays as a slave economy. Without wishing to misrepresent radical feminist positions, one can safely credit feminists with a focusing of the family economy on individual rights backed up by legal reassurances. The logical development of this perspective reduces the family to an aggregate of neutered, ageless, interchangeable members, bound together by contracts: an isocracy.

These contracts define a contractual set of familial obligations in which men subcontract the work of family life to women and children. The inference here is that working men are the exploiters of their wives and children. Thus, families need the careful articulations of women's rights and children's rights to protect against the phallocracy of the father. This phallocracy also becomes responsible for prostitution.

We do not see any difference between street walkers and call girls, or young male or female prostitutes. The customers are men, and men of all backgrounds. The problem is not prostitution, it's the phallocratic society itself which produces and sells prostitution by the power of male desire, and which ensures the organization and permanence of this sex market. (Payeur, 1983, p. 8, Authors Translation)

This embedding of the free market requirement of independently contracted legal agents into the definition of families debases what Illich (1983) calls 'vernacular gender' into 'economic sex' and simplifies or ignores our fragile familial interdependencies. Above all, this embedding promotes the myth of the neutred, ageless individual moving towards greater equality before the law. This caricature of the market of the family is a predictable development in the radical monopoly of goods and services over human, familied need. It is partly against this backdrop that current enthusiasm over children's rights must be viewed. As we move towards the postindustrial era, characterized by an information and service economy, one would expect to see domestic life increasingly organized in accordance with the service products of the helping industry.

The discussion on defamilized rights is meant to heighten our sensitivity to liberal child protection legislation developed in the confines of growth-oriented economic systems. How children's rights are articulated in law will be affected by a number of power configurations and will be a blueprint of the family's indenturing of the broader economic fabric.

What is at stake in legislation controlling juvenile prostitution and sexual abuse is not simply an increasing articulation fo the sexual rights of children. The sexual rights of children are not restricted to legislating the capacity to say no to adults or to the promotion of educational programs to define good and bad touching.

In the absence of enabling rights, advocacy for protection of the unwilling or inappropriate audience reduces to denial of minority rights. A modest version of these enabling rights might include the right of access to sexual materials, including contraceptives; the right to produce and distribute these materials; the right to affectional-erotic intimacy and so on (Calderone, 1977). A more radical version of these enabling rights brings us into the marginal liberation ideologies promoted by the Sexual Freedom League, Rene Guyon Society, North American Man Boy Love Association, and Pedophile advocacy groups. (O'Carroll, 1980; Constantine & Martison, 1981). These pedophile groups strike a horrified chord in the hearts of many child protection advocates and make strange bedfellows with the children's rights lobby.

Any measures intended to promote the position and well-being of children as sexual actors must address questions raised in the preceding pages: 1) which groups or classes define the 'regime of truth' regulating juvenile and family sexuality and whose interests are served by this definition; 2) to what extent are sexually protective measures matched by enabling measures intended to reduce against discrimination and acknowledge the sexual expression of children and youth; and 3) to what extent does family life become isomorphic with the economy of the liberal welfare state and thus a structure of political and ideological reproduction?

Sommaire

Pouvoir sexuel et politique: la prostitution juvénile

L'auteur fait une revue des développements récents en prostitution juvénile. Des initiatives fédérales tant aux U.S.A. qu'au Canada soulèvent certaines questions au sujet des causes et conséquences de la prostitution juvénile. Il examine ici d'abord la législation au Canada; puis des facteurs expliquant la persistance de la prostitution et l'intérêt pour des groupes professionnels à définir et à se mettre au service des "meilleurs intérêts"des jeunes prostitués. La conclusion s'arrête au rôle de la famille comme agent régulateur des comportements sexuels et propose trois pistes d'interrogation pouvant servir de points de repère pour la réforme législative et offrir des voies de recherche utiles à explorer.

La prostitution des filles

par Francoise Alarie et Suzanne Ménard

Au Québec, depuis le début des années quatre-vingt, la prostitution est devenue un sujet dont on parle de plus en plus.

Toutefois, fait étonnant: l'opinion publique fut plutôt alertée par les abus commis contre les garçons. La prostitution des filles est ainsi laissée pour compte ou à tout le moins assimilée à celle des garçons.

L'état des recherches actuelles reflète bien cette tendance: il existe, en effet, peu de littérature québécoise ou canadienne qui traite de la prostitution des adolescentes. Par ailleurs, la plupart des études dans le champ des sciences sociales se sont attardées à préciser les caractéristiques physiques, culturelles ou comportementales des femmes ou des filles faisant de la prostitution: elles oublient la plupart du temps de questionner les rapports de domination qui ont créé ce groupe. De plus, ces recherches portent, pour la plupart, sur la prostitution de rue, c'est-à-dire sur un type de prostitution s'exerçant dans des conditions particulièrement difficiles. Malgré leurs lacunes, ces travaux, auxquels nous avons ajouté nos propres observations, ont fourni le matériel de base pour la rédaction de cet article.

Ce texte, nous l'avons divisé en trois (3) parties. Premièrement, nous présenterons quelques éléments qui nous apparaissent fondamentaux pour une analyse de la prostitution des filles. Nous mettrons alors le l'accent sur le spécifique de la prostitution des filles, c'est-à-dire sur une analyse en termes d'exploitation sexuelle des femmes et des jeunes. Puis, dans une deuxième partie, nous verrons brièvement comment les filles vivent ces rapports de domination? C'est-à-dire leurs conditions de vie et leur vécu prostitutionnel. Nous nous demanderons donc, pourquoi les jeunes commencent à se prostituer?

Comment elles entrent dans le milieu? Comment vivent-elles leur insertion dans le milieu? Quels sont les effets d'un tel vécu sur elles?

Dans un troisième temps, nous traiterons de l'intervention possible face à ces adolescentes. Malgré que nous jugions indispensable une action concertée et ce, tant aux niveaux social, politique qu'économique, pour contrer ce phénomène qu'est la prostitution des filles, nous n'aborderons ici qu'une seule dimension de cette action soit l'intervention psycho-sociale et ce, puisque telle est notre pratique. En effet, étant toutes deux intervenantes au Centre des Services Sociaux du Montréal Métropolitain, nous sommes amenées à travailler avec des jeunes en difficulté et leur famille et ce, en vertu de la Loi sur la Santé et les Services Sociaux ou encore de la loi de la Protection de la Jeunesse.

Analyse du phénomène de la prostitution des filles

La prostitution, c'est d'abord et avant tout un fait social qu'on ne peut comprendre en rendant seulement compte des caractéristiques de prostituées.[1] Pour bien saisir ce phénomène, il faut absolument se replacer dans le contexte plus général de notre société. Sinon, comment expliquer que selon une enquête du ministère de la Justice du Québec réalisée en 1981 près de trois mille filles mineures font de la prostitution à Montréal?[2]

Comment expliquer que depuis mai 1977, il y a, selon le journal **The Gazette**, deux cent soixante-quinze bars à Montréal et trois cent vingt-cinq dans toute la province qui embauchent des danseuses nues.[3] Mille de ces danseuses seraient, selon la Sûreté du Québec, des mineures?[4]

Comment expliquer que selon nos observations, des enfants sont utilisés dans la production de pornographie à Montréal?

La prostitution et les phénomènes qui y sont associés sont l'expression du mode de fonctionnement d'une société. Certains pourraient ainsi dire que tous ces phénomènes sont le reflet d'un plus grand libéralisme sexuel.

Notre examen des faits nous porte plutôt à croire que la prostitution des filles est l'expression d'un double rapport de domination, soit celui des hommes sur les femmes et celui des adultes sur les jeunes, ces rapports de domination s'imbriquant l'un dans l'autre.

Un rapport de domination des hommes sur les femmes

En tout premier lieu donc, un rapport de domination des hommes sur les femmes qui retrouve une de ses expressions au niveau économique. Nous voulons ici souligner à l'instar de Micheline Carrier[5], qu'au Québec, l'industrie du sexe tire deux cent soixante millions de dollars de profit. Par industrie du sexe, nous entendons les producteurs et distributeurs de pornographie, les souteneurs, les tenanciers d'établissements tels les clubs, les bars, les tourist rooms,etc...

Dans un sens plus large, il nous faut mentionner que cette industrie tire profit de toute la structure inégalitaire du marché du travail. En effet, les filles se retrouvent confinées à des ghettos d'emploi c'est-à-dire qu'elles occupent souvent des emplois sous-payés, inintéressants et qui s'exercent dans des conditions difficiles. De plus, comme le souligne Jennifer James[7] (1978), les filles sont victimes des rôles et stéréotypes sexuels en ce sens où elles arrivent difficilement à se percevoir comme des personnes pouvant investir différents types d'emploi: elles limitent plutôt leur choix à ce qu'elles ont appris soit être mère, épouse ou encore à une occupation où elles seront au service des autres.

Ce rapport de domination en est aussi un d'ordre sexuel. En effet, la très grande majorité des clients des jeunes prostituées sont des hommes. Déjà en 1948, Kinsey[8] faisait état que soixante-neuf pour cent de la population américaine avait déjà fréquenté une prostituée et que vingt pour cent le faisait de façon régulière.

Deuxièmement, nous voulons soulever toute la violence qui est faite aux adolescentes qui se prostituent et qui est soulignée par la très grande majorité des auteurs consultés.[9]

Tout d'abord, ces auteurs parlent des abus physiques et sexuels que ces filles ont connu au sein même de leur famille. Ainsi, Silbert et Pines (1983)[10] mentionnent que soixante-deux pour cent des prostituées auraient été battues dont quarante-cinq pour cent régulièrement. Badgley (1984)[11] rapporte une incidence moins élevée: selon ce rapport, trente-trois pour cent des filles auraient subi des sévices physiques et plus de cinquante-deux pour cent auraient des souvenirs pénibles de leur enfance (séparations, chicanes, alcoolisme d'un des deux parents, etc.). De plus, toujours selon Silbert (1983)[12], soixante pour cent des filles auraient été abusées sexuellement par un membre de leur famille.

Ce cycle de victimisation se poursuit avec leur entrée dans la prostitution. En effet, les filles ont alors à faire face à de nombreux actes violents de la part des clients. Silbert (1983) à cet égard, signale le non-paiement des services, le vol, l'obligation de poser des actes qui n'étaient pas convenus dans l'entente et enfin les agressions physiques. Toutes ces agressions ont été perpétrées sur les filles à plus d'une reprise.

Les filles doivent aussi affronter la violence des souteneurs et plus largement celle du milieu dans lequel elles évoluent. Ici, nous voulons apporter une précision: on dit souvent que les filles n'ont plus de souteneurs. A notre avis, et plusieurs études le confirment[13], les filles ont encore leurs souteneurs en ce sens où souvent c'est leur ami qui assume ce rôle. Toutefois, comme le rapport Badgley[14] le signale, les filles attribuent rarement le statut de souteneur à leur ami et ce, disent-elles, parce qu'il ne les bat pas fréquemment, parce qu'il ne les oblige pas à travailler lorsqu'elles sont malades et enfin, surtout parce qu'elles leur remettent l'argent gagné de leur plein gré.

Il semble aussi que les jeunes prostituées sont fréquemment victimes de viol. Silbert[15] rapporte que ces viols, quoique non-directement reliés à la prostitution, ont beaucoup à voir avec le fait que les jeunes prostituées vivent dans des villes et travaillent à des heures où le taux de criminalité est élevé.

De plus, elle souligne que ces viols impliquent un plus haut niveau de violence lorsque les filles ont dévoilé à leurs agresseurs qu'elles se prostituaient. Enfin, Jennifer James[16] quant à elle, souligne que les prostituées sont victimes des rôles et stéréotypes féminins. Elle note d'ailleurs à cet égard que les prostituées profitent toujours d'un statut plus bas que celui de leurs clients et, qu'elles sont souvent rejetées par la société qui refuse que les filles aient un comportement sexuel différent de la norme imposée (relation exclusive avec un seul homme souvent au sein de la famille). Elle ajoute que cette attitude de la société se reflète dans le nombre d'arrestations des filles comparativement à celles des clients.

Enfin, le rapport de domination des hommes sur les femmes prend aussi toute son expression dans le statut d'objet sexuel dévolu aux femmes.

La prostitution devient ainsi un des lieux privilégiés pour l'actualisation de ce statut d'objet.

Premier point à souligner à cet égard: les filles ne prennent aucun plaisir sexuel et ne s'impliquent pas affectivement dans leurs relations prostitutionnelles. Elles ne sont là que pour satisfaire les besoins de leurs clients.[17]

Deuxièmement, les filles, parce qu'elles sont avant tout des femmes, peuvent assumer très longtemps cette place d'objet. Ainsi, elles commencent souvent très jeunes à se prostituer. La Direction de la Protection de la Jeunesse et le C.S.S. Ville-Marie[18] font état de jeunes âgées de neuf à quatorze ans qui ont déjà commencé à se prostituer. Ces agirs prostitutifs peuvent se poursuivre longtemps chez les filles. Texier et Vézina[19] rapportent qu'elles ont rencontré des filles qui avaient trente ans alors que Silbert[20] dans son étude, a reçu des témoignages de femmes de plus de quarante ans et qui se prostituaient encore.

Un rapport de domination des adultes sur les jeunes

En tout premier lieu, nous voulons préciser que nous sommes à une période où l'industrie de la pornographie et du sexe cherche à exploiter de plus en plus l'attirance sexuelle des hommes pour les enfants. Qu'il nous suffise de mentionner à titre d'exemples certaines revues pornographiques qui présentent de plus en plus fréquemment des photos suggestives d'enfants, certains films dont un des plus populaires "La Petite" de Louis Malle qui raconte l'histoire d'une enfant qui grandit dans un bordel et qui est initiée sexuellement très tôt par un adulte et ce, sans sembler en souffrir d'aucune façon. On demande donc d'une part aux filles d'être attirantes; d'autre part, elles reçoivent aussi un message contraire soit celui de ne pas agir leur sexualté.

Il est généralement admis que le respect de ces messages contradictoires puissent susciter des conflits importants chez les filles. Toutefois, pour les jeunes prostituées, la situation se complique davantage et ce, du fait qu'elles ont, pour la plupart, connu des relations sexuelles précoces (selon Badgley, deux tiers des filles auraient eu leur première relation sexuelle avant l'âge de treize ans[21]). Choisy (1961) et Carns (1973)[22] rapportent à cet égard, que ces jeunes, ayant transgressé la norme, se voient jugées sévèrement ce qui peut avoir un impact négatif sur le développement ultérieur de leur identité.

Deuxièmement, la crise structurelle qui sévit actuellement dans le monde occidental peut aussi expliquer l'ampleur grandissante de la prostitution des mineures. Ainsi, les jeunes sont les premières victimes du chômage.[23] Elles-ils voient alors s'amoindrir leurs chances de combler leurs besoins créés par la société de consommation et de compétition. La prostitution apparaît donc comme le moyen pour gagner rapidement de l'argent et ainsi assurer son indépendance financière.

Enfin, nous voudrions souligner l'impact du système scolaire qui semble peu adapté aux besoins des jeunes et qui leur laisse peu de place pour l'apprentissage de l'autonomie et le développement de leurs potentialités.

A cet égard, on remarque que les jeunes prostituées n'ont pas poursuivi leurs études aussi longtemps que la majorité des jeunes de leur âge.[24]

Ces jeunes sont donc pris dans l'engrenage d'un système ne leur permettant pas un vécu affectif, sexuel et professionnel satisfaisant.

Le vécu prostitutif des filles

Sous cette rubrique nous verrons plus particulièrement comment les filles vivent ce rapport de domination. Pour ajouter à la clarté du texte, nous l'avons subdivisé en quatre (4) parties qui, bien sûr, ne peuvent être isolées aussi facilement les unes des autres dans la réalité.

Les quatre (4) dimensions abordées dans cette section sont donc :

-Comment les filles commencent-elles à se prostituer?

-Les avantages que les filles perçoivent et qui les motivent à se prostituer;

-Les étapes progressives de ce vécu dans la prostitution;

-Les conséquences d'un tel vécu sur les filles et ce, à plus ou moins long terme.

Comment les filles commencent-elles à se prostituer

La plupart des filles peuvent prendre seule la décision de se prostituer, c'est-à-dire qu'elles acceptent de s'introduire dans le milieu sans que l'utilisation de la force physique ou de menaces soit nécessaire. Toutefois, nous retrouvons certains faits qui peuvent constituer l'élément déclencheur de leur entrée dans le milieu.

Tout d'abord, il faut mentionner les fugues: de par leur caractère d'inégalité et de non-planification, les fugues constituent des moments où les risques d'agirs prostitutifs sont très "importants" pour les mineures qui ne disposent alors d'aucun autre moyen de survie. À cet égard, Silbert (1981)[25] mentionne que quatre-vingt dix pour cent des jeunes prostituées avaient déjà fugué alors que Badgley[26] avance le chiffre de soixante-quinze pour cent.

Les filles peuvent aussi être incitées à se prostituer par des adultes, des recruteurs qui fréquentent les endroits où se retrouvent les adolescentes tels les centres de loisirs, les écoles, centres d'achat, arcades et mêmes les centres d'accueil. Ils écoutent alors les insatisfactions, les désirs, les besoins des filles et leur font miroiter les avantages de quelques "passes". Elles entreront également dans la prostitution par le biais de l'influence d'amies qui en font déjà. Elles peuvent aussi être introduites dans le milieu par le biais d'un amoureux ou d'un gars se disant son ami. Celui-ci, grâce à son habileté et à sa ruse, les amènera à se prostituer.

Enfin, les filles y seront parfois introduites par le biais de leur famille: la mère qui en fait déjà, le père, le frère ou tout autre membre de la famille.

Les motivations

Nous allons maintenant traiter brièvement des motivations des jeunes à se prostituer. En d'autres mots, pourquoi les filles se livrent-elles à la prostitution? Qu'espèrent-elles y trouver? Nous avons classifié ces motivations dans deux catégories, soit celles d'ordre financier et celles d'ordre affectif.

Tous les auteurs[27] s'accordent pour reconnaître que les motivations financières occupent la première place et ce, quelle que soit l'importance des gains réalisés.

Ainsi, certaines filles tirent de leurs activités prostitutionnelles un revenu stable leur permettant de satisfaire tous leurs besoins matériels (gîte, nourriture, etc.). On retrouve principalement dans cette catégorie, les adolescentes en fugue.

D'autres se prostituent afin de se procurer un supplément qui permettra l'acquisition de biens de luxe si en vogue dans notre société de consommation. Fait à noter: les filles dépensent une grande partie de leur revenu en fonction des autres, (elles achètent des cadeaux, paient les consommations de tout le groupe, donnent de l'argent à leurs parents, etc.).

D'autres encore, veulent de l'argent pour satisfaire leur consommation de drogue ou pour régler une dette.

La deuxième catégorie de motivations peut se résumer à la satisfaction des besoins affectifs.[28]

On y trouve alors:

- Le besoin d'être aimée, de recevoir des marques de tendresse, d'avoir un milieu d'appartenance;

- Le besoin d'être reconnue, valorisée. Dans la prostitution, les filles cherchent la reconnaissance, la valorisation à travers les autres, particulièrement les hommes et ce, en utilisant leur corps comme on le leur a appris. De plus, ces filles étant mineures, elles tirent une hausse de leur statut de leurs contacts avec des adultes;

- Le besoin d'explorer de nouveaux horizons, de nouveaux styles de vie.

En lien avec le besoin d'exploration, les filles cherchent à connaître un milieu excitant. Elles visent alors à tromper l'ennui, à vivre dangereusement, à éprouver des sensations fortes et à faire la fête.

Enfin, nous voulons souligner leurs besoins d'indépendance, de se suffire à elles-mêmes, et ce, sans subir les décisions des autres.

Les étapes progressives

Une fois que les filles ont commencé à se prostituer, on observe que la prostitution occupe de plus en plus de place dans leur vie.

On remarque d'abord une augmentation dans la fréquence des agirs. D'occasionnels au début, les agirs se font de plus en plus réguliers. Par exemple, au début, une fille en fera seulement les fins de semaine ou une fois de temps à autre après l'école. Avec le temps, elle s'adonnera à la prostitution de plus en plus fréquemment. Une telle assiduité dans le milieu va de pair avec un abandon progressif de toute autre activité dans laquelle les adolescentes sont habituellement impliquées (travail, école, loisirs, etc.).

Cet état de fait peut s'expliquer; premièrement: par le rythme de vie de ces adolescentes qui s'adaptent au mode de vie et aux exigences du milieu.

D'une part, les filles sont amenées à travailler de jour. À cet égard, les heures de pointe se situent à l'heure du dîner et à celle de sortie des travailleurs.

D'autre part, la soirée et la nuit restent des moments privilégiés pour faire quelques "passes" ou à tout le moins, pour faire la fête avec ses ami(e)s.

Enfin, à la différence des autres adolescentes, elles profitent de grosses sommes d'argent qui leur donnent accès à des difficultés généralement réservées aux adultes.

La consommation de drogue et d'alcool est également un point à souligner pour expliquer le désinvestissement des jeunes prostituées. En effet, un tiers des filles, selon le rapport Badgley[29] augmentent leur consommation de drogues et d'alcool. Cette consommation souvent abusive les aide à prendre une distance face à leurs agirs prostitutifs. Elle les aide aussi à affronter les clients pour lesquels elles éprouvent souvent beaucoup de mépris et qu'elles considèrent comme indissociables de l'argent qu'ils leur procurent.

Les filles s'installent donc dans un cercle vicieux: elles consomment pour se prostituer et se prostituent pour consommer.

Troisièmement: lorsque les filles font de la prostitution sur une base régulière, elles se retrouvent de plus en plus souvent associées à des réseaux de délinquance structurés ou encore à des souteneurs qui exercent d'une façon ou de l'autre des pressions sur elles. Dans ce contexte, les jeunes prostituées se voient obligées d'adopter un mode de fonctionnement d'adulte et surtout d'apprendre à ne compter que sur elles pour assurer leur survie.

Cette façon de vivre dans un milieu qui est de plus très marginalisé rend compte, dans une partie du moins, du manque d'intérêt des filles à fréquenter des jeunes de leur âge qui n'ont pas, comme elles, un vécu aussi lourd.

Voilà donc quelques-uns des facteurs qui contribuent à isoler les filles qui font de la prostitution de leur groupe d'âge et, plus largement, de l'ensemble de la société qui refuse encore souvent de les intégrer en ne leur proposant aucune mesure de rechange tant au niveau économique, politique que social.

Ces jeunes se voient donc confinées à évoluer dans le milieu de la prostitution pendant encore longtemps et ce, même si elles aspirent pour la plupart à cesser dans un avenir rapproché. En effet, la réalité est bien différente de leurs prévisions.

Ainsi, on observe chez les filles des arrêts temporaires qui sont alors suivis de retour dans le milieu et ce, dès qu'une difficulté se pose: manque d'argent, besoin de drogue, etc. Cette alternance rupture/retour dans le milieu peut se reproduire longtemps car comme nous l'avons mentionné précédemment, les filles peuvent se prostituer pendant une longue période. La situation des jeunes prostituées est donc fort complexe: c'est comme si elles étaient piégées dans une énorme toile d'araignée!

Les conséquences

Avant d'aborder plus particulièrement le contenu de cette partie, nous aimerions apporter une précision: l'importance des conséquences du vécu prostitutionnel sur les filles est fonction entre autres des abus qu'elles ont subis avant de commencer à se prostituer, de l'âge auquel elles commencent à se prostituer et enfin de la durée et de la fréquence des agirs.[30]

Donc, parmi les conséquences les plus fréquemment rencontrées, nous retrouvons:

- La dépendance à l'alcool et aux drogues. Les filles (un tiers des jeunes prostituées selon Badgley (1984) connaissent une escalade rapide de leur consommation de drogue et d'alcool): ainsi, elles consomment des drogues de plus en plus fortes (cocaïne, chimique, etc.) et ce, de plus en plus fréquemment.

- Une détérioration de leur état général de santé. Jean Robert, médecin du D.S.C.-St-Luc[31], rapporte que les jeunes prostituées souffrent d'épuisement général et de vieillissement précoce. Ce mauvais état de santé est attribuable en partie à des horaires instables, aux conditions de vie stressantes et à une alimentation déficiente due, d'une part, à la consommation de drogue qui entraîne souvent des pertes d'appétit et d'autre part, à une consommation presque exclusive de "Fast Food".

Enfin, nous voulons aborder la question des maladies transmises sexuellement. Les très rares études qui se sont attardées à ce problème dont le rapport Badgley[32] signale que soixante-deux pour cent des filles auraient contracté une M.T.S. En contradiction avec ces affirmations, certains médecins affirment que l'incidence des maladies vénériennes n'est pas plus élevée que celle de la population en général. Enfin, selon Badgley toujours, 90% des filles utilisent des contraceptifs.

Incapacité à établir une relation de constance

Évoluant dans un milieu où elles doivent se méfier constamment de tous et chacun et où elles sont fréquemment victimes de violence, les filles apprennent à ne faire confiance à personne, à ne jamais dévoiler leurs faiblesses. Ce mécanisme de survie est encore accentué par le fait qu'elles se coupent de leurs sentiments pour pouvoir faire face à leur vécu prostitutionnel. Avec le temps, elles se retrouvent dans un grand état d'isolement, de solitude intérieure.

Cette incapacité à établir une relation de confiance se traduit aussi au niveau de leur sexualité. Par exemple, certaines filles, incapables de trouver tendresse et affection chez les hommes, se tourneront vers les femmes pour l'obtenir. Ainsi, le rapport Badgley fait mention que cinq pour cent des jeunes prostituées sont d'orientation homosexuelle alors que vingt pour cent se définissent comme bisexuelles.[33]

Enfin, il arrive aussi fréquemment que les filles manifestent un désintéressement face à toute activité sexuelle et ce, que ce soit avec des hommes ou des femmes.[34]

Une image négative de soi

Rejetées encore fréquemment par la population, traitées comme des objets tant par les clients que les souteneurs, victimes des stéréotypes féminins, ces adolescentes se perçoivent comme des êtres sans aucune valeur. Pour reprendre leurs propres termes, "elles se sentent sales".

Dans le même ordre d'idées, Silbert[35] affirme qu'en dernier ressort, les prostituées de rue sont victimes de "paralysie psychologique" concept qui s'apparente à celui de "l'incapacité apprise" développé par Tiggeman et Winefield en 1978 et Seligman en 1979.

Lorsqu'on parle d'incapacité apprise, on fait référence au fait que des personnes placées de façons répétées dans des situations où elles n'ont aucun contrôle, développent une incapacité à réagir qui va se généraliser à tout événement. Ces personnes sont alors convaincues qu'aucune action ne peut donner de résultats.

Faisant état du vécu très lourd dont les filles sont victimes: abus sexuels, agirs prostitutifs, violence physique de la part des clients et des souteneurs, viol, Silbert avance l'hypothèse d'une paralysie psychologique qui se caractérise par un certain immobilisme, un sentiment de désespoir et d'impuissance et une incapacité à saisir les occasions pour agir sur les événements.

Cette paralysie psychologique est aussi associée à une vision très négative du monde.

Il va sans dire qu'un tel sentiment d'incapacité amène fréquemment des sentiments dépressifs importants que les filles tentent parfois de combattre en affirmant leur supériorité sur les autres.

Cette incapacité peut mener jusqu'au suicide.

Faisant état du vécu très lourd dont les filles sont victimes: abus sexuels, agirs prostitutifs, violence physique de la part des clients et des souteneurs, viol, Silbert avance l'hypothèse d'une paralysie psychologique qui se caractérise par un certain immobilisme, un sentiment de désespoir et d'impuissance et une incapacité à saisir les occasions pour agir sur les événements.

Cette paralysie psychologique est aussi associée à une vision très négative du monde.

Il va sans dire qu'un tel sentiment d'incapacité amène fréquemment des sentiments dépressifs importants que les filles tentent parfois de combattre en affirmant leur supériorité sur les autres.

Cette incapacité peut mener jusqu'au suicide.

L'intervention

Nous tenons à mentionner que l'aspect intervention de notre exposé abordera notre propre pratique auprès des adolescentes qui se prostituent.

Travaillant dans le contexte de la Loi 24, notre premier mandat est de permettre à la jeune de connaître un développement adéquat aux niveaux affectif, social et matériel. Donc, nous intervenons régulièrement dans un contexte de protection.

Deux avenues s'offrent alors à nous et à la jeune, soit par le biais de mesures volontaires ou non-volontaires.

Si nous jugeons que la jeune est en danger, nous n'hésiterons pas à intervenir par des mesures non-volontaires en saisissant le Tribunal de la Jeunesse.

Notre message à la jeune est alors le suivant, à savoir que nous la considérons assez importante pour ne pas accepter que son milieu ou elle-même la détruise.

Ceci dit, nous tenons à mentionner, sans ici les décrire, qu'il existe également d'autres types d'intervention, entre autres l'intervention communautaire qui s'effectue dans le milieu même où se vit la prostitution.

Les objectifs de notre intervention

Passons maintenant aux objectifs de notre intervention.

A notre avis, toute adolescente qui se prostitue se retrouve dans un vécu plus ou moins difficile, selon le cas. Elle se prostitue pour répondre à des besoins et elle se retrouve à plus ou moins long terme dans une situation où elle entrevoit rarement l'issue.

Notre intervention comporte quatre grands objectifs qui s'inspirent des principes de l'intervention féministe.

Le premier: travailler l'estime de soi; donc, permettre à l'adolescente d'acquérir une image plus positive d'elle-même, c'est-à-dire qu'elle se perçoive comme ayant une valeur personnelle, donc qu'elle est une personne ayant des besoins, des sentiments, qu'elle peut se faire confiance et que des moyens existent pour qu'elle puisse agir sur sa propre vie.

Le deuxième: travailler l'affirmation, c'est-à-dire travailler sa capacité à exprimer ses sentiments et ses besoins, à faire des choix et à prendre des décisions.

Le troisième: permettre à l'adolescente d'amorcer une prise de conscience de son conditionnement social, des stéréotypes sexuels et des rôles limitatifs auxquels la société la confine; donc, qu'elle puisse interroger les rôles réservés aux femmes.

Le quatrième: permettre à l'adolescente de prendre consience de son vécu de prostitution, c'est-à-dire que différents facteurs extérieurs à elle-même ont contribué ou contribuent à la maintenir dans ce vécu lourd de conséquences pour elle-même. Elle ne peut donc se blâmer et se responsabiliser de l'ensemble d'un phénomène social.

Nos objectifs fixés, passons maintenant à l'intervention et à son contenu.

Cette intervention, nous la diviserons ici en quatre parties. Nous aborderons:

-les prélables à l'intervention;

-le dépistage;

-l'intervention à long terme qui comporte deux sous-divisions, soit:

-l'aide concrète;

-l'aide psycho-sociale;

et pour terminer, nous aborderons les difficultés dont nous avons à tenir compte dans notre intervention.

Les préalables
L'intervention auprès des jeunes prostituées nécessite à notre avis quelques préalables de la part des intervenantes. Ces préalables sont les suivants:

- Avoir une connaissance de la problématique;

- Pouvoir se questionner sur nos propres mythes et valeurs;

- Pouvoir se positionner face à la prostitution des mineures.

Connaître la problématique, c'est d'abord permettre à la jeune de se référer et de pouvoir avoir confiance en une adulte qui sait de quoi elle parle.

Prendre conscience de nos mythes et valeurs permet de questionner et de changer le rôle que ceux-ci jouent face à notre perception et aux comportements que nous adoptons devant une jeune prostituée. Entre autre, ce questionnement nous situe dans notre intervention, d'abord face à une personne ayant son vécu, ses expériences, et non pas strictement face à l'image que nous nous faisons d'une jeune prostituée.

Ceci dit, il nous apparaît également important d'avoir une position claire face à la prostitution des mineures. Pour notre part, nous la considérons comme un rapport de domination, d'exploitation que nous dénonçons et jugeons inacceptable. Cependant, nos jugements sévères s'adressent à ce rapport de domination et non pas à la jeune; en aucun temps, nous ne la blâmerons ou ne la jugerons mais nous l'aiderons à prendre conscience et à réfléchir sur les effets de ce rapport sur son vécu et sur sa perception d'elle-même.

Dépistage

Abordons maintenant l'étape dépistage.

Cet aspect de notre pratique nous apparaît une étape des plus importantes. Dans la plupart des cas, c'est à cette étape que nous ouvrons la situation de la jeune. En effet, il est rare qu'une jeune nous confiera spontanément qu'elle se prostitue. Nous devons d'abord lui préparer le terrain.

Pour ce faire, voyons maintenant les indices qui peuvent nous amener à penser qu'une jeune fait de la prostitution.

Nous avons puisé ces indices dans le "Guide d'Intervention en matière de prostitution (les filles et les garçons)" produit par Jean Lajoie, criminologue et conseiller en gestion des programmes à la Direction de la Protection de la Jeunesse du Centre des Services Sociaux du Montréal Métropolitain, novembre 1983. Nous n'en ferons ici qu'un bref résumé en ressortant les indices les plus fréquents.

Nous aurons donc certains indices:

- lorsqu'une jeune présente des problèmes d'absentéisme scolaire important et qu'elle refuse de faire état de son emploi du temps;

- lorsqu'une jeune s'absente régulièrement de son domicile, découche ou rentre tard la nuit et qu'elle refuse de dire où elle se rend et avec qui elle passe son temps;

- lorsqu'une jeune fugue;

- lorsqu'une jeune a toujours de l'argent de poche, possède de beaux vêtements, bijoux, etc... donc, que ses dépenses dépassent largement ses revenus et que la jeune est incapable d'en fournir l'explication;

- lorsqu'une jeune fait un usage important de drogues;

- lorsqu'une jeune a été victime d'abus physique et/ou sexuel.

Donc, lorsqu'une jeune présente un ou plusieurs de ces indices, elle est susceptible de faire de la prostitution.

Afin de l'amener à s'ouvrir sur son vécu, nous tenterons d'établir avec elle une relation de confiance. Pour ce faire, voici les principaux moyens que nous employons.

D'abord, une écoute active non blâmante, non jugeante. Écouter ce qu'elle a à nous dire, par exemple qu'elle ne s'entend pas avec sa famille, qu'elle n'aime pas l'école,etc. Lui laisser de la place pour son vécu émotif, sa peine, sa colère, etc...

Par cette écoute, nous lui démontrons que nous nous intéressons à elle et que son bien-être nous importe, que nous désirons la comprendre et l'aider.

Ensuite, à travers ce qu'elle nous dit, il s'agit de commencer à ouvrir sur la prostitution, de lui dire que parfois des filles emploient ce moyen pour répondre à leurs besoins. Nous annonçons alors nos couleurs, ce que nous connaissons de la prostitution, ce que nous en pensons, notre position, etc... Habituellement, si la jeune fait de la prostitution, elle sera à l'écoute.

Également, à mesure que notre relation s'établit avec la jeune, nous commencerons à la confronter en faisant ressortir les éléments ou les états émotifs qui apparaissent plus ou moins cohérents dans son récit.

Habituellement, au bout d'un certain temps et à cause de son vécu, la jeune commencera à nous confier sa situation et souvent elle s'ouvrira lors d'une période de crise.

Il est à noter que cette période de dépistage se fait en parallèle avec une aide concrète à apporter à la jeune et ceci selon les difficultés qu'elle présente: conflit avec les parents, avec l'école, etc.

Ayant dépisté la situation d'une adolescente qui se prostitue, nous passons alors à l'intervention à long terme.

Cette intervention à long terme se fait à deux niveaux, soit à travers une aide concrète et une aide psycho-sociale.

L'aide concrète fait appel à tout l'aspect ressource que la situation de la jeune nécessite:

- ressources d'hébergement;

- ressources scolaire et/ou de travail;

- ressources pour difficulté avec la drogue;

- ressources loisirs;

- ressources amis .

Cette aide concrète est importante et elle doit se faire en collaboration et concertation avec la jeune et les organismes car c'est à travers cette aide concrète qu'elle trouvera une réponse pouvant satisfaire ses différents besoins. Elle doit saisir clairement le but de chacune des ressources et être en accord avec celui-ci. Naturellement, parce que toutes ressources possèdent leurs avantages et désavantages, elle aura besoin de notre support et de celui de l'organisme pour s'y maintenir.

L'aide psycho-sociale fait appel aux principes suivants:

- l'aider à s'ouvrir sur son vécu de prostitution;

- développer l'estime d'elle-même;

- l'aider à s'affirmer entre autres en sollicitant sa participation face aux décisions qui la concernent;

- l'aider à prendre conscience des stéréotypes et des mythes attachés à sa condition de fille qui se prostitue;

- l'aider à prendre conscience des stéréotypes attachés à sa condition de fille et de façon plus générale à sa condition de femme;

- briser son isolement;

- l'aider à trouver comment satisfaire ses besoins en dehors de la prostitution;

- l'aider à surmonter son sentiment d'impuissance face à l'avenir;

- intervenir dans son milieu familial, donc l'aider à améliorer sa relation avec sa famille.

Voici donc les principales composantes de notre intervention.

Nous aimerions maintenant toucher quelques mots sur les difficultés d'une intervention auprès des adolescentes qui se prostituent, difficultés dont nous devons tenir compte dans notre intervention.

D'abord, la prostitution des filles est un phénomène largement toléré par notre société alors que ce sont les filles qui en seront blâmées. Nous pouvons faire réfléchir les filles sur ce phénomène mais nous ne pouvons l'enrayer dans le cadre de notre travail.

Il existe une autre cause sociale sur laquelle nous pouvons difficilement agir, soit le chômage chez les jeunes. Nous devons en tenir compte.

Nous devons également tenir compte de l'emprise du milieu sur la jeune. Plus le milieu est criminogène, plus la menace et le soutien pour la jeune sont grands et moins nous pouvons agir.

Nous devons tenir compte des dangers réels que peut courir une jeune à nous faire part de son vécu. Quelles en seront les conséquences pour elle et comment les éviter?

Nous devons tenir compte de la situation de victime de la jeune; plus elle a été victime d'abus physiques et/ou sexuels, plus il lui sera difficile de se défaire de cet état de victime.

Nous aimerions mentionner le manque de ressources (hébergement, travail, etc.) auquel nous devons faire face et également le peu de concertation qui existe entre les différents intervenants (policiers, école, intervenants communautaires, éducateurs, travailleurs sociaux). Un travail doit être entrepris afin de développer une intervention concertée et cohérente entre les différents intervenants. Nous croyons important d'en tenir compte et de le mentionner.

Nous voudrions également souligner l'importance d'allouer des fonds à la recherche sur la prostitution des filles, entre autre pour mieux connaître la situation des filles et pour développer des interventions adéquates.

Certaines recherches devraient mettre entre autre l'accent sur la prévention.

Nous ne pouvons conclure toutefois sans mentionner que le phénomène de la prostitution ne pourra être enrayé sans qu'aient lieu des changements fondamentaux dans les structures, tant sociale, économique que politique de notre société.

RÉFÉRENCES:

1. Conscientes que le terme "Prostituée" fait souvent référence à un état qui marginalise les jeunes toute leur vie durant, nous l'utiliserons tout de même mais dans le seul but d'alléger ce texte.

2. "Selon une enquête du Ministère de la Justice, cinq mille adolescents se prostituent à Montréal", **Le Devoir**, (10 juillet 1981).

3. "The Gazette", (13 février 1984), dans Carrier, M., **La danse macabre violence et pornographie**, Apostrophe 3, 1984, p. 19.

4. Ce renseignement nous a été donné par un policier de la Sûreté du Québec et ce, suite à une étude réalisée par ce corps policier sur les danseuses nues mineures.

5. Carrier, M., **op. cit.**, p. 8.

6. Pour une analyse plus détaillée de la division sexuelle du travail, voir l'ouvrage de Francine Descarries-Bélanger, **L'école rose... et les cols roses**, Montréal, Éditions Coopératives Albert Saint-Martin, 1980.

7. James, J., "The Prostitute as Victim" dans Chapman, J.R. **The Victimization of Women**, Beverly Hills, 1978, p. 185.

8. Kinsey, A. "Sexual Behavior in the Human Male" dans Labelle, J.S., **La prostitution des jeunes**, Montréal, Les Éditions Convergence, 1984, p. 56-57.

9. Voir plus particulièrement à ce sujet Comité sur les infractions sexuelles à l'égard des enfants et des jeunes, **Infractions sexuelles à l'égard des enfants**, Ottawa, Édition du Gouvernement du Canada, Vol. 2, 1984, Silbert, M. et A.M. Pines, "Victimization of Street Prostitutes", Victimology inc., 1983.

10. Silbert, M. et A.M. Pines, **op. cit.**, p. 125.

11. Comité sur les infractions sexuelles à l'égard des enfants et des jeunes, **op. cit.**, p. 125.

12. Silbert, M. et A.M. Pines, **op. cit.**, p. 125.

13. Pour plus d'informations sur ce sujet, voir plus particulièrement le rapport du Comité sur les infractions sexuelles à l'égard des enfants et des jeunes et l'article de James, tous deux cités précédemment. De plus, nous suggérons la lecture de Barry K., **L'esclavage sexuel de la femme**, Paris, Stock, 1982, qui décrit bien les différents moyens utilisés par les souteneurs pour amener les femmes à se prostituer.

14. Comité sur les infractions sexuelles à l'égard des enfants et des jeunes, **op. cit.**, p. 1150-1153.

15. Silbert, M. et A.M. Pines, **op. cit.**, p. 176-183.

16. James, J., **op. cit.**, p. 176-183.

17. Groupe de recherche intervention auprès des mineur(e)s (GRIMP). **Des mineur(e)s, des prostitutions**, Montréal, C.S.S.M.M., 1982, Comité sur le s infractions sexuelles à l'égard des enfants et des jeunes, **op. cit.**, p. 1113-1117.

18. Vaillancourt, Marc, **"La prostitution chez les adolescents"**, Lac St-Jean, **Hebdo**, (3 juin 1981).

19. Texier, C. et Vézina, M.-O., **Profession: prostituée, Rapport sur la prostitution au Québec**, Montréal, Libre Expression, 1978, p. 35.

20. Silbert, M. et A.M. Pines, **op. cit.**, p. 125-126.

21. Comité sur les infractions sexuelles à l'égard des enfants et des jeunes. **op. cit.**, p. 1067-1070.

22. Choisy (1961) et Carns (1973) dans James, J., **op. cit.**, p. 194-195.

23. Tremblay, D. et V. Van Schendel, "Le chômage des jeunes au Québec: un Petit Tour d'horizon", **Revue internationale d'Action communautaire**, 8/48 (Automne 82), p. 33.

24. Comité sur les infractions sexuelles à l'égard des enfants et des jeunes, **op. cit.**, p. 1065.

25. Silbert, M. et Pines, A.M., "Sexual Abuse as an Antecedent to Prostitution", **Child Abuse and Neglect**, 1981, **5**, p. 407-411.

26. Comité sur les infractions sexuelles à l'égard des enfants et des jeunes, **op. cit.**, p. 1071-1074.

27. La grande majorité des auteurs cités prédécement traitent des motivations d'ordre financier.

28. Lajoie, Jean. **Guide d'intervention en matière de prostitution des mineurs (les filles et les garçons)**. Document de travail à ne pas diffuser, Montréal, CSSMM, p. 11-12.

29. Comité sur les infractions sexuelles à l'égard des enfants et des jeunes, **op. cit.**, p. 1111-1112.

30. Alarie, F., Rapport de recherche La Prostitution des mineurs-es au C.S.S.M.M. (Centre des Services Sociaux du Montréal Métropolitain), Université de Montréal, École de Service Social, Avril 1984, p. 49-51.

31. Robert, Jean, "Santé et Prostitution" dans Labelle, J.S., M. Dorais et AL. **La prostitution des jeunes, op. cit.**, p. 65-73.

32. Comité sur les infractions sexuelles à l'égard des enfants et des jeunes, **op. cit.**, p. 1112-1115.

33. **Ibid**, p. 1059.

34. Groupe de recherche intervention auprès des mineur(e)s (GRIMP), **op. cit.**, p. 47.

35. Silbert, M. et Pines, A.M., **op. cit.**, p. 130-131.

36. Lajoie, J., **op. cit.**, p. 6-7.

Summary

Prostitution of Girls
First, the authors present what they feel are essential elements to analyze when examining girls' prostitution: male/female and adult/child domination. Second, they are interested in finding out how girls themselves experience this domination. Why do they prostitute themselves? How do they enter such a milieu? Third, from a psyco-social standpoint, they try to see how these girls can be helped. They look at a variety of aspects: objectives of such interventions, prerequisites, searching out young prostitutes, contact with them, resources, etc. They conclude by an appeal for more research on the subject and a more collaborative approach (police, schools, social services) to reach and bring help to these girls.

Les maladies transmises sexuellement

par Marc Steben

L'épidémie catastrophique

L'auteur, médecin, jette un cri d'alarme et appelle tout le monde à une action immédiate: statistiques à l'appui, il semble que le fléau multiforme des maladies transmises sexuellement (MTS) a pris ces dernières années des proportions catastrophiques. Ce sont les jeunes, les filles surtout, qui sont le plus touchés par cette effarante progression de maladies rattachées de diverses manières aux relations sexuelles. Ces maladies sont coûteuses. Elles sont surtout destructrices des forces vives de la jeunesse. L'une des conséquences les plus redoutables de la progression actuelle des MTS est la menace de stérilité pour un grand nombre de jeunes femmes. Cette génération, conclut l'auteur, doit briser le mur du silence, de la honte et de l'inertie. C'est maintenant qu'il faut informer la population des dangers que représentent les maladies transmises sexuellement; c'est maintenant aussi qu'il faut entreprendre la campagne d'éducation qui s'impose en priorité.

Les jeunes constituent une proportion importante et sans cesse croissante de la population mondiale. La majorité d'entre eux ne jouissent pas d'un accès adéquat à l'éducation et aux soins de santé. Le comportement sexuel des jeunes, la planification de la fertilité et les maladies transmissibles sexuellement (MTS) ont et auront des répercussions importantes sur la vie des jeunes ainsi que sur celle de leur famille actuelle et future, sur le développement de leur communauté et de leur pays, et sur l'environnement global. Les MTS sont seulement un des problèmes reliés à l'adolescence, qui est essentiellement une période de croissance complexe aux plans biologique, psychologique et social. Cette croissance s'effectue dans un contexte socio-culturel et économique particulier à chaque adolescent.

La situation actuelle

L'analyse de la situation actuelle est très difficile à cause de certains problèmes méthodologiques. Prenons les statistiques américaines de la population générale pour une vue d'ensemble.

ANNUELLEMENT

- 7,0 millions/herpès nouveaux et récidivants
- 3,0 millions/chlamydia
- 3,0 millions/trichomonas
- 2,0 millions/gonorrhée
- 0,5 million/condylomes
- 1,0 million/syphilis
- 1,0 million/salpingite
- 0,3 million/enfants atteints
- 0,2 million/femmes infertiles
- 2,5 milliards $ annuellement

Les MTS sont particulièrement importantes chez les adolescents. De fait les MTS sont les maladies contagieuses les plus destructrices et les plus coûteuses chez les jeunes: un quart des étudiants nord-américains auront eu une MTS avant leur diplôme universitaire.

Aux U.S.A., la plus forte augmentation de la gonorrhée a été chez les quinze à dix-neuf ans, cinq cent cinquante-trois pour cent entre 1970 et 1979. L'augmentation fantastique des taux d'incidence standardisés selon l'activité sexuelle s'est manifestée chez ces jeunes de quinze à dix-neuf ans de façon identique pour les infections simples et compliquées.

Le chlamydia est actuellement la MTS la plus fréquente: cinq à vingt pour cent des filles sexuellement actives dans les grandes villes nord-américaines sont atteintes. C'est aussi la plus grande cause de salpingite et d'infertilité. Il y a eu peu de réactions du système de santé. Le diagnostic précis est rare et le dépistage inexistant. Au Québec vingt pour cent d'augmentation de la gonorrhée en 1984.

Les perspectives de fertilité des filles nées entre 1970-1979 sont désastreuses: plus de dix pour cent des filles seront infertiles. Les conséquences de ces maladies sur la reproduction que je pourrais qualifier de très conservatrices: en Amérique du Nord, dix fois plus de bébés décèdent annuellement des conséquences des MTS que de tous les cas de SIDA jamais rapportés au Canada. Quand on pense aux maladies des nouveau-nés, aux pneumonies, à l'herpès, à la syphilis, aux grossesses extra-utérines, aux infections intra-utérines, on s'aperçoit que c'est un problème très important. Et pourtant, on n'est plus capable, à Montréal, d'ouvrir un journal sans trouver un article sur le SIDA. Par contre, pour les complications des MTS chez les femmes, on tait habituellement le sujet. Même si les MTS sont les mêmes chez les plus jeunes, on s'aperçoit que 1) les jeunes sont habituellement plus sujets aux complications et 2) qu'en raison de l'organisation de notre système de santé à la non-consultation rapide: les jeunes ont peur du système de santé, les jeunes ont tendance à ne pas consulter rapidement. Les jeunes ont peur du système de santé, qui représente une forme d'autorité, et les jeunes ont peur d'être jugés. Ce qui est triste à cet âge aussi, c'est que l'infertilité précède l'âge de la reproduction volontaire et planifiée. La fertilité est encore une très grande valeur chez la fille et la femme; par contre, les statistiques nous disent qu'un couple sur huit, en Amérique du Nord, aura des problèmes de reproduction et cela, uniquement à cause du facteur tubaire, suite aux infections pelviennes causées par les MTS.

Si on prend l'événement le plus tragique: la salpingite, vingt à cinquante pour cent de tous ces épisodes infectieux seront récurrents, même s'ils sont bien traités; ving-cinq pour cent des femmes auront eu une salpingite dans leur vie, ne pourront pas avoir des relations sexuelles sans éprouver de douleurs, et dix pour cent de ces femmes auront des grossesses extra-utérines, mettant leur vie en danger. L'estimation des coûts directs et indirects des MTS, si on prend les statistiques américaines, s'élève à cent dollars américains par habitant annuellement. C'est un problème de santé publique qui a des implications au niveau monétaire, qui sont très importants. Actuellement, on engage toutes les ressources du côté curatif et presque rien du côté préventif.

Pourquoi cette épidémie? On peut ramener les causes de l'épidémie à trois facteurs très importants: les changements biologiques, les changements socio-culturels et la révolution technologique au niveau de la contraception. Je ne m'attarderai pas longtemps sur les changements biologiques: à cause de l'amélioration de la vie chez les adolescentes, la ménarche, c'est-à-dire, l'âge de la première menstruation, est de plus en plus tôt en Amérique du Nord et en Europe. Par conséquent une fille a des caractéristiques sexuelles se prêtant à des relations beaucoup plus tôt qu'au début du vingtième siècle. De plus, ici encore un phénomène biologique et social: étant donné que la ménarche se présente beaucoup plus tôt chez les jeunes filles, on allonge la période entre la ménarche, la première menstruation, et l'âge de la reproduction, surtout à cause des études et du début de carrière. Donc, au point de vue biologique et social, cela veut dire une augmentation de la période instable avant que les gens se fixent sur un partenaire sexuel unique. Les changements socio-culturels: il est facile de voir ici les pressions sociales exercées sur les adolescentes. Celles-ci sont présentées comme des corps désirables, et la plus grande partie de la publicité sexualisée se fait avec des corps d'adolescents.

Aux États-Unis, dans les années soixante-dix, cinquante pour cent des jeunes de quinze à dix neuf ans ont eu au moins une relation sexuelle.

On peut parler du modèle de comportement sexuel des jeunes qui les met en situation de risque de MTS: alors qu'auparavant les gens rencontraient ou étaient destinés à rencontrer une seule personne, et habituellement par le mariage, en Amérique du Nord, maintenant, les relations prémaritales sont chose très courante. On voit se préciser deux types de comportement: celui que les Américains appellent "Sexual adventurer"; les personnes qui fréquentent les bars, les restaurants et qui suivent la mode, qui ont habituellement beaucoup de contacts anonymes, et qui n'ont pas de partenaire sexuel stable; et le deuxième type de comportement qu'on peut appeler la monogamie sériée; les gens vont avoir un partenaire à la fois mais vont avoir plusieurs partenaires consécutifs avant de fixer leur choix sur un partenaire unique. Je vous ai dit que les relations prémaritales sont beaucoup plus acceptées. On a une MTS., on demande de retrouver les contacts, et je ne sais même pas le nom ni le prénom; donc, une autre raison de l'augmentation de la transmission des MTS.

On ne peut oublier l'apport très important de la révolution contraceptive à l'épidémie des MTS. Les relations qui courent le plus grand risque de transmettre les MTS, sont les mêmes que pour les grossesses illégitimes. Habituellement, une relation non-planifiée, un contact anonyme et aussi un contact occasionnel, on ne reverra pas le partenaire. La venue de la pilule contraceptive et l'avortement ont enlevé une barrière très importante aux relations sexuelles prémaritales, à celles de la grossesse illégitime et du mariage forcé.

Si on regarde le comportement contraceptif des jeunes, les quinze à dix-neuf ans, aux États-Unis, seulement un tiers n'utilisaient pas de méthodes de contraception lors de leurs relations en 1976. Un quart de ces adolescentes qui étaient sexuellement actives entre quinze et dix-neuf ans en 1979, n'avaient aucune méthode de contraception, donc, double risque: grossesse illégitime et MTS.

Je veux faire ressortir les effets de la contraception sur la grossesse, les MTS et leurs complications. En premier lieu, pour les grossesses non-désirées, on s'aperçoit que les anovulants, les stérilets, les préservatifs, préservatifs et mousse ainsi que les méthodes naturelles sont très efficaces pour empêcher la grossesse. On s'aperçoit que toutes les méthodes: anovulants, stérilet, avortement thérapeutique ou méthodes naturelles, n'ont aucune influence sur le risque de transmission et d'acquisition des MTS. Par contre, la combinaison des préservatifs, ou préservatifs et mousse, réduisent de façon très importante, le risque de transmission des MTS. Si on pense aux complications des MTS, c'est encore plus intéressant: les anovulants favorisent un peu les complications, les stérilets favorisent beaucoup les complications, surtout les grossesses extra-utérines, ou les salpingites; le préservatif réduit de façon importante les risques de complications, préservatif et mousse la même chose, l'avortement thérapeutique induisant beaucoup de complications, et les méthodes naturelles pas plus de complications que chez les gens qui n'ont pas de méthodes. Donc, c'est très important de relier la prévention des MTS avec la prévention de la grossesse illégitime. Je vais m'attarder un petit peu sur le préservatif qui est probablement la méthode privilégiée pour réduire le risque chez les adolescents: pourquoi on devrait l'utiliser plus? C'est une méthode qui est très simple, c'est une méthode qui est très efficace lorsqu'utilisée de façon adéquate, c'est une méthode contraceptive qui est réversible, c'est facile d'accès, on peut les avoir rapidement dans les pharmacies, sans prescription, et c'est une méthode d'efficacité immédiate, si c'est bien utilisé. Le gros problème avec le préservatif, c'est que c'est vu par les adolescents comme une "méthode d'hommes", et les femmes ne veulent pas acheter de préservatifs; on travaille beaucoup à abattre le tabou de la «méthode d'hommes", étant donné que les complications des MTS apparaissent habituellement chez la femme. On essaie d'encourager, sinon de pousser l'utilisation des préservatifs par l'entremise des femmes. Si la femme ne l'a pas, l'homme ne l'aura pas. Les femmes sont faciles à motiver pour utiliser le préservatif, mais ne persistent pas dans l'usage de cette méthode. Le grand avantage de l'adoption du préservatif pour la prophylaxie des MTS: la femme peut toujours avoir l'excuse que c'est une méthode de contraception, et non pour empêcher les MTS.

Ici, on a les exemples de publicité faite en faveur du préservatif. C'est dans un diaporama destiné aux adolescents de quinze à dix-sept ans, fait par les départements de santé communautaire à Montréal, qui illustre bien le concept de la protection par le préservatif. Le marketing du préservatif a connu un essor très important sur la côte ouest des États-Unis, et on est rendu à avoir un "National Condom Week". On n'est pas loin de ça actuellement à Montréal.

On peut parler d'éducation contre les MTS à six niveaux différents:

1. l'éducation des adolescents en matière de prévention des MTS est relativement facile, les adolescents représentant une population-cible très facile à cerner, ils sont captifs dans leur classe habituellement. Je pense que la majorité des écoles actuellement au Québec, ont intégré le concept d'éducation en matière de prévention des MTS dans leur curriculum. Par contre, on oublie souvent d'adopter le discours des adolescents ou de faire face aux valeurs des adolescents. On va parler de prévention de MTS dans un contexte d'adultes et non pas un contexte d'adolescents.

2. on oublie souvent l'éducation des parents. Si les parents informés parlent de MTS, de contraception, de sexualité à la maison, les jeunes vont être prêts à adopter un comportement préventif.

3. le patient: je pense que c'est assez facile de comprendre qu'une fois atteint, on est beaucoup plus réceptif à l'information, on ne veut pas être atteint une deuxième fois.

4. le public: très important pour empêcher la transmission des mythes et des tabous, briser la honte, l'ignorance; on doit porter le discours au niveau du public.

5. les structures de pouvoir (Power Structure): principalement, le gouvernement doit donner de l'argent et établir des priorités.

6. les médecins: c'est très important de les éduquer, étant donné que les connaissances sont vraiment très nouvelles au point de vue des MTS. Pour les médecins qui sont sortis de la Faculté de Médecine il y a plus de cinq ans, nous pouvons considérer que quatre-vingt-dix pour cent de leurs connaissances au point de vue des MTS sont déjà périmées.

Les femmes doivent aussi poser des questions pour remettre en question le diagnostic si elles ne sont pas satisfaites des réponses données par le médecin. Donc, le patient, jusqu'à un certain point, peut faire l'éducation de soins professionnels, et on y tient beaucoup. C'est pour ça qu'à Montréal, on est en train de former un genre de groupe d'entraide pour les femmes atteintes de salpingite chronique, pour essayer d'assurer un service adéquat à ces femmes aux prises avec un problème de santé chronique.

Pour revenir au gouvernement, je pense que c'est quelque chose de très important: le gouvernement, actuellement, fixe les priorités de la santé, et il semble que c'est beaucoup plus important actuellement de faire des transplantations cardiaques que de sauver la fertilité de la population, même si on vit une période de politique nataliste au Québec, on a pu voir la publicité faite par les départements de santé communautaire et SOCIÉTAL: publicité directe, qui ne cachait pas les mots, et qui se voulait très interrogative sur le comportement des gens.

Conclusion
En terminant, je pense qu'on peut se dire qu'il n'y aura pas de solutions magiques; le problème des MTS chez les adolescents est encore plus complexe à cause des particularités de la période de l'adolescence.

J'espère vous avoir convaincus que les MTS représentent non seulement un problème de santé, mais aussi un problème politique et social. Il est grand temps de mener une lutte sans merci contre cette épidémie catastrophique qui a prospéré grâce à des siècles d'ignorance, de honte et de silence. A un moment donné, dans le futur, une génération enlèvera l'éducation du grand public. La mission qui est offerte ici aujourd'hui, c'est de commencer la lutte dès maintenant, afin que les jeunes qui naîtront d'ici l'an deux mille, soient la première génération de la lutte aux MTS: ça fait longtemps qu'on aurait dû y voir.

Un jour une génération brisera le silence, la honte, l'inertie. Si vous gardez seulement ces quelques mots de cette présentation, je pense que vous aurez compris ce que je voulais dire.

Summary

Sexually transmitted diseases Epidemic of catastrophic proportion
The author, a doctor, sends a strong warning and asks everybody to take action immediately: stating statistics, it seems that the multiform flail of sexual diseases took epidemic proportions in the past few years.

Young people, girls especially, are affected by these sexual diseases transmitted by sexual relations. These diseases are costly, affecting the productivity of youth. One of the most dangerous aspect of these diseases is the lost of fertility of young women. This generation, concludes the author, ought to break the wall of silence, shame and inertia.

The population have to be informed now of the dangers of sexual diseases sexually transmitted and we must start a compaign of education without delay.

On the Psychosocial Situation of Women

by Margaret Mitscherlich-Nielsen

The roles accorded to women by our society - as by all societies - represent patterns of behavior designed to further the adaptation to existing structures of power. The struggle for a change of this "role of woman" - implicitly dictated by a male society -, which for the more thoughtful among women has lost its persuasive power long ago, is now going on for more than a century. As early as 1789, the French revolutionary Olympe de Gouges fought for the abolishment of all male privileges. She demanded that the Declaration of Human Rights be complemented by a Declaration of Women's Rights. How dangerous her struggle was became evident a few years later: In 1773 she ended on the scaffold.

It is well known that the roles of women changed drastically during the two World Wars. Women were left alone with the education of the children, they had to take over a great deal of the work of the men who were either soldiers or prisoners of war. They developed capabilities of which they had known nothing until then. Therefore, the women of the twenties differed widely from the women before the First World War.

In connection with the seizure of power by the Nazis, there occurred in the thirties a regression to former behavior patterns; reactionary images of woman were revived, which surpassed everything so far in existence in the way of male sentimentalization of the role of woman, as well as male contempt for women. Women were banished from political and public activities, they had to bear children for the Leader and the Nation. They had to restrict themselves to the care for the family and yield to the directives and the "female ideals" of the Nazi regime. According to Hitler, the presence of a woman violated the dignity of the Reichstag. The sado-masochistic structure of the national-socialist era dominated more blatantly than ever the relations of the sexes as well.

As in the First World War, "woman" in the Second World War had again to hold her own «like a man» (in German: sie mute «ihren Mann stehen"). All of this is well known. After the return of the German men from war and captivity, the women were - in many ways after the example of the thirties - pushed back into role patterns outdated long ago. Without meeting with much opposition from them, the men, beginning to recover from the total defeat, succeeded in making economy and politics their domain again, according to the old capitalist and patriarchal ideals, and in keeping women out of these newly organized "men's leagues".

With the sudden drop of birthrates caused by the pill at the beginning of the sixties, the situation of young women changed once more. As far as the consequences of sexuality - the possibility of pregnancy - were concerned, they were now more independent from man than ever before. Sexuality in Western culture became more or less a matter of course, also before marriage. Young couples lived together without being married.

Before the "pill" came into existence, such conduct might have resulted in criminal action, or the young women were isolated socially. Presently, it is up to the women themselves, whether they want to marry or to live with a man without a marriage licence. However, one cannot fail to see that family relationships outside the civilian code do restrict the professional and political chances even more than it is the case for women anyhow.

Nevertheless, the situation has changed. It does not happen infrequently that young girls between fourteen and seventeen years let their parents know today that they want to take the pill, which means they tell them directly or indirectly that they have entered a sexual relationship or plan to do so. The responsibility for themselves, for their social and private lives, which in former times was connected with such a step, is more or less suspended. This has also led to regressions. Not infrequently we observe now in the young girl a prolonged dependency upon her parents. She remains in her parents' home because this offers security and protection, without demanding sexual restrictions of her. If it still comes to marriage, this is due to an as yet existing adaptation to parental and social role images. It takes moral courage and a strong striving for independence not to yield to these more comfortable opportunities offered to many women by their societies. The new "motherliness", also frequently proclaimed today by the feminist movement, the tendency towards magic and mysticism, astrology, etc., the exaggerated striving of some women for harmony and the avoidance of conflict are to be understood as a regression to dependencies upon former role patterns, apparently not to be overcome so easily.

"Man", according to Simone de Beauvoir, "thinks himself without woman, woman does not think herself without man." She adds that the proletarians, the black people, the Jews can say "we", women almost never. Women are still attached much stronger to the men with whom they live than to other women. Men, however, are in most cases stronger attached to their work than to their family; they get caught up in rivalries with their equals; the judgment of men is more important to them than that of women, etc. There are scarcely any illusions on the part of both sexes that women are of secondary importance to men.

Everybody knows that equal rights for both sexes, as provided by law, more or less exist on paper only. As to professional work and training, women are still highly disadvantaged. Sex-specific education, role assignments, the ideas of what is to be regarded as "masculine" or "feminine" have but slightly changed despite two World Wars and the "pill".

The psychological division of labor - emotions for woman, ratio or rationalization for man - has remained the same to this day. The girl is permitted to a much higher degree to be aware of her feelings and also to express them than the boy. Beauvoir says: "Many young girls regard the future as an end less ascent to who knows what summits, and are then confronted with the narrowness and gloom of housework..." or : "There are few tasks more similar to the agony of Sisyphus than the work of the housewife. Day after day the dishes have to be done, dust must be removed, clothing mended. But tomorrow already the dishes will be used again, the furniture will be dusty, the clothes torn. Constantly marking time, the housewife wears herself out... Thus one checks death, it is true, but does not get to living..." This description still shows much of the everyday reality of women, even though technology may have eased this or that in the household. As ever, woman has to bear the brunt with regard to housework and the upbringing of children, and as everybody knows, the double burden of the working woman is the same in both the East and West. And yet the times have long gone by, during which the work was closely connected with home and family. Marriage and family in the traditional sense have had their day, and the role of the housewife has therefore become increasingly thankless. The work of the husband is no longer linked up with his home and his family.

The world of constancy, of continuity, which the mother wants to maintain, does in no way correspond to the trend of our waste-oriented society. The young woman of today senses this in many ways outdated and narrows the situation of her mother as a housewife and therefore refuses to identify with her. On the other hand, she submits to the societal dictate of values telling her what has to be regarded as feminine. As soon as she experiences herself simply as a human being and behaves accordingly, it is said that she is imitating man, that she is rejecting her femininity through phallic behavior. Often she is intimidated enough to let herself get impressed by such slogans of men. In the eyes of Simone de Beauvoir woman is a human being looking for values in a world of "values". Actually, "values" have at all times contributed in grand style to man's cheating himself. Freud, who never stopped asking about the origins of established values and thus made psychoanalysis an immanently political science, knew this too.

If the own society, within which identification takes place, propagates ideals differing too much and devaluating each other, or if its attitude toward the own values is contradictory, then it is natural that confusion or rage are stirred up in young people. Women who have learned to think critically, do not feel responsible any more for values created by men. "Men make the gods, women adore them" (Frazer) - this statement seems to have lost some of its validity. The values to which public life, politics and economy are oriented, are masculine virtues and vices, of which women partake but little and are therefore rejected by the thoughtful among them.

But with the uncheckable disintegration of the family, former domestic virtues appear increasingly useless and obsolete too. Thus, the woman in the family has also lost much of her "morals" and her set of values. Yet many women profit from today's crisis of the "world of values", since it allows them to shake off the chains of the roles forced upon them.

In our present society, in which the isolated nuclear family plays a central part, in which the mother is made to feel guilty if she is working and entrusts her child temporarily to the care of other women or a day-nursery, in which the father is not participating in the early rearing of the children, it is difficult for the daughter to renounce the dependency upon mother, which was originally reinforced because of the daughter's fear of her own aggressions and age-specific wishes for separation. The often deplored lack of independence shown by the girl up into adulthood, and the feelings of hate of the daughter against mother appear then as an almost automatic consequence.

Furthermore, it is expected of the daughter to identify with mother and her behaviors while the son is encouraged early to renounce the dependency upon mother and to become "masculine". His "autonomy" is then often established by way of defense against emotions, which means the exclusion of wide reaches of the mind (soul), preventing him from building up deep interpersonal relations.

For it is exactly the step-by-step internalization of motherly functions and behaviors which may contribute to the development of an autonomy and individuation not based upon defense, but enabling the child to get along with himself, with the emotions harassing him, with fear, hate, sexuality, etc., in a more "motherly" way, that is to say, with more understanding and better means of verbalization.

The right of the small child to cling to his love object in the various phases of his development should be taken as seriously as the right of the older child and the adolescent to become independent and to separate from mother and family. Furthermore, there is too little regard to the fact that the child is entitled to a certain degree of autoerotic gratification. For it may but must not be true to reality that mothers reject the sexuality of their daughters, as these are often complaining. Frequently, daughters indulge in fantasies about such maternal prohibitions in order to find a reason for their hate and envy of mother, while fending off their own anxiety regarding sexuality by which they might be overwhelmed and led into unsolvable conflict.

The psychoanalyst often loses sight of the area of tension between society and individual. One cannot fail to see, however, to what extent fantasies of the individual are apt to form and deform the reality of a whole nation, on the one hand - remember Hitler and the twelve years of a paranoia society under his rule -, while on the other hand, instinctual urges are directed and suppressed by the ideas of society about the "world of values", and repetition compulsions in man's innermost soul reflect the repetition compulsions of a given society and then react to it with added force.

As mentioned before, conscious and unconscious methods of the sex-specific "division of labor" are still in existence.

From time immemorial, the interplay between masculine aggressiveness and destructiveness and the feminine inclination to surrender and sacrifice has contributed to the maintenance of a paranoiac scapegoat mentality which, in the face of the atomic bomb, makes possible the extermination of all mankind.

The emancipation from the prevailing sex-specific sado-masochistic role patterns, suggested to woman by the pill, cannot be carried through as long as women orient themselves by the existing world of values made by men.

Yet all over the world women begin to change. I want to show this by referring to the situation in Germany. At the end of the sixties many young women identified - here like in many other parts of the Western world - during the student revolt with their male fellow-students, for whom obedience and political streamlining no longer represented the guiding principle of conduct. They assumed the anti-authoritarian attitude of the young men. At the same time, they became increasingly aware that in the student movement, too, a dual set of sex morals prevailed. Men were allowed and expected to be autonomous and independent with regard to their work and sexuality, while of women there was expected, as always, support and subordination. Identified, as they were, with the anti-authoritarian views of their male fellow-students, the young women of course applied their newly-gained insights to these young men, too. To a greater extent they rejected the roles assigned to them, the roles they knew but too well. Strong feelings of liberation, new intellectual and behavioral possibilities emerged on the horizon of the young women, and they were not prepared to renounce them again. After the student movement had more or less gone to pieces and the men of this generation had again adapted themselves to the prevailing social structures, the women's movement could, despite its problems and controversies, continue to exist as a socially significant process. Many women began to experience themselves as autonomous, independent persons and were no longer willing to look at themselves with the eyes of man and to take over the role of the servant.

It is obvious that the struggle of woman for independence is fraught with new problems and difficulties. Not infrequently, former interpersonal relations must be relinquished or at least basically changed. This causes feelings of guilt from which especially women suffer so often - guilt feelings men love to exploit. For whom it is very difficult to overcome the deep fear of destroying the love of people closest to us because of wishes for separation and independence.

In order to investigate the psychic restrictions, from which even psychological theories cannot free women, I should like to discuss some of Freud's theories regarding the psycho-sexual development of woman.

In Freud's view, as is well-known, the penis envy of the little girl is the pre-requisite for her to develop from a little man to a little woman. When the little girl discovers that she has no penis of her own, then she demands - according to Freud - the penis of the father or, as a substitute, a child from him. The mother is hated, on the one hand, because she has born the daughter without a penis and, on the other hand, because she is a rival in the struggle for the penis of the father. Penis envy and hate of mother initiate - again according to Freud - the development toward femininity. That is to say, the discovery of the little girl that she is missing something important, which she urgently wants to get, and the fact that she is furious with mother who has denied her the penis and, as a rival, is the winner of the struggle for the father, is the reason why she is turning away from mother and turning to father. From him she wants a child, thus replacing the desire for the penis by the desire for a child.

According to this theory, it is not sexuality but envy and hate which determine the origin of the vicissitudes of woman's instinctual drives. However, envy of the father and hate and envy of the mother must be repressed, since the little girl is completely dependent upon the parents, especially upon the mother who, particularly in our society, is still the only one to rear the children and care for them. Therefore, the little girl begins to direct her aggressions against the mother toward her own ego. She becomes a masochist enjoying suffering and surrender and thus avoiding feelings of guilt and separation anxiety.

From this point of view, then, sexuality plays but a small part for woman; she can enjoy intercourse only by means of masochism, says the psychoanalyst Helene Deutsch.

As a matter of fact, this theory leaves only two chances to woman: she must either largely reject her own genitality, her femininity, and become masochistic in order to fend off envy and hate, or she must develop a masculinity complex, which means that she unconsciously holds on to the possesion of a penis and tries to find sexual satisfaction by way of clitoridal masturbation. If we look more closely at these ideas about the psycho-sexual development of woman, we must not only get to the conclusion that the vicissitudes of her instinctual drives are determined by penis envy, but that since she is even more under the sway of the sexual instinct than man, if she wants above all - according to Freud - the penis, that is to say, sexuality. When Freud, at the end of his life, posed the surprising question: "What does woman want?", he repressed and disavowed his own findings. After all, it had been he himself who stated that woman wants the penis of the father, which means that she wants the man as a sexual being. He qualified the instinctual drives of woman - maybe in order to protect himself from horrifying insights by stating: She wants the penis, that is to say, the sexuality of man so that she may get a child from him. Thus, the danger which may emanate from a woman no less maybe even more strongly-dominated by the instinctual drive and its tremendous power, is eliminated. One can satisfy her by making her a child and thus renders it impossible, or at least more difficult, for her to break away from existing role patterns.

Since we have the pill, woman is in a better position to determine her own destiny. Whether she will be able to take this chance depends, as I have mentioned before, upon the question to what extent she can free herself from the respective social dependencies and traditions to which she had to yield for many centuries. The fear of the strength of woman's drives, of the possibility that she may handle her sexuality autonomously, seems to alarm men all over the world to the highest degree. Therefore, even Freud has abandoned his own theory that sexuality and its vicissitudes are the driving power in the life of man, as soon as the psychosexual development of woman was at stake, or he has validated this theory for the male only.

Since the days of Freud, for whom the Oedipus complex was still in the center of psychoanalytic theory, the ideas concerning infantile development have changed. The early "pre-oedipal" stages have increasingly become the focus of interest of psychoanalytic research. While before the father-son- relation had been regarded as especially fateful - the father-daughter-relation (for fear of its sexual contents?) was given less attention, now the mother was considered far more important for the development of the child than the father.

For example, M. Torok (1964) regards penis envy as a warding-off of the primordial hate for mother, by whom the little girl feels dominated anally or restricted in her sexual wishes. Consciously or unconsciously, the girl is convinced that mother does not allow her to enjoy her own sexuality. Her hate and envy of mother - and here the various ideas concerning female development converge - cause her fear and guilt feelings. Although, on the one hand, identified with mother - who is experienced as domineering and is the possessor of father's penis - and with her power, the girl remains fixated to a sado-masochistic phase of development, of which to grow out she rarely succeeds because her aggression has been turned inside.

Are these psychoanalytic theories of femininity correct? Do they not basically represent wishes of men designed to keep woman in her old role, which she herself misinterprets? Shall her own wishes and needs remain distorted? A sexually independent woman would be a person completely different from what so far has been considered as "feminine", and it would not be so easy any more to restrain her in the social sphere. Who as a woman is resolved not to suppress her sexual wishes, to decide independently, to take over responsibility for herself, to fight for another type of behavior for herself and others, who tries to overcome the fear of aggressions necessary in this fight, must also renounce her attitude of innocence and reproach. If a woman dares to handle her sexuality and thus her aggressions more freely, she is no longer - as many instances show - the helpless victim of her conscious or unconscious guilt feelings. And thus the unfortunate sado-masochistic stage of development will be overcome. Destruction of the outer world and destruction of the inner world had been the fatal consequence of the sado-masochistic relationship of the sexes. If man and woman become conscious of the fact that their sexuality has been perverted to the pleasure to dominate the other and the pleasure to be dominated by the other, and if they could thus expose as a deadly bad habit what so far has been characterized as masculine and feminine "virtues", then there is at least some hope that new solutions to social conflicts may be found. For it is this interplay, well-established since time immemorial, of male aggressiveness and destructiveness with female submissiveness and willingness to become a victim, which has contributed to the maintenance of an armament and war mentality, increasingly threatening all of us.

In this context, I want to point to the sex-specific role played by aggression for the formation of our conscience or the development of the male and female superego. According to Freud, the superego represents the internalization of the authority of the father, which is fully established only by the male because of his castration anxiety. With the internalization of paternal prohibitions man inhibits his deadly aggressions towards the father by turning them against their own ego. As long as the aggression is still directed against the father or his representative, he is afraid of retaliation. After the internalization of the paternal prohibitions, will say, after establishing the prohibiting and punishing agency - the superego - inside him, he suffers from the unconscious need to punish himself. In order to avoid self-destruction and the pressure of suffering, scapegoats are sought for and with their help the internalized aggressions are warded off, displaced to the outside again and projected upon others. This, too - to draw a wide circle -, is one of the basic reasons of the masculine armament mentality, according to which scapegoats must be destroyed so as to avoid destroying oneself.

However, man is granted many more aggressions by society anyhow well, they are even expected of him; in contrast to woman he is taught to live up to his aggressions. But against whom? Frequently, to be sure, woman is the victim of his aggressions or else those scapegoats, whose immediate revenge he must not fear.

Unconsciously, though, he is still afraid of retaliation, which finds expression in paranoiac anxieties. The world is full of enemies and often enough the women he has suppressed are among them, especially if they are independent and ready to fight.

The contents of the superego of a human being determine the kind of his psychic defense, will say, the mostly unconscious form of self-defense typical of him. If, for instance, heroism, authority, thirst for conquests, narcissistic self-glorification are demands of a man's superego, his defense against passive wishes to be cared for and to be loved will be especially active, and empathy and tolerance toward others will have but little chances. If the superego demands cleanliness, orderliness and a law-abiding attitude, then uproar, pleasure with dirt, imagination will be suppressed. How decisively such superego demands and that, which is regarded as a virtue, can change, has been demonstrated to the Germans by their recent history. What had been looked upon as supreme "virtue" during the Nazi period is now regarded by the critical contemporary as hateful behavior, even perversion. But sex-specific virtues, too, considered to be desirable masculine or feminine behaviors , are increasingly questioned by women, but also by men of our time. The superego, with its often violent subliminal aggressions which are warded off by compulsions, idealizations, and projections, and externalized, is shaped by a world of values dependent upon the "spirit of the time" with all its deformations and perversions.

A superego typical of man, which is composed of infantile and narcissistic anxieties, primitive guilt feelings, anal-sadistic impulses and their warding- off, is an irrational, rigid, corruptible agency, susceptible to automatic habits based upon instilled behaviors and cannot be equated with the development of moral capacities. Rather, the motive of the internalization of parental demands of woman - namely, her fear of loss of love - should enable her to establish a less rigid superego than man, which does not fend off emotions. She could, therefore, develop "morals" which are more affectionate, flexible, and humane than those of man - not a "weak superego", then, as it has often been named by psychoanalysis, but a superego more concerned with the maintenance and establishment of relationships to close individuals than with an abstract law-abiding attitude.

However, because of her object-relatedness and her urgent need to be loved, woman is in danger to identify uncritically with masculine laws, masculine values, behavioral standards and the pertaining prejudices and projections. The dependency of woman upon the relations to her fellow-beings and their appreciation of her makes her easily susceptible to manipulation, and therefore it is no problem to cause her guilt feelings and thus reinforce her dependency. Since men are inclined to deny or project their uninternalized guilt feelings based upon retaliation anxiety, these remain relatively unaccessible to their conscious experience. But women, too, may show a tendency to cause others guilt feelings. In the often typically feminine attitude of reproach one senses their subliminal aggressions, warded off with difficulty.

Psychoanalytic theory has concerned itself with the sex-specific development of aggression even less than with the sex-specific development of sexuality, which, as a matter of fact, are so closely related to each other. I must admit, though, that some psychoanalysts have dealt with the meaning of human aggression for our life history.

For Mahler, Loewald, Spitz, and other psychoanalysts the development of aggression from the beginning of life is closely related to the behavior of the important first objects, especially the mother, who is held largely responsible for the development of aggression. According to Parens (1979), the first sex- specific differentiation between boys and girls can be ascertained in the phallic stage of development. Therefore, he wants to replace the concept of "phallic stage" by the concept of a "first genital stage" for both sexes. During this time the typical conflict of ambivalence is much stronger in the girl than in the boy, because her aggressions, which are based on rivalry, are directed against the mother, who, after all, is the first love object of both sexes. This means that the fear to destroy or to lose a most dearly loved person because of one's aggressions may be especially overwhelming for the girl.

Not later than at the end of the second year of life the child needs other people, too, so as to establish a relationship just as important as that to his mother, so that he may be enabled to separate from her. As a rule, this relationship should be one to the father, who should participate as early as possible in the education of the children, if the child, especially the little girl, is to master the aggressions against mother and her separation wishes without becoming overwhelmed by anxiety and guilt feelings. Dependency, anger, and love as well as separation anxieties and wishes can be endured only, if it is possible to distribute them upon the relations to several persons. Therefore, the slow process of individuation may turn out well to some extent and lead to an autonomy in keeping with the child's age, if the child has to do with at least two persons close to him, and if the father treats both child and mother with empathy and without losing his own individuality in the eyes of the child.

However, we live in a society dominated by men, where little is to be felt of "fatherliness" as an emotional quality nor in terms of an exemplary manner of behavior practiced already when the child is very young. It seems that the "nuclear family", in which father, mother, and child take up their predetermined roles within the traditional framework, is disintegrating much quicker than most of us are willing to admit. It is not the father but the mother, who plays the chief part in the inner structure of the family. The children are used to coming to her with their wishes and sorrows. While this often stirs up jealousy in the father and makes him feel left out, he is at the same time inclined to find the children annoying, if they really demand his attention, and to send them back to mother. In many cases, he seems to sense how removed he is from his own self, his feelings, the experience of his body. This notion and concurrent fear that he might be forced to confess to this lack, often contribute to making him a difficult father and a difficult husband, unable to admit sharing and mutual openness. He will then act out his anger about himself and the envy of his wife on her and children.

Many years ago psychoanalytic writers like Melanie Klein (1932) and Gregory Zilboorg (1944) have already pointed to the fact that the femininity complex of men is much less cleared up and more obscure than the castration complex of woman. They consider man's envy of woman as phylogenetically older and more fundamental than woman's penis envy. According to Freud, to repeat it once more, the daughter craves for the penis of the father, however she can only enjoy sexual intercourse after she has become masochistic, which means that she experiences sexuality as suffering and can enjoy it only when she suffers. Why? In order to maintain the notion that there is no such thing as female sexuality, the fear of women experiencing sexuality as pleasure and the envy she arouses must be warded off, as I have already tried to show. If the sexual emancipation of woman would come true, then it might happen that the barriers set to her in the social as in the familial sphere by a man's world would begin to tremble.

"Circumcision is the symbolic substitute for the castration, which the primal father once inflicted upon his sons in the plenitude of his absolute power, and whoever accepted that symbol was showing by it that he was prepared to submit to the father's will, even if it imposed the most painful sacrifices on him" (Freud, 1939, Standard Edition, XXIII, p.

122). Up until now, man has accepted the laws of the "father", woman has yielded to the pressure of man's society by tolerating the curtailment of her sexuality and thus, simultaneously, the free development of all her capabilities connected with the driving power of sexuality.

After Bettelheim (1964) had investigated the puberty rites of various tribes, he came to the conclusion that in psychoanalysis the penis envy of the girl is just as overestimated as the castration anxiety of the boy, and that the boy's deeper envy of the mother is neglected. In a society where men play the leading parts, penis envy may be expressed much more freely than man's envy of woman, which is in contrast to the social hierarchy. In a society of this kind, fear and envy of woman are regarded as unmanly or perverse. Unconsciously, they reinforce masculine defense against the emancipation of woman from sexual and social compulsions. Without becoming conscious of their situation, without the readiness to face conflict and to fight, the young women of today will not succeed either in breaking up and changing the role patterns forced upon them and interfering with their development.

Sommaire

À propos de la situation psycho-sociale des femmes

L'auteurecommence par rappeler le rôle de la femme au XXe siècle. Après les deux grandes guerres, on a cherché à revenir au modèle traditionnel où une division psychologique du travail s'opérait les émotions pour la femme et la raison pour l'homme. Depuis les années 60 toutefois, beaucoup de femmes ont fait l'expérience d'elles-mêmes comme personnes autonomes et n'acceptent plus d'être réduites à un rôle subalterne défini par l'homme et à son service. Les restrictions psychiques qui nuisent à l'affranchissement des femmes s'expliquent par les théories du développement psycho-sexuel de la femme. Les hommes semblent craindre les conséquences d'une prise en charge autonome de la sexualité par la femme. Les jeunes femmes d'aujourd'hui auront donc à lutter pour se libérer des rôles rigides qu'on veut leur faire jouer et qui nuit à leur épanouissement personnel.

Les adolescentes d'aujourd'hui face aux emplois d'avenir

par Jeannine David McNeil

Depuis trois décennies les femmes ne cessent d'envahir le marché du travail. Les attitudes et les mentalités face au travail rémunéré des femmes mariées ont beaucoup évolué. La participation féminine au marché du travail n'est plus associée à la pauvreté d'un ménage ou aux besoins financiers des femmes célibataires. Les femmes désirent un emploi pour être capables de satisfaire leurs besoins à partir de leurs propres revenus. Elles recherchent leur autonomie financière. Le travail fait maintenant partie intégrante de la vie d'une majorité de femmes.

L'autonomie économique se planifie dès l'adolescence par une préparation adéquate au marché de travail. Une carrière se prépare dès l'école secondaire. Les adolescentes doivent savoir que la majorité d'entre elles, plus de quatre-vingt pour cent, à un moment donné de leur vie, ne pourront pas s'en remettre à un conjoint pour subvenir à leurs besoins financiers. Célibataires, séparées ou divorcées, veuves, femmes vivant avec un conjoint gagnant un faible revenu, elles devront assurer elles-mêmes les revenus nécessaires à leur subsistance. Le "Prince charmant" est disparu depuis fort longtemps. Les filles tardent souvent à le réaliser. Elles oublient que l'éducation est l'investissement le plus sécuritaire pour assurer leur autonomie financière.

Cependant, la garantie d'un revenu monétaire varie considérablement selon les profils professionnels et scolaires et selon le niveau d'étude. Quelles sont les orientations scolaires les plus prometteuses pour assurer aux adolescentes une véritable autonomie financière? Les étudiantes sont-elles incitées à choisir ces voies gagnantes?

Nous tenterons de répondre à ces interrogations:

- en décrivant la situation actuelle de la main-d'oeuvre féminine canadienne et les principales transformations des emplois féminins relatives à l'envahissement des technologies informatiques dans les entreprises;

- en analysant les choix scolaires et professionnels des adolescentes d'aujourd'hui.

Partie I - Conditions économiques de la main-d'oeuvre féminine canadienne

Depuis quelques années, une abondante littérature traite de la présence féminine sur le marché du travail. Certaines recherches, certains articles laissent parfois l'impression que la plupart des problèmes des femmes se règlent lorsqu'elles accèdent à un emploi rémunéré. Malheureusement il ne suffit pas d'être membre de la population active pour s'assurer d'un emploi assez rémunérateur permettant de subvenir aux besoins essentiels de la travailleuse. Ne gagner, faute de qualifications et d'expérience, que quatre dollars ou cinq dollars de l'heure, pour un travail routinier et épuisant, ne représente pas une étape décisive vers l'autonomie économique des femmes. Le travail rémunéré féminin ne signifie libération et autonomie que s'il apporte une valorisation psychologique et économique.

I.1 **Évolution de la population active féminine canadienne entre 1951 et l'an 2000**

Depuis le début des années cinquante, le marché du travail se féminise rapidement. En termes absolus, la population active féminine a plus que quadruplé en trente ans, soit de 1951 à 1981. Les femmes forment actuellement un peu plus de quarante pour cent de la population active canadienne. La croissance est telle que les chercheurs estiment qu'en l'an deux mille un travailleur sur deux sera une femme.

Cette augmentation phénoménale de la main-d'oeuvre féminine est due principalement à une présence continue des femmes mariées sur le marché du travail. Alors qu'en 1951, à peine une femme mariée sur dix travaillait, cette proportion est passée, en 1981, à une femme sur deux, et à environ deux femmes sur trois en l'an deux mille.

I.2 **Structure de l'emploi féminin**

La main-d'oeuvre féminine est fortement concentrée dans un petit nombre d'occupations et de branches d'activité qui leur semblent réservés: le travail de bureau, la vente, les services.

La diminution de l'emploi agricole, l'explosion des emplois tertiaires et la croissance modérée des emplois manufacturiers s'expliquent par les croissances inégales des divers secteurs d'activité économique depuis la fin de la Seconde guerre mondiale. Trois travailleurs sur quatre oeuvrent dans le secteur tertiaire et quarante-quatre pour cent d'entre elles travaillent dans le domaine des services socio-culturels, commerciaux et personnels. La modification de la structure professionnelle de la main-d'oeuvre féminine s'effectue fort lentement car l'attrait des femmes pour les emplois féminins et l'orientation scolaire vers les professions féminines prédominent toujours.

I.3 **Les revenus de travail**

Spontanément nous sommes portés à nous réjouir de la présence grandissante des femmes sur le marché du travail puisque cela peut signifier l'assurance de leur autonomie financière, condition nécessaire pour l'égalité des sexes dans la société. Mais il ne suffit pas d'avoir un emploi pour être autonome, les revenus de certaines travailleuses sont insuffisants pour subvenir à leurs besoins essentiels et la rémunération des Canadiennes demeure très inférieure à celle des Canadiens.

L'écart entre les salaires féminins et masculins peut être causé par plusieurs facteurs: la forte concentration de l'emploi féminin dans un nombre limité de secteurs à faible productivité et bas salaires, un taux de syndicalisation de la main-d'oeuvre féminine inférieur à celui des travailleurs, le pourcentage élevé (vingt-quatre pour cent) des travailleurs discriminatoires de certaines entreprises. De 1975 à 1982, la différence de rémunération entre les hommes et les femmes, diminue légèrement, le revenu annuel moyen des femmes en proportion de celui des hommes est passé de quarante-neuf à cinquante-six pour cent. Par contre, on constate très souvent, malgré les législations existantes sur l'égalité des chances en emploi, qu'un employé masculin est mieux rémunéré qu'un employé féminin et ce pour un même emploi. Les écarts sont fort variables selon les professions. Ce type de comparaison non contrôlé ne peut évidemment étayer la thèse d'une discrimination basée sur le sexe, ces moyennes de salaires par occupation définies par un titre étant susceptibles de regrouper des tâches extrêmement diversifiées et des travailleuses et des travailleurs ayant des caractéristiques fort dissemblables. Les différences d'âge, d'expérience, d'ancienneté et de scolarisation selon les sexes suffisent pour expliquer statistiquement l'écart de rémunération entre la main-d'oeuvre masculine et féminine.

I.4 **Les transformations des emplois féminins relatives à l'envahissement des technologies informatiques dans les entreprises**

La révolution informatique perturbe la situation des emplois. D'une part, certaines occupations perdent de leur importance et dans certains cas disparaissent totalement, d'autre part, de nouvelles professions apparaissent et augmentent rapidement. Les emplois féminins risquent d'être parmi les occupations les plus vulnérables face à la révolution informatique. S'il y a désaccord complet sur l'effet net des technologies informatiques sur le total des occupations féminines disponibles, tous s'entendent pour affirmer que la diminution importante des emplois tels que: téléphoniste, caissière dans les banques, caissières dans les supermarchés, ne peut que perturber le marché du travail féminin puisque ces occupations sont occupées majoritairement par des femmes et qu'elles correspondent à un pourcentage élevé du travail féminin.

D'ici dix ans, les emplois féminins traditionnels croîtront très lente ment, plusieurs diminueront en nombre relatif et certains en nombre absolu. Les occupations en croissance, sauf peut-être pour les opératrices de machine à traitement de textes et les préposés à la saisie des données, exercent peu d'attrait sur les adolescentes d'aujourd'hui.

Partie II - Orientation scolaire des adolescentes d'aujourd'hui

À quelles professions rêvent les adolescentes d'aujourd'hui? À l'âge du choix d'un métier ou d'une carrière, les filles choisissent-elles des programmes qui déboucheront sur des activités susceptibles d'assurer leur autonomie financière? Il semble, qu'à tous les niveaux scolaires, elles s'orientent toujours vers les métiers féminins traditionnels.

Au secondaire professionnel, elles se retrouvent en secrétariat, coiffure ou esthétique. Dans de nombreuses options du secteur professionnel tels les métiers de la construction et de la mécanique, les adolescentes sont absentes.

Au niveau collégial, les filles sont concentrées dans les programmes médicaux, para-médicaux et en techniques administratives. Par contre, la représentation féminine est limitée en sciences pures et appliquées.

Même si les filles sont maintenant proportionnellement plus nombreuses à l'université, leur choix de carrière varie fort peu: toujours beaucoup d'étudiantes en arts, lettres, éducation, sciences humaines et sciences de la santé. Cependant on note une représentation féminine à la hausse en médecine et en administration. Il faut espérer que cette diversification se poursuivra, et que la représentation féminine augmentera dans les disciplines de sciences pures et de sciences appliquées.

La diversification et l'élévation du niveau scolaire des femmes apparaissent d'autant plus essentielles que la scolarisation et le choix diversifié de profession sont étroitement liés à la place de la femme sur le marché du travail. Plus les femmes sont scolarisées plus elles ont évidemment de meilleures chances de trouver un emploi plus enrichissant et plus rémunérateur. Les filles, qui s'orientent vers des métiers non traditionnels dont la demande est en forte croissance, ont une plus grande probabilité d'obtenir un emploi plus lucratif.

Les conséquences pour nos adolescentes d'ajourd'hui de s'orienter vers les métiers féminins traditionnels peuvent être coûteuses. Elles s'exposent soit à un chômage éventuel puisque les technologies informatiques menacent de faire disparaître de nombreux emplois féminins traditionnels, soit à de faibles revenus puisque ces emplois, comme il a été démontré précédemment, sont généralement peu rémunérés.

Il est intéressant de s'interroger sur les principaux facteurs responsables de l'orientation traditionnelle des adolescentes d'aujourd'hui. Pourquoi les filles boudent-elles les professions scientifiques et technologiques qui sont appelées à jouer un rôle important dans la société de demain?

Les recherches ont démontré, qu'au Québec, au niveau secondaire, les filles, comparativement aux garçons, participent en plus grand nombre aux examens de sciences et elles réussissent mieux que leurs collègues masculins. Dans la plupart des cours au niveau collégial, y compris les cours en sciences de la santé, pures et appliquées, les filles réussissent mieux que les garçons.

Ce n'est donc pas une différence d'aptitude intellectuelle à l'égard des sciences qui serait le facteur explicatif.

Selon plusieurs chercheurs les adolescentes se désintéressent des carrières scientifiques pour de multiples raisons. Les motifs les plus souvent cités sont les suivants:

- l'enseignement des sciences, au cours secondaire, est très éloigné des intérêts des adolescentes. Celles-ci ont énormément de difficulté à identifier dans les thèmes étudiés et les exemples choisis des affinités avec leur vécu et leurs préoccupations. Il sera toujours difficile d'apprivoiser les filles, à l'informatique, avec les jeux de guerre ou de conquête spatiale; le dessin et la musique seraient des moyens plus stimulants pour certaines filles;

- l'absence de modèles féminins exerçant des professions scientifiques;

- une connaissance inexacte des emplois qui seront disponibles sur le marché du travail à la fin de leurs études;

- l'image traditionnelle de la réussite féminine véhiculée par les revues, les livres, la télévision et la radio;

- l'influence des amis qui valorisent les carrières féminines traditionnelles;

- les aspirations des adolescentes face au marché du travail. Elles continuent à envisager leur participation comme temporaire en attendant le mariage. Les filles tardent à envisager le travail rémunéré dans une perspective de réalisation personnelle et d'autonomie financière. Elles font des choix en ne considérant que les perspectives immédiates. Elles oublient que leur profession les occupera pendant quarante années de leur vie. Le besoin d'être prises en charge par les autres est la principale contrainte qui immobilise les adolescentes d'aujourd'hui. Comme dans les contes de fées, elles attendent encore aujourd'hui qu'un "Prince charmant" transforme leur vie;

- carrière, agressivité, valeur monétaire sont des réalités que les filles tardent à valoriser. Elles ne les perçoivent pas comme des qualités féminines. Ce sont des qualités propres aux hommes mais refusées aux femmes. Elles hésitent à choisir des professions peu conventionnelles qui exigent beaucoup d'assurance, de persévérance et de détermination.

Conclusion

Les adolescentes d'aujourd'hui s'orientent encore vers les emplois féminins traditionnels, elles sont peu préoccupées de se préparer à occuper des emplois valorisants et susceptibles d'assurer leur autonomie financière. Pour modifier leur comportement, il faudra la collaboration de l'ensemble des intervenants qui exercent une influence déterminante sur leur choix de carrière.

Les spécialistes de l'éducation doivent aider les filles à se sensibiliser aux réalités de marché du travail des années 1990. Ils doivent stimuler chez elles les ambitions requises pour garantir la réussite de leur carrière. L'enseignement des sciences devrait être revu pour le rendre plus pertinent et plus intéressant pour les filles.

Compte tenu de l'influence très grande qu'exercent les médias d'information sur les aspirations des adolescentes, ils doivent modifier leur modèle de femme soumise, non ambitieuse et exerçant des métiers féminins traditionnels. Ils doivent, au contraire, s'efforcer de représenter leurs héroïnes comme des femmes déterminées, ambitieuses, connaissant leurs droits et exerçant des métiers et professions non traditionnels.

Les entreprises ont aussi un rôle à jouer. Ils doivent sans tarder s'adapter à la féminisation croissante du marché du travail. Les politiques de gestion doivent être non discriminatoires, adaptées aux aspirations féminines et tenir compte des responsabilités familiales des travailleuses.

La famille doit être un milieu privilégié pour stimuler les aspirations de carrière des adolescentes. Les parents ne doivent pas hésiter à discuter avec leurs filles de la réalité du monde du travail, et à les sensibiliser à la nécessité de choisir une orientation professionnelle leur assurant à la fois une valorisation professionnelle et l'indépendance financière.

Les adolescentes d'aujourd'hui ont les aptitudes pour occuper les emplois de l'avenir. Si elles les évitent c'est en raison d'un contexte culturel et social véhiculant des rôles sociaux et professionnels différents selon les sexes. Toutes les mesures nécessaires doivent être entreprises pour orienter les filles vers les professions d'avenir qui leur assureront une place équitable et influente dans la société.

Summary

Today's Young Women in the Face of Promising Work Opportunities

The author is interested in the evolution of the feminine workforce in Canada. She first notes trends in this area, especially in regard to the invasion of computer technologies in business. Second, she examines choices made by girls in regard to their studies and careers. These choices remain very traditional in spite of the changing situation of women. This is still true even if girls succeed as well as boys in their studies in general and in the sciences in particular. The author explains this by a number of reasons: male-oriented teaching, absence of innovative female models, ignorance of women's true economic situation, stereotyped images given by media etc. The author concludes by suggesting ways to help girls make more realistic and promising choices in regard to their future.

ADULT WOMEN, YOUNGER WOMEN:
Questions about continuity and change, center and periphery

by Laura Balbo and Chiara Saraceno

There is no doubt that women who are now in their late teens and early twenties ("young adults") are in many ways different from those who are in full adulthood, say between 30 and 50, and who grew up in the sixties and early seventies. Different because of circumstances in the society as well as because of the specific processes that have affected women in the past decades and most likely will bear upon them in the future. Different in terms of their lifestyles, life-course strategies, identity issues. Different, finally, not just as a result of what has been and will happen, but because they are making things be different.

In terms of life course period or phase, these women are going through what Levinson (1978) defines the first adult transition, when they must make their first choices in terms of work, relationship with the other sex; they must start disengaging from their adolescent identifications and build a first provisional adult life structure, to be tested and changed in time. Levinson developed this framework of developmental periods in the life course in reference to the male life course. We use it hypothetically to test its validity for women as well. In any case, we find useful his conceptualization of the life structure (see also Bardwick 1980).

The descriptive part of this paper will sketch two profiles: adult women and young adults or younger women, on the basis of available data from historical, sociological, and statistical sources. We shall next discuss some concepts and hypotheses that have been used in the sociological and women's studies debate in Italy, in order to attempt answers, or better yet, to put forward further questions, that pertain to issues of "continuity and change, center and periphery", as the sub-title of this paper goes.

In order to do so, we could not help but give a great deal of attention to adult women, and perhaps this decision needs to be explicitly stated in the light of a conference such as this one. Not only do we feel that it is useful, in terms of an appropriate research design, to set up a comparative reference group; we also argue that in Western countries, the "dual life pattern" that women who are now in their adulthood have established, both as an objective circumstance of their lives and as the prevailing life-course strategy, has important implications for younger women (and for the overall society as well).

These are accordingly the terms of the second part of this paper, while the third part will address issues of structural conditions; choices and strategies; the shaping of identities of younger women. We shall finally raise some questions which concern very broad issues, such as interpretation of empirical data, theory construction, and policy, from the viewpoint of young women and girls, those who are to live most of their lives after the year 2000.

A few methodological remarks are in order before we get into the substantive discussion.

The concept of life course strategy (Elder 1975, 1978; Levinson 1978) seems to be particularly apt to describe how women move through, choose among, and interact with the complex resources and limits they encounter while constructing their lives. We also wish to add that although a cohort historical approach is used here (Riley et al. 1982, Elder 1975, 1978), the age groups we shall consider may better be termed "spurious cohorts". Due to limitations of the data, in fact, they differ in age width and are not very precise in age breakdown.

Finally, a word of caution concerning our way of referring to "Italian society" and "Italian women". Because aggregate data hide and bias rather than describe the very processes of subtle and at times "underground" or "invisible" change that we aim at analyzing, survey findings and historical (or oral history) sources are used whenever possible, in order to differentiate and qualify our statements.

In general terms, it is fair to say that what we have to say applies mostly to areas in the North and Center of the country and mostly to urbanized areas, where the material and cultural resources for activating different life strategies, and through this shaping different changing identities, exist.

The uneven economic development and political set-up of Italy, as well as the different cultures and traditions of the various geographical areas, have in fact consequences also on the way gender is socially constructed and perceived, and on processes of change (as well as resistance to change). Most important of all - and we shall come back to this point in our concluding remarks - we address a phenomenon which goes beyond the traditional social-demographic concept of "cohort".

We are concerned not only with the different life-course strategies of different cohorts, but also with the process by which inside particular cohorts, groups of women have developed a distinctive outlook and collective identity: i.e. have become a generation, in Mannheim's (1952) terms. We are very much aware of the fact that in the case we are discussing here the social-historical context and cohort trends need to be and have been magni fied by and within particular social groups or elites of women, those who are central to the process of change and continuity we are concerned with here.

"Adult women", for the present purpose, comprise both those who are at present between 40 and 50 and those who are now in their 30's. As a cohort, the former group witnessed the transformations introduced in women's everyday life by the availability of consumer goods such as washing machines, refrigerators, cars, television sets, or, speaking more generally, they have shared in the mixed blessings of growing mass consumption and spreading mass media.

Since they experienced these phenomena while growing up, this experience implied also some kind of breaking away, and differentiating themselves from women older than themselves, in many forms of behaviour and attitudes. And finally, most important for large numbers of them, they were about to make their first "adult" choices when feminism became a public debated issue in the early seventies, and accordingly, for individuals, whether or not to be a "feminist" became an option.

Women in this cohort were in their teens or early twenties when the women's movement was active and visible, mass scholarization was at its peak, the outlook for labour market trends did not yet look bad (as a matter of fact new jobs were opening up for women, especially in the expanding service sector).

They were in their teens also when the laws punishing the spreading of information and the selling of contraceptive devices were repealed, and contraception became available. They therefore were the first cohort to initiate their sexual life in a less repressive and censoring climate (actually sexuality had become an issue spoken of in public), although they did not always take advantage of the available information.

Although the youngest among them were too young to have taken part in the women's movement of the early seventies, these women in general were very much aware of its existence and faced at least some of the issues at stake (such as abortion, women's health clinics, equality issues in the work place).

Women belonging to this cohort were in the forefront of the mass demonstrations which accompanied the referendum asked by Catholic groups to repeal the legalization of the abortion law in 1981. As a matter of fact, women (as well as men) in this cohort were in the forefront of many of the new "social movements" of the late seventies and early eighties. They also played a leading role in the processes of ideological and organizational criticism inside the traditional political parties, especially of the Left.

On one side, many of the political and cultural innovations of the seven ties have been part of the "natural" setting of their growing up: many consumption goods and the culture of consumerism, the existence of social and personal services touching many needs and areas of life, with the controlling as well as learning impact they have, especially in the area of traditional women's family responsibilities (Bianchi 1981, Balbo 1984, Saraceno 1984), mass education, the legal availability of contraception, the recourse to abortion, the legal regulation of divorce.

These women, through a longer education and the exposure to changing values and needs in gender and family relations, also as expressed by the women's movement, developed new attitudes toward paid work and the work career.

Therefore, they expected to start a work life similar to that common to men, and entered the labour market in large numbers. In doing so they were faced with difficulties linked not only to their gender, but to the position of their cohort in the labour market itself, which was the first to be hard hit by the economic crisis just when it was setting up its first adult life structure, because of the onset of mass youth unemployment.

The youngest age group, women now between 18 and 25, grew up and are now entering adulthood in a very different cultural and political climate. New resources are available, but also new limits or new difficulties arise, and young women do not find clearly defined patterns to follow in their way into adulthood.

Becoming and being an adult woman today appears less univocally and homogeneously prescribed in timing, contents, priorities. Therefore, it appears both more open to individual choices and more ridden with multiple choice dilemmas and with conflicting demands and aims. This, in turn, can allow for a greater distance between self and roles, between deep felt identity and particular choices and situations; but it can also create great ambivalence and insecurity.

The actual outcome depends mainly on the material, relational and symbolic resources available to a particular individual (or to a group of individuals) and on the way they put these resources to use.

Let us briefly describe what the context of their lives is like.

The use of contraceptives (now even advertised through the media), availability of abortion (although minors need either their parents' permission, or the judge's one), the experience of divorce, are taken for granted.

Leisure activities meant for and only consumed by young people are very important in their use of time. In other words, these young women grew up and are facing adulthood in a cultural setting in which being "young" is for the first time in Italy (although the process started in the sixties), a socially much connotated and defined experience and status. But also the expectation (or at least the principle) of gender equality in school, in the labour market, in politics and within the family (as sons and daughters in the first place, and only hypothetically as husbands and wives) is somewhat taken for granted in this cohort's background.

Not a dearly fought for or negotiated value, as it was (and is) for the older cohorts, but as a matter-of-fact aspect of social and individual life. The present political climate is also widely different from that in which these reforms were asked for and negotiated (Ergas 1980, 1986). It is no more a time of believing in and struggling towards large social reforms and changes in the political establishment.

It is maybe of some significance that the groups and movements which attract most youth participation and involvement are those with very broad and indefinite political aims: religious groups, the "greens", peace groups. Finally, it needs to be stated that unemployment is part of the "normal" expectations of these young women. The economic crisis is deep set, and being unemployed or holding only precarious and temporary jobs and so forth seem to be part and parcel of being young, for men and women alike.

Adult women: the dual life

One way of looking at the complexity both of strategies and of self-definitions of adult women is provided by the concept of "dual life". This concept (Balbo 1977, Bimbi 1985) points to the specific experience of women in Western developed countries as citizens of two worlds: family and work.

Adult women are not just "dual workers" or holders of "two roles", they participate in two complex social systems, which are interrelated, yet separated. Furthermore, they are expected to take full responsibility in both. This is not the case for men, who do not have full responsibility in the family, and accordingly are not socially penalized for their limited presence in it; and it is also different from the model of the working woman as it had been developed in early industrial societies in which working women were either young women with no family responsibility or married women who only took on work roles at times of crisis (see Scott and Tilly 1978).

Citizenship in the sphere of paid work means that holding a paid job is no longer merely a family necessity, but also a personal choice, or a resource for personal autonomy, although the constraints of family responsibilities more often than not make full citizenship in the work world difficult for women. In this perspective, not only labour force participation, but also labour force attachment are affected. One can describe age groups or cohorts of women as developing different forms, as well as specific cultures, of dual life, as a life course strategy and as a model of identity.

It is fruitful at this point to distinguish two cohorts within the adult group we focus on: the oldest cohort, now 40-50, had not been socialized to the dual life, and not even to double work, when young and when entering adulthood. Actually, this cohort grew up during the full fledged development of the model of the modern "consumer" housewife, in the period of expansion of household appliances and consumer goods.

Yet, it comprises substantial numbers of women who first developed the dual life model, in the sense that they were not only encouraged or forced to work in order to help support their families, but, in part at least, they conceived of work and career as a right for women, and as a means of emancipation.

Different forces are behind this development. To those which were pointed out above (the upsurge in higher education, higher income levels, the availability of consumer goods which freed time from the heaviest house hold tasks) at least two others ought to be added, at least in urban context in the sixties (as Piccone Stella, 1981, suggestively pointed out).

Girls and boys found themselves in the same co-ed classrooms, but also in political groups, and in the new forms of religious organizations. Also some forms of leisure, such as dancing, became increasingly an occasion for the two sexes to meet, outside adult surveillance. In this sense, this was the first generation of women to be subjected to "an ambivalent socialization" in Italy (to follow a definition by Mirra Komarowsky), in that they were both socialized to the traditional feminine pattern and given the resources to plan and expect a life course pattern closer to that of men.

A second phenomenon to be considered is the expansion of the service sector. This had a double effect on women's roles and perceptions. On one side, it redefined traditional women's work in the family, both by partly transforming it in paid work and by spilling over rules and expectations on what remained unpaid work in the family. On the other side, it offered women new opportunities for pair work. Like everywhere else, also in Italy, the expansion of women's labour force is linked to the expansion of the service sector.

We might therefore say that this cohort not only monitored the overall change in family roles which started in the sixties, but was at the center of a deep transformation of Italian society, implying changes in patterns of social relations, of the division of responsibilities between the family and the collectivity, in the definition of needs and in the ways they are met, and so forth.

"Dual life" for this cohort, therefore, meant life course strategies in which time devoted to work had an important place. All the studies done in the second half of the seventies on married women, in the central ages (see for instance Barile, Zanuso 1980, Saraceno 1980) show that only a minority of women had no experience of paid work whatsoever, although the majority had given it up, temporarily or for good, due to family responsibilities.

A growing minority kept paid work through the childbearing, childrearing period. Moreover, in the seventies, even women who had quit their jobs to raise their children were trying to go back to work, both to supplement the family income in a period of raising consumptions and to give direction and meaning to the new "resource" - time - made available by the falling birth rate (which was in itself an indicator of a new outlook and life course strategy of women in this cohort).

We could say that the experience of this cohort was one of conflict and discontinuity not only in striking a balance between family and work, but also in the models of normality they encountered and developed during their life course.

Probably because of this discontinuity (and not only because of the objective difficulties the double burden implied), the dual life was experienced by this cohort in ambivalent terms: as a means of emancipation (entering the male world, earning one's own money, even shaping one's own profession, and especially living according to a different life style), and as a burden, i.e. splitting one's own life and identity.

To belong in both worlds was perceived of and experienced as a difficult "balancing act" of concurrent demands, and as a task which excluded women from other experiences. The answers women gave to this experience of splitting loyalties was a search for continuity in values and behaviour between the two worlds. This search for continuity was particularly apparent in (and eased by) the kind of professions women increasingly entered, the caring professions and more generally the personal services sector.

Sommaire

Femmes adultes et jeunes femmes: Interrrogation au sujet de la continuité et du changement, du centre et de la périphérie

Cette communication dessine deux profils: celui de la femme adulte (30-50 ans) et celui des jeunes femmes (18-25 ans). L'échantillon étudié provient du centre et du nord de l'Italie. Toutefois, il est clair que plusieurs aspects abordés soulèvent des questions pertinentes pour d'autres contextes socio-culturels également. Ces profils sont élaborés à partir de données de sources historiques, sociologiques et statistiques. Les changements vécus par les femmes mûres (famille, sexualité, travail, etc.) ont un impact difficile à cerner sur les jeunes femmes d'aujourd'hui. Les auteurs concluent en s'arrêtant à deux aspects de la situation des femmes: leur place grandissante sur les marchés du travail des sociétés occidentales; l'influence qu'elles exercent réellement et celle qu'elles pourraient exercer à l'avenir si elles regroupaient leurs forces.

Avons-nous besoin d'héroïnes?

par Marie Laberge

Je ne suis pas une conférencière de métier. Mon métier, c'est écrire. Écrire du théâtre, créer des personnages, des situations dramatiques, les exposer au public en espérant qu'il se produise un choc: d'abord une séduction, puis un intérêt réel et finalement, une prise de conscience. Mais ce qui m'amène à écrire, c'est avant tout le désir d'exprimer, de représenter certaines émotions, de les transmettre dans leur plus grande vérité et avoir l'espoir que, provenant de la scène et non de leur vie, ces émotions soient saisies et reconnues par les spectateurs et qu'elles leur permettent de mieux comprendre et vivre leur vie.

Je suis donc passablement surprise d'être ici ce matin, à faire semblant, d'une certaine manière, que je peux vous entretenir doctement de l'héroïne de théâtre et de ce qu'elle peut faire, pour ou contre une fille de 15-16 ans en 1985.

Autant l'avouer tout de suite: je ne suis pas savante. Pire: je ne dispose de rien d'autre que ma vie et mon métier pour parler. Et, pour être tout à fait franche, il y a maintenant 20 ans que j'ai eu 15 ans. (Ce qui n'est pas pour me réconforter!)

En fait, en dehors de l'aveu de ma totale incompétence universitaire, je me suis dit que je pourrais tout de même témoigner de certaines réflexions que j'ai eues. Parce que, même si je ne fais pas de communications tous les 15 jours, il faut bien avouer que j'essaie quand même de réfléchir tous les jours. Pas toujours sur la notion d'héroïne, mais enfin...

Donc, il y a 20 ans, j'avais 15 ans, l'âge qui nous préoccupe en ce moment. Ma première question, ma première réflexion a été: pourquoi moi, si peu "fille", ai-je à parler des filles à une conférence internationale? Je n'ai pas d'enfant. Ce qui ne m'empêche pas, bien sûr, de considérer avec intérêt ceux des autres. Et je n'arrive pas vraiment à savoir si avoir 15 ans aujourd'hui diffère énormément d'il y a 20 ans, de mon époque, en fait, de mon jeune temps, comme on dit!

Et j'ai eu une mauvaise pensée: il faudrait bien que cela ait changé, après tout ce que les femmes ont fait pendant ces 20 ans! Oh... le beau cri du coeur... la belle raison!

Et là, j'ai senti mon âge me cogner la tête; faut-il toujours considérer les jeunes, ceux qui suivent pour être précise, comme des coureurs de relais dans une course interminable qui doivent se précipiter sur le témoin (dieu merci, ce n'est pas le flambeau) s'ils ne veulent pas être responsables de l'échec de la course et en porter l'odieux jusqu'à la fin de leurs jours.

Avons-nous besoin que les filles soient féministes uniquement pour légitimer notre vie et les différents combats que nous y avons menés? Dites-moi non!

Parce que, si c'est le cas, nous devons arrêter cette course de relais avant de s'apercevoir qu'il manque de coureurs et que notre témoin est dans le fossé.

Je vais vous dire honnêtement à quoi me fait penser cette crainte de certaines féministes de n'être pas suivies, d'avoir ouvert une voie, un chemin qui, finalement, serait déserté, non-pratiqué.

Cela me fait penser à un certain combat que j'ai eu, justement à 15 ans. J'avais, comme beaucoup d'autres de sérieux problèmes d'ordre religieux. En fait, mon problème se situait au niveau de mon absence de sincérité religieuse. C'était l'époque où la messe était une pratique courante et fortement recommandée pour ne pas dire obligatoire.

Au lieu d'aller à la tabagie lire toutes les revues pendant cette heure dominicale, j'ai décidé de dire à mon père que je ne désirais plus aller à la messe, que tout cela était mensonger dans mon cas et que la comédie m'irritait. Vous connaissez le reste; colère, éclat, dispute pour finalement en arriver à ceci: mon père m'a dit, en substance, une seule phrase durant toute cette scéance: qu'est-ce que ça me donne d'avoir été à la messe toute ma vie pour vous donner l'exemple, si aujourd'hui tu fais ça!

Peu de temps après, mon père cessait d'aller à la messe.

Vous l'avez deviné, ma démonstration n'est pas complexe. Si le moteur de nos actes est l'exemple à fournir sans autre motivation plus profonde que la peur de voir son effort gaspillé parce que non-repris par ceux qui suivent, nos actes sont nuls, tristement dépouillés de leur fondement. Et nous nous exposons ainsi à deux réactions: le rejet et la critique.

Je n'ai, bien sûr, pas eu le courage de répondre à mon père. Pourquoi y vas-tu si tu n'y crois pas? Pourquoi vouloir que j'y aille? Je lui ai répété ce que je radote depuis: je veux être intègre et faire ce à quoi, moi, je crois, c'est tout.

Et c'était déjà beaucoup. Et c'était, à mon avis, déjà féministe.

Le féminisme, sans être une religion est une conviction exigeante. Et je ne crois pas qu'il y ait ici beaucoup de femmes qui en ignorent le prix. Les hommes aussi d'ailleurs, qui ont dû apprendre à voir autrement, à considérer les rôles d'une nouvelle manière et qui ont encore, comme nous, certaines classes à compléter. Le féminisme n'en est pas encore à rapporter grassement. Les dividendes sont faibles, l'investissement de base, énorme. Mais ce n'est pas une raison pour obliger les filles qui nous suivent à investir. Même une menace de faillite (ce qui n'est pas la cas, à mon avis) ne le serait pas.

Je ne voudrais à aucun prix que le féminisme d'aujourd'hui soit la pratique religieuse de mes 15 ans, parce que, pour moi, le féminisme est une honnêteté, un respect de soi et surtout pas une obligation, une contrainte, une foi d'emprunt à laquelle on souscrit pour avoir la paix ou pour éviter d'être rejeté par nos mères ou nos pareilles.

Et si j'en parle maintenant, ce n'est pas pour m'éloigner de mon sujet, vous allez voir, mais pour me rassurer moi-même et redire que le féminisme n'est pas un mensonge, une façon de s'abriter de certains maux, de se ménager une petite place privilégiée en compensation de mauvais traitements. Le féminisme ne sera jamais une cause qui justifie l'irresponsabilité, ce sera toujours une exigence personnelle et sociale. Je ne crois pas que les filles de maintenant puissent être féministes pour obtenir les dédommagements rétroactifs que leurs mères ont enfin conquis.

Notre vie ne sera pas la leur. Je n'aurai jamais les indulgences plénières amassées par mon père. On ne peut pas demander aux adolescentes de maintenant d'être féministes parce que **nous**, nous avions d'excellentes raisons de l'être et que leur adhésion à cette cause nous confirmerait dans nos choix. Ce serait rendre nos choix redevables des leurs, leur demander une autorisation à rebours, un réconfort idéologique impossible. Ce serait instaurer une telle fragilité au féminisme.

Pour moi, le féminisme s'impose de lui-même, comme une évidence, parce qu'il est avant tout une conscience et une recherche. Une façon de vivre qui n'accepte pas d'emblée toutes les règles prescrites, qui les bouleverse pour gagner un mieux-être, un bonheur. Je ne serai pas féministe pour les autres, pour celles qui viendront après moi, je le serai pour être davantage, exister plus et mieux, vivre à 100 pour 100, intègre et intégralement acceptée ou, en tout cas, perçue. L'objectif principal doit être un accroissement de la qualité de vie féminine et non une revendication pour demain au nom d'erreurs passées.

Je demande aux femmes et aux hommes qu'ils soient authentiques, sincères, conscients et intègres.

Mais l'intégrité à 15 ans, ça change d'allure et de couleur assez rapidement. C'est normal, c'est parfait comme ça. Se trouver n'est pas la tâche la plus simple à réaliser. Certains y ont mis une vie. J'y travaille encore âprement. Et voici où je veux en venir: l'avenir du féminisme est dans l'incessante poursuite de l'intégrité personnelle. Être incorruptible à tous les leurres de bonheur parfait et sucré qui résident habituellement (selon certains discours rétrogrades de la publicité, des média, etc.) dans l'abandon de ses luttes au profit de toute recette "fast-food" ou encore de toute autre cause soi-disant prioritaire. Nous devons persister à réclamer ce qui nous est dû, sans avoir peur de perdre le peu qu'on possède. Le féminisme et son histoire démontre une chose: tout être humain peut exiger sa place dans le monde. Ça peut être long, produire des remous, des refus, des levées de boucliers, mais ça s'acquiert. Même si ça se paye. Et le renoncement à soi est, à mon avis un prix plus élevé que celui du féminisme.

Si chaque être humain arrivait à se respecter et à demander aux autres de le respecter (dans l'ordre cité et non l'inverse qui est fréquent), je n'aurais aucune inquiétude, mais aucune, quant à l'avenir du féminisme. Ce serait gagné. Parce que la lutte féministe est une lutte ardente pour être reconnues pour ce que nous sommes. Et je la crois très proche de ce qu'une adolescente peut chercher, se connaître et être reconnue. La seule chose qui peut écarter une adolescente du féminisme, est sa méconnaissance.

Et là-dessus, nous avons probablement un effort à fournir. Faire connaître le féminisme à travers son côté heureux, réussi, lui retirer ce que ses détracteurs et peut-être nous-mêmes avons laissé croire, que c'est une pratique, une façon de vivre rigide, pénible qui demande de l'endurance et un certain renoncement au plaisir.

Je crois que le jour où j'ai dit non à mon père en sachant que, quel que soit le prix, j'avais raison **pour moi** de dire non, j'ai gagné un peu de bonheur. Et c'est ça que cherche tout le monde, un peu de bonheur. Et c'est bien difficile de l'obtenir en essayant toujours d'être quelqu'un d'autre, une femme autre que ce qu'on est.

Le féminisme n'est pas un dogme parce qu'un dogme n'aide pas à être plus heureux et le féminisme, oui. Et si certaines phrases du discours féministe disparaissent pour favoriser l'acquisition d'un bonheur non-marchandé à rabais, mais acquis à force de constance, de dignité, cela veut seulement dire que ces phrases ont fait leur temps, qu'elles doivent évoluer avec celles qui grandissent. Que le féminisme changé est pour moi un signe de vitalité et non d'affaiblissement.

Je semble m'éloigner, l'air de rien, mais je me sens très proche de mon propos. L'héroïne est une proposition de modèle, il ne faut pas l'oublier. Tout mon théâtre est basé sur la conscience, la recherche de vérité, de sa vérité et la notion de responsabilité de l'être humain. Mon théâtre aborde aussi la peur qui affaiblit nos facultés. Mais toutes ces notions sont vécues par des personnages. En écrivant, que je le veuille ou non, je construis des héroïnes, des personnages principaux en tout cas, et je collabore à l'élaboration du panthéon des héros.

Alors, pour en venir au fait, en avons-nous besoin? En ai-je besoin? Les filles aujourd'hui, s'en porteraient-elles mieux, ou pire? Puis-je l'éviter, améliorer le sort des héroïnes?

Beaucoup trop de questions se posent. Commençons par le début: je me référerai donc à ma vie, aux héroïnes de mes 15 ans, puisque je ne dispose d'aucune étude fouillée sur la question.

En dehors de la Vierge, dont le cas a été plus ou moins soumis tout à l'heure, les héroïnes qui m'ont été proposées il y a 20 ans, sont nombreuses. Là encore, ma mémoire a fait un sérieux travail de clivage et je dois dire que je n'ai gardé le souvenir que de certaines d'entre elles, peut-être même pas les plus importantes.

Avant tout, la littérature romanesque, les "Marabout mademoiselle" et la série des "Sylvie" sévissaient. Il y a aussi une autre grande figure, Susan Barton, infirmière, elle aussi logée à l'enseigne du "Marabout mademoiselle". La série des "Sylvie" a été la plus abondante; au moins 20 livres qui entraînaient l'héroïne dans toutes sortes d'aventures. Les "Susan Barton", moins nombreux, ont quand même fourni 6 ou 7 volumes. Il y avait aussi une revue française, "Les Veillées" qui fournissaient toutes sortes d'héroïnes amoureuses dont l'unique but de la vie était: qu'il l'aime... un équivalent, je présume, des romans "Harlequin" d'aujourd'hui.

Mais je reviens aux "Sylvie" et "Susan Barton". L'une, hôtesse de l'air a marié un pilote dès le deuxième volume. L'autre, infirmière, en a fait autant du docteur vedette de l'hôpital. C'était déjà pas mal. Mais c'est après que cela devenait intéressant; non satisfaites de la belle prise que représentait leur mari, ces femmes s'entêtaient à travailler. Les deux étaient éprises et de leur mari et de leur métier. Les deux ont eu des enfants et des aventures professionnelles. Leurs maris étaient des héros à leur hauteur; ils avaient de l'humour et une certaine tolérance pour les caprices de labeur de leurs épouses. Et même, pourquoi pas, soyons généreuse, un rien d'admiration qui, bizarrement, réussissait à les auréoler, **eux**.

Était-ce parce que j'avais 15 ans? Était-ce la nature même de cette littérature? Je n'ai rien relu à la lumière de mes 35 ans, je l'avoue. Mais que ces hommes m'intéressaient! Les femmes, bien sûr, parce que je me sentais aussi entêtée qu'elles, aussi autoritaire, aussi décidée à prendre une de ces mordées dans la vie dont je me souviendrais sur mes vieux jours. Mais j'accordais à ces femmes un avantage que moi, je n'avais pas, elles avaient trouvé l'homme, le bon, le parfait, l'éternel qui les aimerait envers et contre tout. Je les admirais et les enviais surtout pour l'équilibre qu'elles avaient réussi à créer dans leur vie, faire ce qu'elles voulaient (peu m'importait qu'elles n'aspirent pas à être elles-mêmes pilote ou médecin) et **tout** garer, mari, métier et enfant.

Une autre héroïne m'est restée en mémoire, issue de lecture scolaire: Maria Chapdelaine, un échec total en ce qui me concerne. Cette idiote qui reste au bout du monde en épousant un homme qu'elle n'aime pas par dépit et pour complaire à son père, me hérissait. Que j'ai détesté Maria! Qu'elle m'a choquée, provoquée! Autant j'étais avec elle lorsqu'elle rêvait de François, autant je me suis sentie trahie par elle dans sa résignation et son acceptation d'un autre homme.

Donalda non plus ne me faisait pas mourir de joie. J'avais pitié, bien sûr, je trouvais son mari Séraphin épouvantable... Mais son père à elle, si faible avec son fils et trop timoré pour éviter à sa fille son sacrifice était assez proche de mon mépris le plus muet et le plus souverain.

Les victimes, les héroïnes victimes, celles qui cultivent leur malheur comme le seul événement digne de leur vie, m'ont toujours contrariée. Il y avait là-dedans un sérieux rappel du martyre religieux consenti pour accéder à la vie éternelle. Une approbation tacite du bourreau qui ferait de nous une sainte. Dans le fond de mon coeur, Maria Goretti n'avait eu qu'à dire non et se laisser faire pour devenir une sainte, et je trouvais cela assez injuste. Qu'elle ait dit oui, parce qu'elle avait peur de crever comme tout le monde et qu'**après**, elle passe sa vie à nier le sexe, à se refaire une virginité, à se rebâtir un moi cohérent avec sa foi, cela aurait été saint.

Mais on a négligé de nous faire savoir cela; le comment se débrouiller une fois que l'idéal s'est terni, une fois que la perfection nous a échappé, une fois que la vie s'en est mêlée. Cela ne faisait pas partie des vies d'héroïnes...

Oui, cela a toujours été pratique de terminer sur les cloches du mariage; les héroïnes jeunes, belles et vierges, les héros forts, jeunes et courageux contemplaient d'un oeil humide leur avenir étincelant. Jamais ces héros ne nous ont appris **comment** on devenait heureux en ayant beaucoup d'enfants.

Alors... les héroïnes de mon adolescence se mariaient **toutes**, avaient **toutes** des enfants et certaines difficultés. La résignation était reçue au berceau en même temps que le prénom et l'inévitable Marie.

Dans "Les Plouffes", "Le temps des lilas" et certains textes de Dubé, je me souviens des héroïnes comme des femmes patientes qui sans un mot, ou presque, attendaient que l'impuissance de leurs époux ou de leurs pères provoque leur perte ou leur bonheur. Elles **aimaient**. C'était habituellement ce genre de femmes. Pourquoi auraient-elles été en avant de leur temps?

Summary

Do we need heroïnes?

The author believes it is dangerous for feminists to worry too much about the future of feminism or to be afraid of not being followed by the younger generation. One must be true to oneself end pursue personnal integrity: that, to her, is the best way to defend feminist values and assure their survival. She then looks at the heroïnes of her youth. She rejects heroïnes of her houth. She rejects heroïnes that appear to be too perfect. As a playwrighter, she believes that her heroïnes must be quite human, vulnerable and close to our own human frailties. In this way, she hopes that they will shock spectators into consciousness of their own need for greater courage to try to gain more personal control over their own lives.

L'enfant dépossédé de son enfance

par Me Andrée Ruffo

Les lois suffisent-elles pour protéger les enfants prostitués et utilisés dans la pornographie?

Il semble bien que non, puisque nous sommes confrontés presque quotidiennement à l'image d'une enfance désespérée, sans vie, sans joie et sans espoir que sont les enfants exploités sexuellement. Nous tenterons, non pas d'approfondir ce phénomène de l'enfant cherchant son bonheur dans la rue, mais plutôt regarderons ensemble comment assurer une meilleure place à nos enfants, précisément pour qu'ils ne soient plus obligés d'aller dans la rue chercher réponse à leurs besoins.

Est-il encore besoin de se convaincre que la prostitution des enfants existe et que les jeunes utilisés dans la pornographie et ayant accès au matériel pornographique sont légion.

Au Canada, durant les cinq dernières années, nous avons assisté à la création de deux commissions d'enquête, lesquelles se sont penchées sur le problème des enfants exploités. Les informations contenues dans cet article ont été tirées des Rapports Badgley et Fraser. Comme membre de ce comité, nous nous sentons dispensée de préciser les références à chaque occasion.

Le Comité Badgley a reçu son mandat le 16 février 1981. Créé par les Ministres de la Justice et de la Santé nationale et du Bien-être social du Canada, le comité devait procéder à une étude en vue d'établir si les lois canadiennes protégeaient suffisamment les enfants et les jeunes contre les infractions sexuelles et de formuler des recommandations pour accroître cette protection.

Plus particulièrement, on demandait au Comité de:

- déterminer l'incidence et la fréquence de l'abus sexuel à l'égard des enfants et des jeunes ainsi que leur exploitation à des fins sexuelles par la prostitution et la pornographie;

- d'étudier la question de l'accès des enfants et des jeunes au matériel pornographique;

- d'examiner l'adéquation des mécanismes législatifs et de protection des enfants et des jeunes contre l'abus et l'exploitation sexuelles.

Le Comité Badgley remettait son rapport en août 1984.

Le Comité Fraser:

Un deuxième comité voyait le jour en juin 1983. Le gouvernement du Canada créait en effet un Comité dont le mandat était de faire rapport au Ministre de la Justice sur les problèmes liés à la pornographie et à la prostitution et entreprendre, pour ce faire, un programme de recherches socio-juridiques.

Plus particulièrement, on demandait au Comité Fraser:

- d'étudier les problèmes d'accès à la pornographie, ses effets et ce qui était considéré comme pornographique au Canada;

- d'étudier la prostitution au Canada, notamment le fait de flâner et de raccoler dans la rue aux fins de prostitution, d'exploitation de maisons de débauche, etc.;

- de sonder l'opinion publique pour savoir comment résoudre ces problèmes en demandant des mémoires aux associations de citoyens intéressés et en tenant des audiences publiques dans les grands centres du pays;

- d'étudier comment ces problèmes se présentaient à l'étranger et comment d'autres pays avaient tenté de les résoudre;

- et enfin, de faire rapport sur les résultats de ces études et recommander des solutions aux problèmes suscités par la prostitution et la pornographie au Canada.

Le Comité Fraser devait étudier les problèmes créés par la prostitution et la pornographie tant chez les enfants que chez les adultes. En février 1985, le Comité Fraser remettait son rapport au Ministre de la Justice.

Ces deux comités ont clairement démontré que des milliers d'enfants sont exploités sexuellement entre autres par la prostitution et la pornographie.

LA PORNOGRAPHIE

Le Comité Badgley a procédé à un examen en profondeur de tous les aspects de la prostitution et de la pornographie. Il a entrepris des recherches poussées et a fourni une analyse complète et d'actualité sur la question des enfants.

Par ailleurs, le Comité Fraser a eu la rare et exceptionnelle opportunité de consulter la population sur sa perception de l'exploitation des enfants dans la pornographie, et ce, par des audiences publiques tenues à travers le Canada.

Il semble bien que s'il existe chez nous une production de pornographie enfantine, elle paraît être le fait d'amateurs. Après avoir circulé pendant un certain temps, les photographies sont utilisées dans des revues à-la-petite-semaine, ordinairement diffusées par la poste.

Ce sont des photographies d'enfants prises par des hommes et des femmes qui connaissent ces enfants et qui font des échanges de photos avec d'autres personnes qui ont des goûts semblables.

Il peut paraître rassurant de penser qu'il y a peu de production pornographique commerciale d'enfants. Néanmoins, ce qui préoccupe davantage la population, c'est l'accès des enfants à tout le matériel pornographique qui se trouve dans les différents établissements commerciaux.

Il est évident, pour la population, que l'accès à ce matériel pornographique ne peut que nuire au développement normal de l'enfant et affecter ses valeurs et ses comportements sexuels, actuels et futurs.

Ces inquiétudes se manifestent d'autant plus intensément que les enfants, faute de véritables sources d'information, n'ont souvent d'autre éducation sexuelle que celle qu'ils reçoivent par la pornographie.

Pour la population, ce sont des préjudices certains qui justifient l'intervention de l'État. Cette intervention de l'État est légitime pour les enfants et ne se base pas sur les mêmes critères que l'intervention de l'État dans le domaine de la pornographie adulte et de la circulation de ce matériel.

L'étude nationale sur la pornographie et la prostitution réalisée auprès de la population pour le Ministère de la Justice en juin et juillet 1984, confirme le désir exprimé aux audiences publiques; à savoir de protéger les enfants.

Ce sondage effectué auprès de 2018 Canadiens démontre clairement que 94% de la population considère que le matériel pornographique utilisant les enfants dans des productions sexuellement explicites, est inacceptable dans notre société.

Par ailleurs, les Canadiens affirment que les préjudices associés à la pornographie sont indéniables lorsqu'il s'agit des enfants.

Pour 76% des répondants, "l'exposition à la pornographie ne peut aider les enfants à développer un comportement sexuel sain" et pour 78%, "la présence de revues de sexe dans des endroits fréquentés par les enfants est mauvaise pour eux".

On peut donc conclure que l'exposition des enfants au matériel pornographique est considérée comme néfaste pour la grande majorité des Canadiens; la population le reconnaît et demande de façon claire que cette exploitation cesse.

L'exploitation des enfants dans le matériel pornographique et l'exposition des enfants à ce matériel suscitent beaucoup d'inquiétude dans le public.

Nous avons entendu, lors des audiences publiques, des personnes de toute provenance; grandes et petites villes, villages. Nous avons entendu mères de famille, des représentants de syndicats d'enseignants, des représentants de différents partis politiques, de différentes régions. Ils sont venus nombreux, nous dire leur inquiétude, multipliant les exemples démontrant que les enfants n'ont rien à gagner à cette exposition à la pornographie à un âge où la curiosité est particulièrement aiguisée.

PROSTITUTION

Pourquoi s'inquiète-t-on aujourd'hui de la prostitution?

Parce que d'une part elle a envahi les quartiers résidentiels d' "honnêtes citoyens".

La prostitution en soi n'a jamais été illégale au Canada. 92% de la population croit par ailleurs qu'elle est là pour y demeurer.

Forts des enseignements de l'histoire, il serait difficile de conclure autrement.

"Grecs et Romains nous ont laissé de nombreux documents sur ce phénomène social, la Bible est remplie de références aux "catins", "femmes de mauvaise vie" et autres prostituées; au cours du Moyen-Âge et pendant les siècles qui suivirent, les bordels patentés constituèrent une source de revenu appréciable aussi bien pour l'Église que pour l'État."

Aujourd'hui, les prostituées fatiguées de ne pouvoir exercer leur métier de façon humaine et civilisée ont envahi les quartiers résidentiels.

Confrontés, les hommes et femmes "honnêtes" s'insurgent et crient au scandale réclamant que l'on débarrasse leurs jardins, leurs trottoirs de ces "ordures", de ces déchets humains.

On pourrait longuement s'attarder à analyser ce phénomène. Là n'est pas le propos de notre réflexion; il s'agit de constater que se perpétue l'implacable hypocrisie de notre société.

Et parce que d'autre part, nous sommes confrontés de plus en plus, non pas à une prostitution entre adultes, mais à une exploitation d'enfants.

Les audiences publiques du Comité Fraser nous ont convaincus que cette prostitution d'enfants, non seulement existe, mais se développe de façon alarmante, et ce, à travers le pays. Confirmant les informations reçues par le Comité Badgley, nous devons accepter comme réelles les hypothèses avancées qu'il s'agit d'un phénomène national affectant bon nombre de villes moyennes et toutes les grandes villes.

Comme pays, il nous apparaît urgent de régir les conduites des adultes qui exploitent les enfants. L'exercice légitime du pouvoir commande en effet que des lois soient édictées pour empêcher que l'on nuise au développement des enfants et que l'on cesse de les exploiter.

D'autres pays éprouvent également des difficultés à protéger leurs enfants prostitués.

A titre d'exemple:

- Aux États-Unis, il existe des lois sur la prostitution des mineurs tant au palier fédéral qu'à celui des États. Il est manifeste qu'il y a eu une activité législative intense durant les dix dernières années et on a reconnu clairement que la prostitution des mineurs est un problème social grave et on a pris des mesures pour lutter contre ce phénomène.

Toutefois, à l'exception de la loi fédérale sur les fugueurs, qui a donné naissance à d'excellents programmes, une bonne partie des ces lois sont de portée trop étroite ou négligent les causes sociales et le contexte de la prostitution de sorte qu'elles ne peuvent avoir de répercussions importantes.

- En Angleterre et au Pays de Galles, les autorités chargées de l'application de la loi ne considèrent pas que la prostitution des mineurs constitue un problème sérieux, même si elle existe sans aucun doute dans une certaine mesure.

Comme au Canada, les problèmes proviennent surtout des jeunes fugueurs qui ont près de 18 ans. La police est souvent d'avis qu'il ne sert à rien de les ramener à la maison. On se contente de signaler l'affaire aux autorités locales si l'on a des craintes pour le jeune.

Nous devons donc affirmer aujourd'hui, bien que nous l'ayons su auparavant, sans oser nous l'avouer collectivement, qu'au Canada, il y a des milliers d'enfants qui se prostituent dans les rues. Le Comité Badgley, tout comme le Comité Fraser ont dû reconnaître l'existence de telles activités chez les jeunes. Nous ne pouvons plus longtemps fermer les yeux sur cette forme d'exploitation de nos enfants.

Les enfants se prostituent. Nos enfants se prostituent.

QUI SONT CES ENFANTS - QUI SONT CES CLIENTS

Les enfants

La majorité des enfants prostitués interrogés par le Comité Badgley ont déclaré que leur vie familiale n'était pas heureuse et que cela avait été un des facteurs déterminants dans leur décision de se prostituer. Nous savons également que beaucoup d'enfants commencent à se prostituer lorsqu'ils sont en fugue et ont besoin de revenus pour assurer leur subsistance. De plus, les enfants qui quittent leur foyer parce qu'ils sont malheureux recherchent également des personnes avec qui communiquer; et ils ont l'illusion de les trouver dans la rue.

Les recherches faites au Canada

Les recherches du Comité Badgley ne nous permettent pas de conclure que les enfants dont le développement sexuel normal a été perturbé par des activités sexuelles incestueuses ou anormales avec des adultes risquaient de se tourner vers la prostitution plus facilement et plus souvent que d'autres. Il s'agit là, cependant, d'une opinion très répandue qui a été largement exprimée lors des audiences publiques tenues par le Comité Fraser.

Nous ne savons pas non plus pourquoi certains enfants exploités sexuellement en très bas âge se tournent vers la prostitution alors que d'autres ne le font pas.

Les jeunes prostitués sont souvent des jeunes qui ont abandonné leurs études avant d'avoir terminé l'école secondaire; la plupart d'entre eux ont fait au moins une fugue dans le but d'échapper aux problèmes familiaux.

Bon nombre d'entre eux ont un casier judiciaire. Ils ont été condamnés non pas pour prostitution puisque ce n'est pas illégal, ni pour sollicitation puisque ce n'est pas fréquent, mais pour des infractions connexes comme le vol, le vol à l'étalage, la drogue, la consommation de drogue, les diverses infractions liées à la drogue, à l'alcool, les voies de faits. Plusieurs prostitués nous ont dit qu'ils avaient besoin de drogue et qu'ils avaient besoin d'alcool pour ne pas avoir à penser à ce qu'ils faisaient: presque tous ont commencé alors qu'ils étaient en fugue.

"Les fugueurs ne peuvent ni ne veulent retourner chez eux, car c'est chez eux, dans leur famille qu'on les a affamés, violés, battus et la rue, en dépit de sa misère et de sa dureté, leur paraît encore plus supportable.

Les jeunes ne fuient habituellement pas dans le but de se prostituer. Mais, à cause de leur manque d'instruction, la nécessité d'assurer leur subsistance, ils deviennent particulièrement vulnérables à l'attrait du trottoir. Ce sont les facteurs économiques qui sont les plus souvent mentionnés comme cause de prostitution.

Les mineurs connaissent ordinairement la profession par l'intermédiaire des médias ou de personnes ayant déjà fait ce métier et peu d'indices laissent croire qu'ils se prostituent par coercition.

Un des aspects les moins connus de la prostitution est l'organisation et le contrôle des jeunes prostitués. Ceux qui étaient impliqués dans ce commerce n'ont pas voulu nous en parler lors des audiences publiques puisque de toute évidence, le commerce d'enfants et la prostitution d'enfants sont illégaux.

Nous avons dû constater l'évidente difficulté de recueillir des informations à ce sujet. Les informations reçues par le Comité Badgley doivent aussi être reçues et ont d'ailleurs été reçues avec les réserves nécessaires. Cependant, nous pouvons affirmer que le monde des jeunes prostitués est un monde de violence. Nous savons que c'est un monde de maladies. Si les prostitués adultes transmettent moins de maladies transmises sexuellement que les adultes ordinaires - les recherches nous l'ont démontré - les enfants, par ailleurs, faute de soins, faute d'informations, contractent beaucoup de maladies transmises sexuellement et ne savent malheureusement pas se protéger et se soigner.

En fuguant, les enfants ont voulu échapper à un milieu familial qui n'était pour eux que violence et malheur; en se prostituant, ils se retrouvent encore dans un monde de violence qui ne fait souvent que reconstituer leur milieu familial.

Les jeunes tentent d'affirmer leur liberté mais doivent souvent payer par une soumission pitoyable au client, au milieu, l'exercice de cette pseudo-liberté.

Les enfants prostitués ont peu de chance de sortir de ce milieu, vu leur manque d'instruction, leur peu de ressources pour intégrer le marché du travail. Il faut aussi se souvenir que certains de ces jeunes font beaucoup d'argent. Ils s'intéressent à la drogue, puis s'y habituent de même qu'à une forme de vie où les plaisirs sont immédiatement assurés. Le marché du travail n'offre que peu d'attraits pour ces enfants mal aimés, mal instruits, mal préparés à la vie qui n'ont, finalement, d'autre alternative que d'exercer ce nouveau "métier" de prostitué.

"Tout se passe comme si l'adolescente se livrant à une prostitution plus ou moins officielle utilisait son corps comme objet d'agression et de destruction personnelle."

Et l'enfant mutilé porte et portera sa blessure durant toute sa vie, si on ne lui vient pas rapidement en aide.

Les clients

Ce qui nous a frappé lors des audiences publiques, c'est que le client est finalement Monsieur-tout-le-monde. Le client est habituellement un homme marié entre 30 et 50 ans. Il est très difficile de recueillir des informations précises sur les clients. Évidemment, ce ne sont pas ceux-ci qui vont nous les fournir et les jeunes sont très peu loquaces sur ce sujet.

Il y a cependant une remarquable similitude dans la relation client-prostitué et dans les descriptions des clients d'un bout à l'autre du pays et particulièrement sur la motivation de ces derniers à rechercher des prostitués jeunes: à savoir l'anonymat et la rapidité.

Bien que nous n'ayons que peu de renseignements sur le sujet, nous avons appris que la plupart des services demandés sont des services oraux ou vaginaux et que c'est le client qui normalement entre en contact avec les prostitués et qui indique ce qu'il veut.

Les actes sexuels sont généralement exécutés dans les voitures, la voiture du client, et plus rarement dans une chambre d'hôtel ou de motel lorsque les jeunes sont en cause. Quelquefois, cela se passe dans l'appartement de la prostituée ou de quelqu'un d'autre. Cette situation est plus rare, compte tenu que les jeunes ont de réelles difficultés à se procurer un appartement.

Toute l'opération dure en général moins d'une demi-heure. Les prostitués évitent délibérément tout lien affectif avec le client et tentent de fournir le plus rapidement possible les services demandés.

Certains jeunes prostitués déclaraient aimer leur travail, mais il semble que la majorité d'entre eux soit loin d'y trouver satisfaction.

La population canadienne, unanimement réclame des lois plus sévères contre les adultes qui exploitent les enfants. Comment expliquer alors ce double discours de l'homme-client qui réclamera d'une part des lois plus sévères et d'autre part sera prompt à exploiter le premier enfant offert. Comment expliquer l'inertie du législateur?

Discussion

Pour les membres du Comité Fraser, ces enfants sont essentiellement des victimes. Il appartient aux adultes, à la société de trouver les moyens adéquats pour protéger ces jeunes.

Le Comité Badgley, avait par ailleurs adopté une approche bien différente en constatant que les lois fédérales et provinciales n'offraient pas de tels moyens. Il avait plutôt estimé que l'application de sanctions criminelles contre les enfants prostitués devait être rendue possible en créant une infraction qui permette l'intervention sociale.

Quelle triste société qui se résoud à accuser des enfants qu'elle n'a pas réussi à protéger, précisément pour se donner des moyens d'assurer cette protection.

Jusqu'à tout récemment, on négligeait de considérer qu'il y avait des enfants qui se prostituaient. Il y a cinq ans à peine, on niait même l'existence de ces enfants de la rue, et ce, publiquement. Il y a moins de trois ans, et même il n'y a pas si longtemps, à peine deux ans, les intervenants sociaux donnaient encore rendez-vous aux enfants prostitués dans leurs bureaux pour discuter de leur cas et ils étaient surpris de voir que les enfants ne s'y rendaient pas.

Il y a deux ans encore, lorsqu'un enfant prostitué était appréhendé, il était immédiatement et presque automatiquement ramené dans la famille d'où il avait fugué, et ce, sans préparation, sans prise de conscience, sans s'être assuré que les besoins de cet enfant aient été bien compris. Et c'était la "petite putain", la "petite prostituée" que l'on retournait à des parents qui n'étaient absolument pas conscients ni prêts à changer quoi que ce soit dans leur approche ou dans leur façon de voir l'enfant. Les parents n'avaient souvent pas été sensibilisés au désarroi de leur enfant.

Heureusement, je dis bien heureusement, les services sociaux commencent à se sensibiliser aux problèmes des enfants de la rue et commencent aussi à développer des techniques d'approche qui sont plus respectueuses des besoins des enfants, de ces enfants particulièrement vulnérables et exploités.

Mais il reste qu'une fois les enfants rendus dans la rue, il est bien tard et nous devons nous demander ce que nous faisons comme société pour faire en sorte que ces enfants ne se retrouvent pas dans la rue, en aidant les parents à mieux répondre aux besoins de leurs enfants.

Comment aidons-nous les familles à développer des capacités d'informer des enfants sur les problèmes sexuels, à développer des moyens de communication alors que très souvent, dans des moments particuliers, il est très difficile de communiquer? Que faisons-nous pour aider les parents épuisés à prendre en charge leur enfant, à retrouver le goût et la joie d'avoir des enfants? Comment notre système scolaire, les écoles soutiennent-elles les parents? Et comment, nous, en tant que parents, soutenons-nous l'école? Quelle communication y a-t-il entre les deux alors que nous savons que la grande majorité de ces enfants ont quitté l'école depuis déjà quelque temps? Comment, sinon entre autres, en repensant le système scolaire.

Pour ma part, à partir de ma pratique professionnelle, je sais que beaucoup d'enfants qui n'avaient jamais été valorisés à l'école, se retrouvaient dans les centres d'achats, se retrouvaient avec des copains dans des arcades de jeux et finalement se laissaient accoster ou même accostaient quelquefois n'importe quel adulte uniquement pour avoir le plaisir de parler à quelqu'un. De là commençaient souvent les échanges qui certainement allaient devenir des activités commerciales de nature sexuelle.

Et pourtant, au départ, il s'agissait d'enfants, d'enfants qui n'étaient pas à l'aise dans un milieu qui doit pourtant être le leur: le milieu scolaire. C'est là que les enfants doivent faire des apprentissages, c'est là qu'ils doivent se développer ou du moins que l'on doit favoriser un développement le plus global possible compte tenu de ce qu'ils sont, de leur personnalité, de leurs limites et de leur forme d'intelligence.

Il semble qu'en voulant rendre l'école accessible à tous les enfants, qu'en faisant de la fréquentation scolaire une obligation, nous nous soyons satisfaits de voir nos enfants assis sur des bancs d'école sans nous soucier plus profondément de leurs réels besoins d'apprentissage.

Combien d'enfants avons-nous vus dans des classes, marqués, méprisés, rejetés, parce qu'ils étaient incapables d'apprendre dans un milieu scolaire traditionnel? Combien avons-nous vu d'enfants impliqués dans le système judiciaire? Combien d'enfants incapables d'accéder à un métier où l'on demandait des connaissances traditionnelles tout simplement parce qu'ils n'avaient pas le diplôme requis? Combien de fois avons-nous vu des enfants vouloir devenir mécanicien, plombier, à qui on ne reconnaissait pas les apprentissages qui avaient été reconnus dans le passé, des apprentissages faits auprès d'autres personnes compétentes plutôt que ceux du milieu scolaire traditionnel.

Ces enfants découragés, ces enfants sans espoir se retrouvent obligés de quitter le milieu familial où ils sont continuellement rejetés, où ils sont les enfants qui ne savent rien, qui n'apprennent rien et qui ne gratifient plus les parents.

Il faudrait également nous demander si l'enfant-roi que nous avons connu n'est pas justement en train de s'apercevoir qu'il est un enfant abusé, un enfant dont l'adulte se sert pour répondre à ses besoins, pour gratifier des parents qui sont eux-mêmes de moins en moins gratifiés par leur propre vie, qui recherchent dans l'enfance de leur progéniture des morceaux de ciel qu'ils ont perdu eux-mêmes et qu'ils ne retrouvent pas, ô malheur, dans leur enfant. Et c'est alors le rejet. C'est l'enfant-rejeté, l'enfant-dévalorisé, l'enfant-sans-espoir, l'enfant-sans-avenir.

Qu'a-t-il en partage? Il ne lui reste plus qu'à fuguer en cherchant la liberté ou le monde meilleur qu'il est en droit d'espérer. Faute d'alternative, faute de communication, l'enfant doit fuguer pour survivre.

Or, à connaître ces enfants, il est manifeste que ce milieu de liberté qu'ils ont voulu trouver n'est, en fait, qu'un milieu encore plus dévalorisant, un milieu de violence, de compétition, un milieu de destruction. Et c'est le cercle vicieux qui se répète sans fin.

Comment pouvons-nous arrêter ce cercle vicieux? Comment pouvons-nous donner à ces enfants un peu d'espoir? Comment pouvons-nous leur redonner le goût à la vie? Car c'est de cela qu'il s'agit!

Conclusion

Nous avons assisté avec les comités Badgley et Fraser à une prolifération de recommandations relativement à la problématique des enfants exploités sexuellement. Ces comités nous fournissent une gamme de possibilités, de solutions qui vont des changements législatifs aux interventions sociales dans le milieu familial.

Il reste cependant que nous devons encore une fois réaliser collectivement que ces enfants que nous sommes censés aimer sont en réalité des enfants que nous exploitons trop souvent. Il faut encore une fois nous demander pourquoi nous sommes incapables de protéger des enfants que nous avons mis au monde, des enfants qui sont la preuve de la foi que nous avons dans la vie.

Il n'est certes pas suffisant de reconnaître aux enfants le droit d'être désirés, le droit à naître sains, le droit de vivre dans un milieu où ils recevront satisfaction à leurs besoins, le droit à être aimés... Il faut encore que les adultes acceptent de ne pas restreindre l'exercice de ces droits. Les législations en ces domaines ont inifiniment moins d'importance que la façon suivant laquelle la collectivité perçoit les droits et devoirs de l'enfance.

Dolto nous dira que:

"Le pouvoir discrétionnaire avec lequel les adultes restreignent la civilisation des petits est un racisme d'adulte inconscient exercé à l'encontre de la race-enfant."

Il faut que cesse le malentendu entre les enfants et les adultes. Il faut que se rétablisse une communication où les adultes aideront à atténuer les inquiétudes des jeunes, où les jeunes pourront disposer de modèles de solution.

Nos milieux de vie ont été tellement bouleversés que nous-mêmes, adultes, sommes désemparés. Il n'est pas surprenant que nous n'ayons pu mettre au point pour nos enfants, des repères d'entrée dans la vie sociale où des modèles d'initiation ou d'émancipation sexuelle.

Il faudra chercher avec eux l'équilibre entre le mouvement et les points sur lesquels s'appuyer à un moment.

"L'homme moderne ne connaît plus guère la terre ferme. Il a le mouvement comme support."

Nous croyons souvent avoir tout donné apparemment à nos enfants, sauf l'essentiel dont ils ont le plus besoin; la foi dans un avenir, dans un avenir partagé.

Comment nos enfants peuvent-ils vivre dans un monde d'indifférence et de haine, et croire un instant qu'on puisse les aimer. Pour réapprendre l'espoir, il faudra reconstruire une histoire d'amour entre l'adulte et l'enfant, et lui redonner une place de choix dans la société en croyant inconditionnellement en ce qu'il peut devenir. La foi n'est jamais qu'une foi d'enfant.

En général, le droit exprime non seulement les valeurs de la société, mais aussi la nécessité de les protéger, au moyen d'un ensemble de prohibitions et de peines.

Bien que nous soyons convaincus qu'il importe de définir avec prudence celles de nos valeurs sociales qui méritent d'être renforcées et protégées, nous sommes encore plus convaincus du bien-fondé du recours au droit pénal aux fins de protéger les enfants exploités sexuellement. Cependant, l'efficacité d'une telle démarche sera toujours tributaire de la foi que les adultes mettront à faire appliquer ces lois. Il nous apparaît impossible par le seul recours aux mesures législatives de faire face à la nature profondément troublante et insidieuse de nombreux aspects de l'exploitation sexuelle des enfants.

Il est parfaitement évident que des mesures législatives ne permettront jamais à elles seules de corriger l'incompréhension des comportements humains, particulièrement de la sexualité humaine.

Il faudra donc individuellement et collectivement prendre conscience que l'enfant n'est pas un objet aussi précieux soit-il.

Il faudra réaliser combien l'enfant est une personne humaine fragile et vulnérable, et combien il a besoin de s'appuyer sur des adultes responsables et aimants pour se développer et s'épanouir, en s'assumant de plus en plus librement.

Summary

Sexual Abuse in Children

In the past five years, two committees have studied the problems of sexual exploitation of children in Canada. The Badgley Committee (1981: Justice, Health and Welfare) examined our children's protection against sexual abuse. The Fraser Committee (1983: Justice) looked into problems pertaining to the involvement of children in pornography and prostitution. The author reviews the main findings of these reports. In conclusion, she cautions against believing legislation can solve problems whose roots lie deep in our educational system and in our homes. To develop well, our children need strong, healthy, loving relationships with the adults surrounding them.

The future of adolescent female potential in a shopping mall culture

by Elaine Batcher

This work emerges from a study I conducted from January to June of 1984 called "Lunchtime at the Mall", which originated with an earlier observation that a particular mall in a suburban setting was a gathering spot for teenagers from the local high schools. An earlier paper examined adolescent society and the problems girls encounter within it. In this presentation, I wish to examine the skills of existence within what I see as the mesh of manufactured teenage culture, consumerism, age-peer determinism, and minimum wage employment whose manifestation is the shopping mall. I wish to juxtapose these against the skills of existence needed for long-range planning of education and career. Further, I wish to indicate the direction of possible development of individual roadmaps through societal rhetoric and convention.

The mall where observation for the project began was in Metropolitan Toronto, in a middle-class neighbourhood, close to several schools. Open twelve hours a day during the week and nine on Saturdays, offering various types of fast foods and a variety of merchandise favoured by adolescents, the mall was a natural attraction for the youth of the neighbourhood at all times of the day. Here, without obvious intervention of adults, flourished a sizable society of adolescents with its own organization and rules. Here was where they came to be free of the restrictions of school, free of the obligations of adult-made society, free to be themselves with each other. I would like to show just how illusory this freedom was and is.

The Mall as North American Architecture

Public squares, which performed a multitude of functions in the life of European cities, were never as important in North America. We cannot say that modern shopping malls have usurped the place of public squares and we cannot say they are unnecessary, for they have, from the start, brought needed goods and services into suburban areas. But in many new areas, commercial centres were built instead of community centres, promising but failing to fulfill general social and cultural needs. In modern times these no longer included communal grazing and the drilling of the militia, but ought to have allowed space for public gathering, conferring and worship, and to have added to the beauty of the neighbourhood.

The shopping mall has been described by planners as one of the only new buildings created in our time, and can now be found all over North America and beyond. The stated intent was to combine social and cultural elements with commercial ones. But the fact that malls were created and controlled by "developers", people with business interests, is revelatory of the commercial base of all the various functions centred at the mall.

Fashion shows, babysitting services, musical entertainment and art displays all either promote merchandise or induce or enable people to buy more. While there is much happening at the mall, every use is supportive of commerce and would disappear if the stores closed. The latest of mall attractions is an indoor amusement park with rides, and in the same location, classes given by one of the community colleges. The president of the development has been quoted in the newspaper as saying, "We think some of those people will buy things too". Exactly.

Along with post-war suburban living and the growth of shopping malls has come North American materialism, highly successful and highly prosperous, as though enjoying a life of its own. It remains in place in the face of assault and opponents are forced, in time, to capitulate. Commercialization has led to an ever-increasing monotony and standardization of locations, goods and services. Think of MacDonalds.

Real creativity has been stolen and commercialized, replaced by an endless succession of fads which fade and are themselves replaced. This tendency is exploited by developers in the location of malls, stores and merchandise. The age and status of people in the catchment area provides a beginning to understanding what they will buy and then getting them to come in and spend money. "You really have to read your market well..." You create the needs which will be satisfied by buying something, then you provide the some things which people will buy.

Teenagers in Commercial Settings

Teenagers come to the mall to escape from school, escape from their parents and be together with friends. Here they live in an "as if" world - as if they were free of adult interference, as if they were themselves grown, as if they could make independent choices - when they are not and cannot. They have much discretionary income, of course, and this adds to the illusion but does not change it.

Teenagers may get money from their parents, who on the whole have more to give than their parents had. Gifts from relatives, which in less affluent times might have been modest monetary sums or homemade items, now may take the form of cash, and in our current culture to give small amounts of cash is to appear "cheap", and therefore to be avoided. Many teenagers earn money at jobs, which in commercial settings are protected by minimum wage laws and in private areas may work on supply and demand, yielding a goodly sum for the traditional babysitting and snow shovelling. One way or another, teenagers have money to spend.

Many jobs and services now employ part-time help at the minimum wage and many of these are based in malls. Teenagers under the age of eighteen often staff them. The jobs are seen as temporary by bosses and hirelings both, and rarely lead to permanent or advanced positions. Employees are rarely unionized and can be controlled by the threat of dismissal and the manipulation of their duties and hours of work. It is not unusual for an eighteen year old to be let go rather than be paid an adult wage.

The provision of a certain amount of money encourages spending, and there are certainly a lot of things one can do with money, and most every thing available at the mall costs money. One purchases cigarettes and smokes them, buys coffee and a Danish to enjoy as snack, later burgers and fries or pizza or Chinese take-outs for lunch. One browses through the record store or book store and makes a purchase. One tries on clothes and buys something new and amusing or puts money down and has it laid away. One picks up a new lipstick or eye pencil from the drug store and pays for it with the remains of one's pay cheque.

The mall appeals to adolescents in exactly these ways, and encourages them to make purchases. Teenage browsers are frowned on. Teenagers who have finished eating are asked to leave the tables. One girl who was let go from her job when she turned eighteen had only 100 dollars saved after three years of working fifteen hours a week. Media advertising is directed at youth, as are displays of merchandise and marketing techniques. Further, adults are encouraged to identify with an ever-diminishing ideal age. We should all be teenagers forever!

The Commercialism of Teenage Culture

Teenage culture is socially constructed out of the willingness of adolescents to grow into the adult world, the materialism of our society, and the economic exploitation of teens as both workers and consumers. Much of what is considered teen culture is a commercial creation. It may have begun as an artistic or creative invention, for example Boy George's clothes and hats, but once it is seen as commercially viable, it is stolen and mass-produced for profit. When it has been milked for all it will yield, something else will be promoted.

The best example of this in recent times is "punk" culture. Initially a reaction against commercialism, a nose thumbed to the idea of buying new things every season, it became a style displayed in clothes shops. Initially achieved only by sorting through old clothes in charity bazaars and combining them in unusual ways, the look could be bought already co-ordinated, a year or two later, at Eaton's, or pieced together oneself from such offerings as ripped T-shirts at $50, calf-length pants at $100 in posh boutiques.

Not all adolescents, of course, became punkers. There is an element of choice in teenage culture such that one may knowingly follow any one of several current styles. Like adults meeting at a party categorizing new acquaintances by asking, "What do you do for a living?" adolescents can ask, "So what kind of music do you listen to?" and know much about the respondent. The music is one element in a configuration that is known and recognized. Whether or not individuals agree with the way things are, most know the rules of existence.

It is possible to remain outside all configurations or "images" by insisting on one's own individuality, but running against the stream is hardest in adolescence, when personal idiosyncrasy is not seen as strength, but as an isolating weakness. If, in other words, the lunchroom tables divide along lines of "jocks", "funkers" and "rockers", choosing not to join a group means choosing to eat alone.

Many of the social aspects of teenage life are thus expressed through commercial means and seen to be embodied in a configuration of things. You are what you wear and own. Competition between groups and between individuals is conducted through clothes and possessions, different combinations of which show everyone your affiliation, ideology and intent in life.

In this sense, the tendency of youth to form affiliations is exploited by commerce, and as there is a great willingness among youth to grow up and have for themselves the things they see around them, they can easily be seen to be active participants in their own exploitation, in a social construction mode. In addition to the over solicitation of advertisements and displays, there are the messages given out through the huge music industry on radio and in videos. And the message is BUY!

When youths criticize peers, it is often through their things and through their attachments to whatever artifacts are deemed necessary to their image, whether these be studs, leather, black jackets, clothes with rips, expensive clothing, cars, cycles and so on. Their families also come in for criticism, as though parents and children were responsible for the state of materialism that exists in, say, the school cafeteria. Like the weather, everyone talks about it but no one does anything about it.

The Mesh of North American Life, Adolescent Version

Let me summarize and develop everything I have said so far by describing what I see as the mesh of life for adolescents.

Manufactured Teenage Culture:

The staples of teen life all come from a factory of one sort or another. It is not that these are the only items of the culture, but that it would be hard to imagine teen culture without them. Movies and music, to name just two avenues, and the heroes and fads emergent through these, and all the paraphernalia created by them and created to sell them, are such staples.

Consumerism:

Buying is a way of life; shopping is a way of life. There has been much commentary on this. Malls and their seeming accessibility to children provide easy indoctrination into shopping as amusement, gratification and good living. Whether we seek the cause of consumerism in original sin, the Freudian theory of desire as emergent from within and as prime motivator of human action, the evils of suburban living made possible by the automobile, or the manipulative role of advertising, or all four and others, the truth of consumerism as the core of our culture is unquestioned.

Age-peer Determinism:
The factory approach to schooling which treats children in bunches, placing them by year of birth rather than readiness into classes and then treating then virtually the same regardless of interests or skills, prepares them for an impersonal world. the expectations parents have of children are very much tied to their age, and these seem to be speeded up in current times. Children will look around at their cohorts, select one who appears to be slightly ahead of the others, and use that person as a direction indicator. "Advanced" behaviour acts as the thin edge of the wedge, opening up that action to others of the age-cohort.

Minimum Wage Employment:
We need adolescents to be workers for a number of reasons. First, we need them to do the jobs that adults will not do, such as work in fast-food joints at low pay and on short- and split-shifts. Second we need them to work so they will have money to spend on all the things we tell them are worth-while. Third, we need them to work so they will be kept busy and out of mischief, off the streets and not challenging the existing order. Adolescents make gains as workers, of course, but most of the jobs lead to nothing. There is no progression up the ladder from the bottom. And from the employer's point of view, there need not be long-term responsibility to young workers, nor recognition of their needs beyond the basic monetary agreement.

Inside the mesh, the messages from the adult world are very strong. "You're nothing special, just one of millions of kids. You're welcome to visit the adult world as long as you behave as we expect. Spend your money and don't cause a fuss. Work where we tell you and leave when we tell you."

The Shopping Mall as Stable Manifestation of the Mesh
Cause and consequence within the mesh can never be sorted out. There is an obvious inter-relationship among the elements within, and all are in evidence at the mall, here, adolescents are employed at minimum wage, manufactured teenage culture appears in every window, there is pushing of adornments and possessions, the glorification of buying, and the grudging concession to a parallel adolescent peer-culture seen walking through in groups and gathering at the tables.

Further, the mesh is very stable because it is able to overcome assaults by absorption of opposition. The basic principle is that anything can be capitalized on, anything can be turned into a trend, and trends are fads which make money. In the way that a person skilled in the martial arts can use the weight and momentum of one's opponent to one's own advantage, the mesh takes opposition and turns it into profit.

Rock music began very much as an expression of the antipathy of the young for the old - Elvis, Bill Hailey and Chuck Berry were all rebels. As a concept, this is still true of rock, but look who is still rocking - not the rebels, but the establishment. Mick Jagger is still doing what John Lennon called "his fairy dancing" well past the age of forty. The Beach Boys are still singing about high school. Pete Townsend acknowledges that it ought to be his son up on the stage not himself, "an old geezer". Even The Boss, Bruce Springsteen, is 36! Mainstream money, power and fame long ago replaced rebellion as the point of what they were doing.

The punk movement is merely one of the more recent examples. Now that we can see suburban matrons walking around with spiked hair, magenta make-up and shirts showing seams on the outside, as though they were being worn inside-out, we can assume that the initial message of the movement, anti-social, working-class, anti-materialistic, anti-normal, discordant, be yourself and don't sell out, as expressed perhaps by The Clash has been absorbed, deflected, eaten for profit.

Skills of Existence in a Shopping Mall Culture

Adolescents need skills in a variety of areas to find acceptance and feel at home in their chosen niche of the culture. A skillful approach to getting along entails cognition or understanding of what is involved, empathy or a feeling for the justice of details, and ability in the creation and management of oneself among others. In other words, one must know, believe and further all three.

Chief among the skills is the approach to one's image, to the understanding that much of how one is treated depends on how one is seen. This includes not only how one looks (clothes, face, body, accessories) but how far along in maturity one is (physical first, then mental and emotional), one's degree of confidence and the degree to which one will dare, as well as one's own approach to all else that follows.

Family background counts for much, and this would include details of socio-economic status, religious affiliation, past achievements and expectations for the current and next generation.

One's own personal experiences and achievements are important, including school, sports, social life, clubs and so on. Skill or recognition gained through accomplishments of any kind, such as music or sports can be tallied.

Sommaire

L'avenir du potentiel adolescent féminin dans la sous-culture des centres commerciaux

L'auteure s'intéresse à la sous-culture des centres commerciaux. Les adolescents vont dans ces endroits pour se retrouver entre eux, se libérer de l'école et des autres, etc. Toutefois, ils baignent dans une atmosphère fabriquée de toute pièce qui leur laisse en réalité peu de liberté: pressions des pairs, incitation à consommer, emplois temporaires mal rémunérés, etc. Les habiletés nécessaires pour survivre et circuler à l'aise dans cette sous-culture créée artificiellement pour des motifs lucratifs, paraissent aux antipodes des habiletés existentielles nécessaires pour se préparer à une vie personnelle autonome, à des études significatives et à une carrière intéressante: la connaissance de soi, celle de son milieu, la capacité d'aller vers le nouveau et de l'intégrer ou non à sa vision du monde, la capacité de se faire des amis authentiques et durables, l'acceptation d'un cheminement souvent long et ardu, etc. L'auteur conclut en montrant comment ces problèmes sont difficiles à surmonter pour les adolescentes en particulier. Elle souhaite enfin que suffisamment d'adultes s'intéressent aux jeunes, les écoutent, les encouragent à être eux-mêmes et à oser au besoin se marginaliser de manière à résister aux énormes pressions qui s'exercent sur eux.

Mothers and daughters in transition: beyond the cultural boundaries

by Elizabeth C.G. Fortes

This paper presents a therapeutic approach to culturally determined intergenerational grief, as noted in adolescent daughters of immigrant or refugee mothers.

The purpose of this approach is to explore and connect two areas of family life: a) the emotional ups and downs of the adolescent stage, and b) the influence of cross-cultural issues within the mother-daughter relationship.

It is only to emphasize the dynamics between mothers and daughters that references to other members of the family have been avoided.

The described model of supportive mother-daughter therapy is designed to facilitate the improvement of communication between the two generations.

Many of the physical and psychological ill-effects of migration and cultural transitions have long been identified in the literature (Kliewer, 1985; Lifton, 1983; Rakoff, 1984), and recognized within the symptomatology of Grief (Worden, 1982).

Throughout this therapeutic approach, these issues are given full attention. The recognition of relationship values as a crucial task in women's self-development is also emphasized according to Gilligan, 1984. A modified version of Worden's conceptualization of the Tasks of Mourning (Worden, 1982), is also utilized as a way of empowering the participants and as a tool for the evaluation of therapeutic progress.

At the final stage of dealing with culturally determined grief, the most significant guideline is the rebuilding of on-going family relationships or acceptance of their limitations.

For the mother the therapeutic intent is to focus on issues related to loss of cultural security, changes in self-image (particularly when she has language problems), loss of mothering paradigms, separation anxiety and fears of further loss. Other feelings which may be underlying the presented conflicts with her daughter, are also to be explored.

For the daughter, the goal is to understand how the lack of effective communication with her mother might be interfering with the healthy development of her self-esteem, thus increasing her sense of isolation and generating grief.

It is assumed that when daughters of immigrant or refugee mothers enter the separation-individuation stage of adolescence, some mothers may experience a perceived loss of control and the reawakening of their own early nurturance needs. Memories of other losses accrued through migration might thus compound these early emotional deficits.

According to the hypothesis put forth by Dorothy Dinnersteing (1976), throughout the evolution of the patriarchal family, women have been raised within a system of emotional nurturance deficits, which are perpetuated from generation to generation.

Due perhaps to early mother-child identification and/or to the above mentioned factor, it has been suggested that girls develop premature patterns of caring for others as a way of compensating for their lack of emotion al nurturance.

Within such a pattern, girls therefore do nurture their mothers in a variety of ways, and in turn, mothers expect to rely on their daughters for the fulfillment of their practical and emotional needs.

In immigrant and refugee families, this process is often accentuated because of the many cultural and emotional losses suffered by the mother.

How these dynamics are transferred from one generation to the next constitute a cyclical process which maintain abusive patterns of conditional bonding (Health and Welfare Canada Report, 1984).

Such patterns are expressed through a continuum of family relationships. In addition, many so called "cultural" expectations are placed upon women to elicit their compliance with traditional norms that can be seen as strong representations of socially sanctioned patterns of abuse.

Within the stated therapeutic framework, such practices must be explored and exposed, in order to help young women to understand their right to make choices within the Canadian Multicultural Context and society at large.

Given the evidences for the high stress levels associated with migration (Kliewer, 1985; Rakoff, 1984) and the subsequent conditions of isolation and absence of community support services, it is understandable that some mothers intensify their reliance upon their daughters, who sooner or later might rebel.

Frequently though, not only do the girls perform significant practical tasks to help their mothers, but also become their mother's most significant emotional nurturer.

Within this therapeutic approach, such a pattern would be discouraged and further exploration of the family's bonding dynamics would be undertaken. The perceived stereotypes of mothering roles available within the trans-cultural community would also be examined.

Above all, it must be emphasized that the immigrant or refugee mother is brought into the therapeutic setting in order to be nurtured and not to feel judged or criticized. The focus must be placed on the process of depotentiating the mother's need and desire for the daughter's competency, as symbolic of control and protection, for the mother.

Rather, the mother must be supported in formulating a new definition of who she is, so as to comprehend her daughter's search for self-identity, within broader cultural parameters.

Within certain situations of family conflict, cultural issues may take many forms and a whole gamut of feelings may come to the fore. These may range from entrapment to trivializations, the latter being used as a form of denial of the pain brought about by the migration experience (Hubner, 1985; Lifton, 1983).

Either extreme indicates a misunderstanding of culture as process, and as context for definitions of reality within which individuals find their particular place.

Some degree of cultural syncretism must therefore be allowed to develop, within the therapeutic process, thus encouraging more experience-based definitions of self-in-the-world, for both mothers and daughters.

It is believed that the future of girls whose mothers have grieved their cultural losses can be vastly transformed. And that both of them will be strengthened as individuals and in their sense of connectedness with community and historical continuity.

References

Dinnerstein, Dorothy, **The mermaid and the Minotaur**, N.Y. Harper Colophon Books, 1976.

Gilligan, Carol, **In a Different Voice**, Cambridge, Mass. Harvard University Press, 1982.

Health and Welfare Canada, **Report of a Demonstrations Project: Learning and Teaching in Child Abuse**, 1984.

Hubner, Michael, "Pain and Potential Space", Menninger Foundation, **Bulletin of The Menninger Clinic**, Vol. 48, no. 5, pp. 443-445, 1984.

Kliewer, Erich V. and R.H. Ward, "Do Immigrant Suicide Rates Converge in Destination Country?" Unpublished, 1985, Author's address: Department of Health Care and Epidemiology, Faculty of Medicine, University of British Columbia, Vancouver, B.C., V6T 1W5.

Lifton, Robert Jay, **The Life of the Self**" N.Y. Basic Books, 1983.

Rakoff, Vivian, in an Interview with Robert Fulford, "A Psychiatrist's Odyssey", **Saturday Night**, Toronto, Ontario, Feb. 1984, pp. 34-43.

Winnicott, D.W., "The Location of Cultural Experience", **International Journal of Psychoanalysis**, Vol. 48, Part. 3, 1967.

Worden, J.W., **Grief Counseling and Grief Therapy: a Handbook for the Mental Health Practitioner**, N.Y. Springer Press, 1982.

Sommaire

Mères et filles en transition: au-delà des frontières culturelles

L'auteure présente ici une approche thérapeutique destinée à améliorer les communications mères-filles d'immigrantes. Pour la mère, l'accent est mis sur l'expression des sentiments ressentis à l'occasion de la perte de sécurité culturelle, à la prise de conscience des changements dans l'image de soi, de son rôle, etc. Pour la fille, l'objectif est surtout de voir comment les difficultés de communication avec sa mère peuvent nuire au développement normal de sa confiance en elle-même, accroissant ainsi un sentiment d'isolement et de deuil. La conclusion s'arrête à l'importance de faire son deuil des pertes culturelles subies, à la croissance personnelle vécue par les mères et les filles dans la situation thérapeutique et, enfin, aux rapports mères-filles qui s'ensuivent.

Conflicting family values: Problems of cultural marginality

by Professor Maria Peluso

I would like to begin by establishing the parameters of our topic today. I have been called today to discuss with you the inherent problems confronting our immigrant youth, more particularly our female immigrant youth, in adjusting and adapting to the dominant cultural values of Canadian and Québec society.

Firstly, it must be emphasized that any discussion about immigrants in particular, and ethnicity in general ought to be treated on a "case-by-case" grouping. The reasons for this are simple enough. Immigrants and ethnic communities are as varied and heterogenic as mainstream society. As professionals it is imperative that our understanding of cultural values begins with specificity. Gone are the days when we can look and assess ethnicity with sweeping generalizations and the treatment of immigrants as "others". An understanding and tolerance of the richness of cultural values and customs other than our own will go far to encourage the participation of immigrants into the political process of our liberal democracy. I will address the problems, briefly of the lack of participation of our immigrant communities in the political process a little later on in our discussion.

Concomitant with knowledge about the cultural baggage immigrants bring with them to the Canadian and Quebecois society is moreover their moral and religious values. Cultural values are not monolithic. They stem, in all societies, from the process of socialization which permits the internalization of values via a number of significant social agents, more notably: the family, the school system, peer group pressure, religious institutions and the media to cite a few.

There is yet another reason why we need to open up the lines of communication with our cultural communities. Soon, demographers have forecasted, the dominant culture in Canada will no longer be French or English anglo-saxon protestant. By the year 2000, the largest single population group will be ethnic Canadians. Birth ratios are substantially higher among our ethnic communities than for English or French Canadians. This coupled with the fact that immigration patterns have recently indicated that immigrants coming to Canada are arriving increasingly from underdeveloped countries will mean that the composition of Canadian society will be altered. Ethnic communities will no doubt become more "visible" within mainstream society, will "become" the mainstream society.

The last point which needs to be included in our understanding of ethnic communities is their historical context within the Canadian/Québecois ethos. I refer you here to the works of John Porter, Lois Hartz, Clement Wallace, Robert Protheus and George Grant. Though it is true that Canada's tradition is one which adheres to the principles of a liberal democracy, it is also true that our history, with regards to cultural minorities, have placed those very principles of liberal democracy in the hands of a privileged few. An analysis of power elite structures and decision making reveals that ethnics comprise only four per cent (4%) of the power elite (economic and political). An examination of our legislative assemblies reveals that they are not representative of the multi-ethnic composition of Canadian society. How many Japanese, Jews, Blacks or native people occupy elected or appointed positions of power? Canadian feminists have been quick to point out that the political process in Canada has been patriarchal and elitist in nature (Jill Vickers, Margaret Benson). What this has meant is that Canadian ethnics have not been made a part of our Canadian history! As the Report of the Special Committee on Visible Minorities in Canadian Society (1984) points out:

"A tension exists in Canadian society between the original European partners in Confederation, who dominate Canadian institutions, and the other peoples who wish to share fully in the institutional life of the country. Inherent in the notion of the diversity of Canadian society as a mosaic is the equal participation of the pieces making it up, yet Canadian society is in reality a "vertical mosaic", with some pieces raised above the others; the surface is uneven. The groups who appeared before the Committee were in agreement with two official languages. However, they were not in agreement with the pervasive acceptance in Canada that there be two official cultures. As long as we persist with the rhetoric of two founding peoples, and their implied greater importance, Canadians whose heritage is other than French or English will be denied recognition as equals in the development of Canada, will be denied a sense of belonging and will be considered and will consider themselves lesser mortals" (Introduction to the Report).

Though no one will deny or question the importance of multiculturalism as a policy of government, we must work to ensure that multiculturalism does not develop, as our tradition illustrates here in Canada, as a policy of ethnic group containment. Multiculturalism and theories of pluralism implies that our mosaic ought to be "parts which are equal" or "equality among the parts" - equality among our cultural groupings. This said, we can turn ourselves to the immediate question of structure - where are our ethnic leaders, within the present policy of multiculturalism?

Ethnic power elites have remained isolated within their respective communities though they have extensively enjoyed being leaders, or as Weinstein the eminent anthropologist points out, patrons in the patron-client relationship which exists in cultural communities. Often, depending on the ethnic community, institutional completeness is established with parallel social and community agencies operating outside of mainstream agencies. In other instances, patron-client relationships are formalized not in parallel institutions but in key public figures: a travel agent, a notary, the clergy, a teacher.

Significant to our discussion at this point is the understanding that confronted with on the one hand, a social and political system managed and created by the dominant culture, and a parallel social and cultural system on the other, immigrants find themselves culturally marginal with regards to familiar traditions and values which they bring with them and the new and exciting possibilities offered by Canada's/Québec's value systems. As Kam Singh explains before the Committee:

"Life is incomparably better here from a material standpoint, but not so from the standpoint of human empathy and spiritual aliveness. I am a split person living here. Not a split personality, but a split body. One part of me needing and enjoying the material comforts that I have found in Canada, but the other part craving the closeness and warmth of family and friendship which I find in India."

The immigrant family - immigrant woman

Integral to the life of immigrants in Canada is, moreover, the importance of kinship ties and the family as a significant other. Here we have an appreciation, unlike no other, of the diversity of other cultures. Most family structures, among ethnic groups, are both patriarchal and patrilinear. That is the male, the father and husband is considered to be the final authority in matters pertaining to finances, child rearing, and family decision. Historically, this has meant that the males usually arrive first to the host country before sponsoring can be made for other members of the family. The Chinese community in Canada has as its roots a "bachelor community" which existed prior to the second world war before Chinese women were sponsored to come to Canada.

Yet other family structures, though fewer in number, are matriarchal and matrilinear, Equador, Phillipines, whereby it is the female who first arrives and seeks employment before sponsoring their husbands or brothers.

The problems experienced by immigrant women in the labour force have been well documented (Arnopoulos). What has not been so well documented is the impact of employment upon immigrant family life and child rearing. It is critical to know that over sixty-five per cent (65%) of all immigrant women work outside the home compared to thirty-nine per cent (39%) of women generally employed in the work force. Immigrant women employed in the labour force experience a number of abuses not uncommon to others: lower wages, lack of benefits, no or little promotion (15% for example are unionized). They occupy the lowest of manual labour occupations in the manufacturing, service and domestic work markets. Sexual harassment is prevalent and there exists frequent high labour turn-overs (Patricia Marchuk).

Language training programs have not addressed the needs of immigrant women in the labour force and appears to be among immigrant women's groups a contentious issue, in view of the fact that the ultimate key to integration, promotion, accessibility of recourse mechanisms, and government services is language, immigrant women in particular do not avail themselves of rights and privileges available to all other Canadians in the work force (1976, 68% did not know French/English; 1984, 68% still do not know French/ English).

Within a family context the fact that a significant number of immigrant women work outside the home added pressures of continuing to be responsible for the tasks of reproductive labour are often transferred to the children of immigrant families. In some cases, such as in extended families (Asian) immigrant women have been responsible to meet the demands of other extended family members. Mothers-in-law play in extended family relationships a dominant and demanding role of their daughters-in-law (Indian, Japanese), though for immigrant women working, other extended family members (mothers-in-law, grandparents) have assisted with early child care supervision.

Immigrant women come from traditional non-industrial societies, often non-democratic, and non-participatory. It is a myth to assume that immigrants and immigrant women in particular, coming from non-industrial countries have magically adopted the principles of liberty and freedom which we enjoy here in Canada. It cannot, therefore be assumed that technical modern industrial democratic societies have by extension imparted their democratic value system automatically to immigrants and immigrant families. This may in part, explain the lack of participation of immigrant families in community or school activities in the dominant culture. Very few attend parent-teacher events or become a member of a political party. Participation and freedom is a new notion, a new set of circumstances.

It is encouraging to see positive efforts being made to encourage the participation of immigrants in Canadian social institutions. Gatherings such as these for example which address the issues; the political party systems in Canada (provincially and federally) which now have immigrant committees or address the needs of their ethnic constituencies, community organizations which hire ethnic employees to draw the target immigrant user population in the communities which they serve, these efforts will go far in the recognition of the needs and problems of immigrant families.

Immigrant Children - Adolescents

The problems experienced by immigrant children and more acutely adolescents are too numerous to cite extensively. The most significant problem is the one of cultural identification. Though immigrant children are raised in families which uphold the traditional cultural values their educational experience confronts them with, often, an entirely different set of cultural values.

Peer group pressure is most acute during the child's formative years where we first witness the denial or "shaking-off" of cultural identity associated with their specific ethnic group. at this stage, immigrant children may begin to illustrate their "sameness" with members of their peer group by altering their ethnic names to a "Canadian" version of their choice of dress.

Given that most immigrant family life is most typically patriarchal, child ren often negotiate their wishes, dislikes and needs through their mothers. Without question, immigrant women, within this context are the mediators in families caught between two value systems for their children. However, in most cases, she is unsuccessful or is noncomplying in her children's new found values.

Concrete examples of these family problems become manifest when child ren reach adolescence. Here it is often immigrant girls who experience the most difficulty in going out at night, wearing make-up, participating in sport activities or other school activities, fashion or dress. My experience in teaching adolescent immigrant girls has illustrated for me the terrible marginality these girls face between our dominant culture and their culture of origin.

For example, immigrant girls would often arrive at school without makeup and particular clothing or dress and immediately proceed to change their outfits and apply make-up only to remove this "peer group look" after school, to how they were at the beginning of the day. Where, moreover, sexuality and virginity are important and strict values for immigrant girls, their fathers would wait for their daughters to finish their school day before picking them personally up everyday after school.

In my capacity as an instructor at Concordia University, I make it a policy to congratulate immigrant parents and students (when they are present) at graduation ceremonies. Students and pupils of immigrant families do not always communicate to parents about the activities and programs organized to bring their parents to school events. I bring these points forward as an illustration of the confusion and problems associated with personal identity. They are often embarrassed about their backgrounds, ashamed.

This leads me to yet another topic of interest: the lack of immigrant children who pursue higher education, (30% immigrant boys; 10% immigrant girls UNESCO Report 1982). Perhaps their problems of cultural identification and cultural marginality resolves itself by marriage at a younger age than their Canadian counterparts or to assist the family financially their entry into the labour market is sooner. Certainly, the extension of family values for immigrant girls in the education system can be illustrated by their respective fields of concentration: languages, literature, secretarial, or beyond these fields to social work, the social sciences or teaching.

I wish to point out here the particular problems of immigrant girls precisely because of their status differential within their own families between other male siblings. There is no problem here with the equal participation of immigrant boys in sports or school activities. Upon adolescence, immigrant boys unlike their sisters, learn to drive a car and begin socializing activities by going out with girls or with their friends. Immigrant girls, however, are responsible for various family tasks and assisting their mothers, more so if their mothers are working outside the home.

We have a responsibility in reaching out to immigrant youth and offering our understanding of their problems with cultural identification and marginality. While ethnic communities preserve the ethos of their communities through, as in all communities, the next generation and their children, it is important that we work with the leaders and social agents within ethnic communities to address the problems inherent in values which are outdated or values which do not correspond to simple human decency. Wife battering, child abuse, and domestic violence are issues which require for our ethnic communities our immediate attention. It is only through the sharing of our resources and our problems can we hope to succeed in true cross-cultural communications, that is after all what multiculturalism in essence is all about.

Sommaire

Des valeurs familiales en conflit: Problèmes de marginalité culturelle

L'auteure s'intéresse aux problèmes des jeunes immigrants qui sont transplantés dans une société où les valeurs dominantes entrent souvent en contradiction avec celles de leur famille. Il est important de connaître le bagage culturel des jeunes si on veut les aider. Il semble en effet illusoire qu'ils puissent du jour au lendemain adhérer aux valeurs de leur nouvelle société. L'auteure souhaite qu'on s'ouvre davantage aux valeurs des groupes ethniques: ceux-ci constitueront la majorité de la population en l'an 2000. Le Canada doit non seulement les accueillir mais encore les encourager à participer aux institutions du pays. L'expérience de l'auteure lui fait penser que l'intégration des jeunes filles est plus difficile que celle de ses frères.

Savoir se libérer n'est rien, l'ardu c'est savoir être libre

par Flora Groult

Il y a eu beaucoup d'aubes dans le destin des femmes. Et il y a eu beaucoup de crépuscules.

Six cents ans avant Jésus-Christ, en Grèce, certaines femmes de classes privilégiées jouèrent un temps un rôle important dans les cérémonies religieuses. De ce fait, elles avaient une place dans la société et bénéficiaient d'un statut social. Sapho, la grande poétesse de Mytilène est un exemple célèbre de cette liberté d'être et elle a même eu à son heure une influence politique.

Mais tout cela n'a pas duré. Un siècle et demi plus tard, Périclès a contribué à y mettre bon ordre en déclarant dans son célèbre discours que "L'honneur d'une femme était de s'acquitter de ses tâches ménagères et familiales sans qu'on ait jamais l'occasion d'entendre parler d'elle."

Ce qui fut dit, fut fait.

Au Moyen Âge, le climat se montre plutôt bénéfique. Les femmes ont l'occasion d'accéder à la culture. Elles exercent des métiers et profitent d'une certaine liberté financière et sociale.

Puis, nouvelle éclipse. Il faudra attendre le seizième siècle et sa pléiade, pour qu'à nouveau et sous l'égide de la poésie, les femmes puissent exprimer leur voix.

À l'aube radieuse de la Révolution française, il a semblé un moment que les femmes allaient enfin avoir leur mot à dire. Des clubs politiques féminins sont fondés, Olympe de Gouges réclama le droit de vote pour les femmes... L'espoir naît. Mais Olympe fut décapitée en 1793 et il s'avéra que c'était plus le droit à la guillotine qu'à celui du Parlement qui fut accordé à ses congénères.

Même chanson en 1917. À la Révolution russe, la libération des femmes fut bien proclamée, mais qu'en reste-t-il aujourd'hui? Rien! Combien à ce jour y a-t-il de femmes parmi les treize membres du Polit-bureau? Aucune. Et l'on se souvient à ce sujet des graves difficultés auxquelles la la grande écrivaine Anna Akhamatova a eu à faire face quand elle a dénoncé cet état de choses et affirmé devant le Gouvernement Soviétique que les femmes n'étaient toujours pas considérées comme les égales de l'homme en U.R.S.S.

C'est une vérité historique étayée par les faits: toutes ces aubes du passé qui l'une après l'autre ont porté à croire qu'elles seraient suivies par le grand jour se sont l'une après l'autre éteintes en crépuscule. Soyons sans illusions, même si beaucoup de choses irréversibles ont été obtenues en faveur de la liberté plénière des femmes, la pendule peut encore être remontée à l'envers et le crépuscule continuer à être menaçant.

Que dis-je? Il est déjà tombé en maints endroits, ce crépuscule:

Il y a une quinzaine d'années en Iran, sous l'influence de la Shabana, beaucoup avait été accompli pour améliorer le sort des femmes et les mieux insérer dans une société qui les avait tenues à l'écart. Un grand effort fut entrepris pour encourager les filles à faire du sport, pousser leurs études, même le port du voile, symbole d'obédience et de soumission, était déconsidéré. Farah Diba donnait l'exemple.

Aujourd'hui dans le nouveau régime institué par l'Ayatola, le "chaddor", se présente comme un ordre que les femmes de tout âge, de toutes classes sociales, paysannes ou citadines ont intérêt à exécuter sans murmure. L'Université est réservée en presque totalité aux jeunes gens. On retire aux femmes le droit d'exercer un grand nombre de métiers à responsabilité. Elles peuvent être répudiées, mais n'ont pas le droit de demander le divorce. L'adultère est un crime puni de mort.

Pour ainsi dire sous nos yeux, en quelques années et d'une façon qui n'avait pas été prévue, les femmes d'Iran ont régressé d'un siècle. Elles sont redevenues des esclaves et l'homme règne en maître sur leur destin.

En maints endroits de l'Islam, l'étau ainsi se ressère...

En Arabie Saoudite par exemple, les femmes n'ont pas le droit de conduire une voiture, de s'asseoir dans un café, de montrer leurs jambes, leurs bras nus. Et les Occidentales qui s'aventurent à enfreindre l'un quelconque de ces règlements tacites, celles qui se promènent seules, fument dans la rue et laissent leur visage, leur tête à l'air, se font insulter, conspuer.

Mais s'il n'y avait que l'Islam...

En Inde on pratique l'assassinat des épouses qui n'ont pas amené de dot suffisante dans leur corbeille de noce. Puis, mission funèbre accomplie, l'heureux veuf, peut se remarier une deuxième fois et obtenir une deuxième dot... etc.

En Inde encore on vend sa fille à peine pubère pour devenir objet sexuel des grands prêtres.

En Chine, jusqu'à il y a peu, il semblait que la situation s'améliorait. Pourtant, suite à la politique de dénatalité, on tuait les petites filles à la naissance avec l'espoir la prochaine fois d'avoir un garçon.

Dans toute l'Amérique du Sud, la prostitution des petites filles est pour ainsi dire entrée dans les moeurs.

Aux U.S.A. la crise économique entraîne une campagne pour encourager les femmes à retourner à la maison. L'on détecte dans cette tentative de dissuasion, une nette tendance à la culpabilisation: la femme devrait avoir honte de prendre la place d'un homme. Mais en ce qui concerne son droit à son propre corps, on n'a pas honte de lui faire honte: après que la loi ait été votée, Reagan, en accord avec son parti et encouragé par sa femme, lance une campagne contre l'avortement.

En Afrique, quelques organismes internationaux commencent à s'insurger timidement contre la pratique, mais l'on continue à exciser et à infibuler les petites filles avec la bénédiction des gouvernements concernés et la cécité de bien des pays.

Oui encore trop de crépuscules ou même de nuits noires, de rideaux qui continuent de tomber sur les droits nouvellement acquis ou sur ceux qui n'étaient encore qu'espérance.

Afin d'assurer l'avenir, il est grand temps d'y voir. Les filles d'aujourd'hui doivent en prendre conscience et c'est de notre devoir de les aider à ce faire. Je parle en ce moment des filles de l'Occident, le problème est plus vaste et la solution plus lointaine en ce qui concerne le reste du monde. Mais les filles de l'Occident, celles qui grâce aux combattantes de l'avant-garde, ces femmes des générations que l'on pourrait qualifier de "sacrifiées" qui ont été les pionnières et les premières à tenter de pallier aux difficultés d'être femme, grâce ensuite à celles de la génération "charnière" pour lesquelles le Féminisme a été une foi, une espérance et une charité, les femmes de demain se voient offrir sans avoir eu à lutter pour l'obtenir, un monde où les droits de la femme sont théoriquement au nombre des devoirs de la société. En apparence le but est atteint et l'on pourrait qualifier cette génération-là de "comblée". Mais un risque se présente. Car ces filles et ces femmes de demain qui se trouveront devant ce fait apparemment accompli, qui très jeunes auront été des êtres libres de leur coeur, de leur corps et de leurs actions, ne seront-elles pas amenées à ignorer les dangers de l'avenir? Et à ignorer les efforts du passé? On peut déjà déceler à certains signes dans la génération des femmes de vingt ans d'aujourd'hui que le combat pour les droits de la femme et sa liberté est un combat démodé qui n'a plus de raison d'être, une sorte de féminisme à la papa... pardon à la mama... dont elles n'ont plus rien à faire. Affaire classée. Tout cela c'est du passé, n'en parlons plus.

Développement

Alors, qu'elles le sachent ou non, ces filles qui représentent l'avenir, tout cela n'est pas du passé mais du présent. Et il faut plus que jamais continuer d'en parler.

Il y a dit-on un repos du guerrier. Il ne peut y avoir, tous les faits nous le prouvent, un repos de la guerrière, même si à beaucoup de points de vue, celle-ci n'a plus besoin d'être en première ligne sur le champ de bataille.

Il nous faut continuer à monter la garde pour la protection de cette liberté souvent interrompue et bafouée dans le passé et bafouée encore autour de nous aujourd'hui. Tout en ayant, j'insiste sur ce fait, conscience de ce qui a déjà été accompli.

Développement: exemples

J'ai choisi comme exemple à mon propos, la phrase de Nietzsche (tout en sachant comme tout le monde naturellement que Nietzsche ne pensait pas au devenir des femmes en écrivant celle-ci): "Savoir se libérer n'est rien, l'ardu c'est savoir être libre" car c'est bien de cela qu'il s'agit: de l'emploi (et celui-ci peut être négatif ou positif) que les filles de demain vont faire de cette liberté qui ne leur a rien coûté.

Ce cadeau qui a été déposé au pied de leur berceau par les bonnes fées du féminisme, ne doit pas être un cadeau empoisonné. Il est essentiel pour cela qu'elles soient amenées à réaliser que la liberté se reconquiert tous les matins, que l'égalité se protège et que la sororité se mérite. Rien n'est plus périssable en vérité, qu'un privilège fraîchement acquis. C'est comme une place forte, souvent perdue, reprise, changée de mains et qui doit dorénavant rester dans les nôtres. Pour cela il faut rester attentifs et défensifs.

C'est intentionnellement que j'ai mis ces mots au masculin. Car dans ces efforts pour sauvegarder le mieux-être des femmes de demain il y a là des entreprises qui gagneraient il me semble à être menées de front en commun avec les hommes. Après tout, notre mieux-être, notre mieux-vivre, mieux-faire, les concernent aussi. Après tout, l'homme est l'ami. Si ceci a été parfois oublié de part et d'autre, il est temps de rétablir une sorte de dialogue au sommet et non-violent entre les deux sexes complémentaires, pour étudier les problèmes jusqu'à maintenant irrésolus.

Les femmes se sont libérées. Elles se devaient bien ça. Mais il me semble que curieusement, pour être confortablement libres, il arrive à certaines d'entre elles d'avoir besoin non exactement de l'aide de l'autre partie concernée, mais de son accord. Les hommes ont souvent refusé cet accord dans le passé.

Développement

Encore dans le présent et avec leur liberté acquise, je crois que les femmes ont plus besoin qu'elles n'en ont toujours conscience, de bénéficier de la sorte d'encouragement qu'elles ont donné aux hommes depuis un temps immémorial, et qui ont aidé ceux-ci à devenir tels qu'ils sont, ayant épanoui en eux ambitions et réalisations. En quelque sorte ce rôle de "muse" qui a été tenu fidèlement par les femmes depuis des siècles, devrait être partagé aujourd'hui par les hommes.

C'est demander beaucoup à la plupart d'entre eux de comprendre cela. Eux qui viennent d'observer d'un oeil où errent parfois le doute et la colère notre insertion dans un monde autrefois tout à eux. Eh bien, je crois que pour le mieux-être des filles de demain il va falloir demander beaucoup aux hommes de demain. Car, même chez celles absolument affirmées dans la plénitude de leur liberté, il erre les fantômes d'un certain passé, le lourd souvenir, (peut-être transmis par leur génitrice?) de qui nous fûmes, de qui l'on a voulu que nous soyons. Tous ces interdits, toutes des phrases qui hantent notre mémoire collective et continuent encore et malgré nous à nous entraver. Tous ces (ils sont légion): "La femme de génie n'existe pas, et si elle existe, c'est un homme." - Octave Uzaine, journaliste 1912. "Seule la femme est hystérique." - Charcor. "L'envie de réussir chez la femme, est une névrose, le résultat d'une castration dont elle ne guérira que par la totale acceptation de son destin passif." - Freud.

Puisque mes références sont par préférence littéraires, je pense en particulier à tous les destins gardés passifs aux femmes dont on a restreint ou éteint le penchant d'écrivaine. Il en est des légions à travers des siècles qui n'ont pas osé dépasser le stade du journal intime, même dans le monde d'aujourd'hui. On n'a qu'à relire le beau livre de Christiane Rochefort "Le repos du guerrier" pour s'en assurer où l'héroïne se voit conseiller par l'homme grand H avec lequel elle vit et qui est un homme de plume lui-même, de continuer plutôt à faire la soupe puisqu'elle la fait bien, et d'oublier son projet d'écriture, puisque l'on ne sait pas si elle a du talent... En remontant un peu plus loin, le cas de Dorothy Bussy, la traductrice de Gide est exemplaire. Celle-ci s'est arrêtée d'écrire pendant plus de dix ans, parce que ce Gide pour lequel elle brûlait d'amour malheureux on s'en doute, lui avait déclaré que le livre qu'elle lui avait soumis "Olivia" par Olivia, était sans valeur littéraire. Dorothy mit Olivia dans un tiroir et quand un jour, longtemps après qu'elle l'en eut ressorti ayant épongé sa peine et qu'un éditeur s'en eut entiché, la publication accomplie, Gide s'est excusé. Oui, il s'était trompé. Elle avait écrit là un beau livre. Mais il ne s'en était pas aperçu sur le moment.

Je vois mal une femme de la qualité intellectuelle de Gide, tomber dans ce panneau ou en tous cas décourager avec tant d'indifférence, un auteur débutant. C'est précisément l'inadvertance si fréquente dans le passé, de l'homme pour le talent de la femme, qui a été un des handicaps de celle-ci.

Développement (Exemples choisis dans les autres expressions artistiques)

De génération en génération ces façons d'être ont fait pousser des soupirs pathétiques et souvent inaudibles aux femmes. Très bien résumés par le cri de Kathleen Scott, la femme du grand capitaine Scott: "Rien dans la vie d'une femme, ne peut compenser le fait qu'elle ne soit pas un homme."

Pour que plus jamais les filles de demain n'aient envie d'être un homme, puisque d'être une femme ne sera plus une entrave, les hommes aujourd'hui et demain doivent oeuvrer eux aussi. Et alors les entraves abolies; et la liberté gagnée et gardée, il pourrait y avoir une façon avec l'aide des filles de demain de changer un peu la face du monde.

De nouvelles possibilités dues au nouveau statut des femmes se profilent à l'horizon. Avant tout, l'aboutissement d'une spécificité féminine distincte de l'approche masculine traditionnelle devant les questions qui concernent notre société. C'est-à-dire en priorité les questions de la paix et de la guerre et la répartition de nos ressources entre les projets pacifiques et les projets guerriers.

Il est impensable que les femmes libres n'aient d'autre contribution pour le progrès de la société que le fait d'avoir obtenu pour elles et leurs filles les mêmes droits théoriques que les hommes et le pouvoir de se comporter comme eux. Leur émancipation aura seulement une valeur relative si elles ne visent pas plus loin, si du particulier elles ne passent pas au général.

Notre société d'aujourd'hui a atteint un tel pouvoir de destruction, qu'elle se trouve quasiment dans un besoin désespéré pour de nouvelles solutions, une nouvelle approche, de nouvelles impulsions.

Les femmes ne seraient-elles pas capables d'apporter ces nouvelles visions, ces nouvelles impulsions et partant, de nouvelles solutions? Peu avant sa mort, le philosophe Marcuse exprimait l'espoir que les femmes feraient cela précisément.

Les femmes sont des égales de l'homme qui pense parfois différemment de lui. C'est entre autres à ces points de différences qu'il faut nous attacher.

De par leur nature et aussi de par leur destin biologique, elles ont une autre approche à certaines idées fondamentales. L'idée de la guerre par exemple. Mais aussi, elles ont en elles un potentiel qui n'a pas été exploité et leur angle de vision est neuf. La force de ce pouvoir, de ces moyens longtemps contenus ou non employés est dorénavant à notre disposition.

Il y a déjà dans le passé proche, des preuves de ce regard neuf. Rappelons-nous par exemple, l'effort imaginatif des femmes catholiques et des femmes protestantes d'Irlande qui entre 1975 et 1977 ont créé un mouvement de non-violence pour tenter d'enrayer la guerre fratricide. La tentative fut un échec. Ces femmes manquaient peut-être un peu d'expérience politique, mais elles ne manquaient ni d'idéal ni d'idées et la création même de ce mouvement révélait une autre vision, une autre façon d'aborder les problèmes auxquels les hommes n'avaient pas pensé.

Il faut dorénavant que nous ayons tous conscience de cette autre vision. Il faut que nous nous servions, que les filles de demain se servent de leurs yeux, de leur façon de regarder l'avenir. Cet avenir sur lequel pèse tant de menaces.

Aux derniers calculs, les U.S.A. et l'U.R.S.S. auraient assez de pouvoir nucléaire pour se détruire l'un l'autre trente-huit fois de suite. Le monde dépense à peu près deux milliards et demi de dollars pour l'armement. Pendant ce temps-là, L'UNICEF, la plus grande organisation mondiale pour le sauvetage de la vie des enfants, a un budget annuel de quatre cent millions de dollars. Le déséquilibre est flagrant et le taux de mortalité infantile en Afrique continue à être horrifiant.

Chacun est d'accord pour conclure que cette situation est folle, mais les hommes à ce jour n'ont pas pu arrêter la course insensée.

Peut-être dans le monde de demain, quand les femmes auront eu la possibilité d'avoir un accès au pouvoir, seront-elles en mesure de modifier la trajectoire, de changer les valeurs pour obtenir non seulement une division plus équilibrée de nos ressources, mais aussi une vision plus rationnelle, plus féminine en tous cas, des choses de la vie.

Il y aurait là pour la moitié de l'humanité que nous représentons et pour les filles de demain dont le devenir nous préoccupe ici un vrai exemple de ce que c'est que savoir être libre.

Summary

Liberating Oneself Is Nothing, The Difficulty Is Learning To Be Free

The author recalls the many promising dawns to be observed in the liberation of women through the ages. Many of these beginnings were interesting but short-lived: for example, in ancient Greece, in Europe in the Middle Ages, at the time of the recent gains by the women's movement are in reality quite fragile and threatened. To assure not even true progress but simply the maintenance of many newly acquired rights, women will have to assume collective responsibility in standing by them. And, in particular, today's young women must be conscious of the vulnerability of this unstable situation. Thus, hopefully, will they understand through the many cited examples that, if progress is to continue in these matters, there can be no letting things go their own way.

Young Women Choose Paths to the Future

by Jane Gaskell

One of the reasons that young people are of such concern to us is that they are poised between childhood and the adult world, still young enough for us to treat them as malleable and interested in learning from adults, but old enough to have their choices and aspirations be consequential, for themselves and the society. In them we see both the results of early socialization and the anticipation, or anticipatory socialization as some academics would put it, of adult labour markets and family patterns. They are a focus for change, the new generation, and a repository of early learning from their parents, the old generation. As a result, they are an intriguing subject for the analyst who is wondering how best to understand what they do and say as well as a focus for our hopes and fears about the future.

Young women are of particular interest because of what we can learn about change and persistence in patterns of gender inequality. Will they continue traditional patterns or will they demand equality? Are they continuing to make traditional choices and think traditional thoughts, or has the resurgence of the women's movement in the 1970's had an impact on the way they approach adulthood? Those of us who have struggled for change wait eagerly to see if the new generation will take up the torch or whether they will let feminism fade.

The recent publication of the Canadian Advisory Council's study on adolescent girls "What Will Tomorrow Bring?" bears witness to this interest in female adolescence, as well as to the impact of the International Year of the Youth. The concern behind the study was "that adolescent girls are not adequately being prepared, or preparing themselves for a changing world". In the study there is an equation of realism with adopting new more equal notions of the role of women. The researchers worry that young women are not realistic in the ways they anticipate the future and remain too traditional in their assumptions about women's place in society. Their visions of the future do not include poverty, single parenting, and going into non-traditional jobs but are, as the researchers put it, "romanticized", "traditional" and "stereotypic".

The choices of adolescent girls, particularly their choices about schooling and about domestic roles, have been the subject of my research over the past few years, and in this paper I will explore how we can analyze and perhaps affect the choices young women make. My concern is just this relationship between "realism" and traditional choices. I do not think there is any easy translation between the two. In many cases the choices that are most "realistic" are the most traditional. After all, how do we know what is realistic for someone else? What a young women's reality is cannot be glibly assumed, but must be explored in dialogue with her.

I am less interested in telling young women what is wrong with their choices than I am in understanding how they arrive at them. My assumption is that we should listen carefully to what young women tell us, and that they often know more about themselves and the world they live in than we do as outsiders who want to jump in and tell them what they should want. This may appear to be a conservative stance - it is not as quick to be critical of existing patterns as many would like - but for me it is part of feminism to listen carefully to other women and to assume they know what they are talking about. It does not preclude criticism and change. Rather, I think it leads us to more informed criticism and to changes that are fundamental instead of cosmetic.

In this paper I will look at the way adolescent girls plan for two different areas of their lives, family and work. The group of girls I will be talking about is selected from a few Vancouver high schools located in largely working class districts (see Gaskell, 1981, 1985a). I would not argue that these girls are representative of Canadian adolescents. Rather I am interested in the processes involved in their planning, the kind of things they take into account, and what this tells us about what will bring about or hinder change.

Choices About Domestic Roles

The fact that women are more likely to take responsibility for domestic work - both childcare and housework - is fundamental to their position in the labour force and to gender inequality. Why don't men do half the domestic work? And why do women continue to agree to do more than half? If women and men were related to the domestic unit in more equal ways, we could expect more equality in many spheres of life.

In my research on high school seniors, I was concerned to find out how they anticipated and planned for future family responsibilities. I found, in a group of working class girls in Vancouver the continuation of surprisingly traditional views of the domestic future, much as the Canadian Advisory Council found. These girls had come to expect and plan family lives where the woman takes primary responsibility for domestic work, while the man "helps out".

The choices of these young women were indeed "stereotypical" and "traditional": They assume they will have primary responsibility for domestic work, for childcare and for housekeeping. They assume that paid work outside the house will be possible only when domestic duties have been taken care of. If they want to make space for other activities, they feel they are responsible for making alternate domestic arrangements, by working harder themselves, "bullying" their husbands, finding someone else to care for the children or buying other necessary services.

While they do plan to work outside the home, they feel that this work needs to be justified. It is striking how many of them say women, "should be able" to work "too". "It's okay for women to earn money. She is helping out", "I think if she wants to work, she can".

Why such traditional views? Much of the research has assumed or argued that young women have internalized a "domestic ideology" from their parents or from the media which portrays domestic labour as either natural for women, or something that should be assumed by women. The Advisory Council Study suggests that these girls are unrealistic and out of touch with the changing world. What I have been lead to in my conversations with young women is not that they prefer traditional patterns, by and large, or that they are not being realistic, but that in their attempts to be realistic and plan carefully, they conclude that only the traditional patterns will work.

About a quarter of the girls did prefer to do the domestic work, and saw themselves as more suited to it than any man. They actively embraced traditional roles, finding advantages in traditional patterns. They planned actively for it, believed that they preferred it.

Some turned the traditional role into a romantic idyll,

"Her main job is doing things that you know, he likes. And making the house their own. Making it a nice comfortable place to come home to. Supporting him and his problems, sort of thing".

Others saw it as a good alternative to the stresses of a paid job,

"I'd rather be at home. I don't want to work the rest of my life. I'd rather do the housework"

a rewarding way to spend time,

"The advantage of being a girl is that you have kids and bring up a family"

or just the way it is,

"I feel that the woman's place is in the home, and I feel that she should work at making their marriage work".

These girls have become interested in domestic work, they value it and they like it. As a result they prefer traditional patterns and use the domestic ideology to defend their choice.

The other three-quarters of the girls do not describe their experiences and their beliefs as so nicely congruent with the domestic ideology. They have seen that paid work provides status, money and independence, and they are enthusiastic about moving into jobs after high school.

They have also seen the down side of domestic work, and argue that life at home is isolating, boring and cuts you off from the "real world". "You get bored staying at home. Women should get into things more".

Housework is seen as unglamourous and boring work by and large, not something that provides great rewards. And although these girls were committed to having families, they were very ambivalent about the joys of mothering. Many described women at home with small children as "depressed and hypochondriac", "tired out" and "really bored".

Three-quarters of the girls, then, valued paid work over domestic work, and were not anxious to take primary responsibility for the domestic unit. Why then did they agree to take on the domestic tasks when it was not the preferred choice for most of them? The reason, I think, lies in the planning they engaged in, and the "realism" with which they confronted their future.

Many said they had to take a domestic work because of the nature of man. Men, they said over and over again, cannot or will not share domestic work. They are not like that. So if you want a tidy house and you want to live in relative harmony with men, you have to do it yourself.

"Sharing the housework would be wonderful. But it is not going to happen. He'd (her boyfriend) never help with the floors or with the dishes. I know him too well. I don't expect him to do it because I know he wouldn't".

"I just couldn't picture my husband doing it, cleaning, making beds, making supper. I guess it's picturing my brother and dad".

"Men don't know the first thing about a laundry machine".

Similarly, men are seen as incapable of, or at least not very competent at, bringing up children.

"It's because kids really relate better to the mother".

"The woman has more affection for a baby when it is small. Men aren't used to it, and don't want to do it".

"Men are rough, their tone of voice. Babies like softness".

"I don't think men are very good at raising children. From what I have seen of fathers, I don't think they could hack it. I guess that is just the way they were brought up when they were young. Women have a better knack for it than men do".

In all these ways, men are seen as incapable and/or unwilling to be full-time fathers.

This view of men and masculinity is rooted in an ideology which suggests that what men are like is what men must be like. Biological explanations of the differences between men and women and the domestic ideology's construction of the special nature of men and women shape their perceptions. A culture based on gender differences makes it easy to incorporate this element into the way they construction their lives. Their views are also validated by their experience of patriarchial family structures. They have not seen men in domestic roles. Their fathers, brothers and boyfriends do housework only as a special favour, for a woman.

A further reason these girls thought they would do more of the domestic work was that they would likely earn less than the men they would live with. Women can expect, on the average, to earn about sixty percent of what men earn in Canada. These girls were in and were expecting to continue in jobs that were firmly located within the female part of sexually segregated labour market. Fifty-four percent were in clerical jobs, eighteen percent were in sales jobs and sixteen percent were working as waitresses (Gaskell, 1981).

With occupational prospects like these, the girls realized that if they worked and their husbands stayed home to look after the children, the family would have a hard time making ends meet. Assuming one parent must stay at home with young children, it makes more financial sense for the woman to be the one who gives up her job.

"It would be quite all right for him to stay home if the wife went to work. As long as she made enough money to support them".

"One parent should be able to stay home until the kids are old enough for school. The most practical approach is that the one with the most money would work".

So the fact that women can expect to earn lower wages than men becomes a critical element in reproducing a traditional division of labour in the home. It is not that girls don't plan, that they are not realistic or that they are traditional in their views. It is rather that planning in an unequal labour market leads to traditional choices.

Finally, the availability of acceptable childcare outside the family limits these girls' notions of how they will handle domestic labour and a paid job. If domestic responsibilities were shared, the problems of finding substitute childcare would be also. But because as we have seen above, the girls assume responsibility, childcare constrains them, and not their mates.

Their view that childcare is a "drag" and that paid work is rewarding coexists with the belief that young children need to be cared for by their mothers, if they are to grow up healthy, happy and well adjusted. This belief is widespread. Public polls reveal that Canadians overwhelmingly endorse equal opportunities for women, but just as strongly believe that "when children are young a mother's place is in the home" (Boyd, 1984; Herzog and Bachman, 1981). It is this conflict that the girls must come to terms with.

"Women shouldn't work with small children. It's hard on the kids".

"One thing I learned in Child Care and fell strongly about, if a woman is working she doesn't get to know the kids. Mothers shouldn't stick the kids with a babysitter until grade one".

"One thing I'm really against is leaving kids when they are really small. Kids come first. Wait till they're a few years into school".

This belief exerts a powerful influence on these young women. It may be learned in a childcare course, as one of the girls above indicated, or picked up from family friends, T.V., newspapers, magazines and childcare manuals. The view that one must stay at home with young children is also fed by the inadequacy of any perceived alternatives to childcare by full-time mothers until the school takes over at the age of five or six. Although school is an approved alternative to mother, other publicly available alternatives like babysitting and day care at an earlier age are seen as "dumping grounds", lacking in "love" and alienating parents from children (see also Lein et al, 1977).

"You'll be a better mother if you were with the kids, and not throw them out with the babysitter... because they learn bad habits".

"I don't believe in leaving little kids at home with the babysitter and their mother not knowing them very well. I'd wait to go back to work until they were in about grade one or two".

"If both parents want to work, they should realize they can't give a child what he deserves. They shouldn't have children".

These views reflect the real fact that the availability, quality and funding of day care is less than desirable because of the very low priority given to it and the very low salaries that are paid to day care workers. Decent child care is hard to find, but then, one could argue, so is a decent first grade classroom. The notion that the age of 5 or 6 is the desirable age to have children in "school" is clearly a reflection of the way childcare has been publicly organized - When a child is five, the state pays and indeed demands attendance. Before that the parent pays and the state only provides subsidies to parents with low incomes, making day care a suspect institution, appropriate only for "inadequate" parents. The organization of society - the structure - produces experiences that convince girls that "realistically" they must stay at home if they have no grandparents who will babysit.

Educational Choices

The kinds of courses and programmes young people choose in school are also critical in setting them on different paths into the adult world, particularly to work. Girls are in the humanities, in home economics and in secretarial training. Boys are in science, in math and in industrial education. Although there have been some increases in the number of young women enrolling in previously male dominated professional programmes (law, medicine, engineering) at the university level, there are few changes at the level of the high school or the community college (Gaskell, 1985b).

In my work, I have been particularly interested in why so many young women continue to choose courses that will prepare them for secretarial work. In the high schools I studied, not a single girl took industrial education at the grade twelve level, but almost all the girls who were not planning to continue their schooling took at least one business course. One half of all women who have a high school education and are in the Canadian labour force are in clerical or secretarial jobs. This is a critical occupation then, for understanding women's position as adults. Why do so many young women persist in such traditional "choices"?

Again, I would argue they have good reasons, based in their realism about the world they face. Three factors that they mentioned in their explanations were the advantages of clerical work, the availability of specific skill training in business courses and the lack of opportunities in industrial work.

Why is clerical work attractive? Most importantly, they say the jobs that are available to women in a competitive labour market are clerical jobs.

"I don't like typing, but it is the easiest way to get a job. It's boring and tedious just sitting there. But if you can get a job you might as well take it".

"The only jobs are for secretaries these days. You might as well get trained".

"(I took commercial courses) because I wanted to be someone's secretary. You know, there is a big demand for secretaries.

This perception, many would argue, is a misguided one. Clerical jobs are disappearing with the introduction of new technology. There are more opportunities for women in other areas of work (Menzies, 1981). But one-third of all employed Canadian women and over half of all employed female high school graduates work in clerical jobs (Statistics Canada, 1980). C.E.I.C. predicts the increase in clerical jobs will surpass the increase in any other field (C.E.I.C., 1984). The girls accurately perceived that there are a large number of clerical jobs of many different types in many different locations. The women they knew who had jobs had clerical jobs. It is difficult for a counsellor or a new economic survey to discount the students' overwhelming experience of where the jobs are. As one girl put it, "If you can get a job, you might as well take it".

Clerical work has other attractions besides its relative availability. It has higher status than blue-collar work and provides more security and better working conditions. When asked why she took commercial courses, one student responded,

"To fall back on commerce. My mother forced me to. She is a janitoress and she said I could do better than her. She sees all these women working in an office and she said you're going to do better than that".

It provides a setting that is comfortable to work in, where there are likely to be other young working-class women to socialize with. It is attractive because it is a women's occupation.

"Girls together can be funny and dirty. I can be more open with women around".

The organization of training for clerical work also provides an incentive to take commercial courses. The girls pointed out that these courses were directly relevant to finding a job, unlike other courses in the high school. The courses in industrial education prepare students not to enter a trade but to embark on trades training after graduation or to develop avocational skills. Carpentry courses do not make one a carpenter. One still has to go through an apprenticeship. The same is true for other industrial arts courses and for the home economics courses. Only commercial courses provide skills that give an immediate advantage in the labour market. In a competitive labour market, taking clerical courses was the best way these young women felt they could prepare themselves for the jobs that they saw as available to them.

This view that business courses are the only sensible option for non-academic girls was shared even by young women who could provide extremely negative accounts of clerical work and business courses. They regarded these as boring or, at best, "not so bad": "It's always inside and just sitting down at the desk and doing nothing". These girls felt pressed to take the business courses "to fall back on" in case they couldn't find another job. The courses were a safety net, the wisest choice because they were directly relevant to finding a job.

If the advantages of office work and training were not enough to attract a girl, the disadvantages of the male alternative, industrial work, were likely to repel her. Many of the girls felt that the industrial courses and industrial work were difficult, dirty, and uninteresting. The most common response to the question "Why didn't you take industrial education"? was "I'm not interested".

"It's o.k. for girls to do what they want - be carpenters or whatever. But it's not for me. I just don't like it".

Some described how socialization had shaped their responses; but still felt they had to take their existing interests and achievements into account.

"Maybe it's the way I've been brought up".

"We've always been taught to be the soft touch, like the cute sex, just sitting there".

"I was pushed away from it as a little girl - dolls, not hockey and trucks".

But given their current interests and achievements, it did not make sense to do industrial work.

Others were interested in industrial work;

"I like to do the jobs men do. I think they are more interesting".

"I wish I had taken woodwork. I like working with wood".

"It would be exciting to be a truck driver. But I wouldn't know how to go about it"

"Men's jobs pay more".

But saw too many barriers inside and outside the school. Peer and teacher pressure, which often amounted to sexual harassment, made industrial courses a very difficult choice.

"When I was going into grade ten, I tried it (auto) but it was a mistake. There were all guys in the class and I felt too stupid".

"The second year I was the only girl in the class, and I felt really stupid, so I didn't want to go back".

"This year I got into Auto Mechanics 12. It was all guys and when I walked in they thought I was really stupid. You know, 'Oh, we got a girl', and they were irate, so I transferred out".

"Because I am a girl, and there are only boys taking the courses, I'd get a name in the school. Girls are rowdy who take it".

"The teacher is a male and he doesn't encourage females. He gives us mostly written work. We used to complain, and he would say, 'Well, the boys can do it for you'. He probably thought it (auto class) was dangerous for us".

Barriers in the labour market also seemed to make industrial courses a waste of time:

"They wouldn't hire a female. It distracts everyone".

"I was thinking of going for an electrician, and then someone said something: 'What? You're a girl!"

Furthermore, they felt that the working conditions would be difficult:

"Truck drivers are weird people and they would harass her".

"You couldn't talk about the same things if men were around - what you did last night, and all that".

Thus, socialization and the perception of opportunities combined to make industrial education a much less favored option. Their perception of the opportunity structure ensured that even those who were not traditional in their interests still chose the traditional options.

What these young women knew about their world produced the obvious choice of business courses. They saw a world in which business courses had many advantages and industrial courses had few. Their knowledge was based in some very tangible structural conditions - the opportunity structure in the labour market, the vocational role of business courses, the existence of sexual harassment in male occupations, and the assumption of family responsibilities by women. The girls sometimes objected to this structure. They did not like sexual harassment in class. They felt that employers should hire women in non traditional jobs. But for all their perceptions of inequality and their commitment to equality of opportunity, their conscious, rational, self-preserving calculations helped to reproduce gender segregation for themselves and others. They did not see this as a predetermined or imposed fact but as one they actively chose as best for themselves. It is difficult to say they were "unrealistic" or not engaging in enough planning. It was rather their realism and plannig that produced the conservative nature of their choices.

Conclusions

I have tried to argue that the persistence of traditional choices among young women can be accounted for by their realism, by their attempts to come to grips with the world as they know it. It is not that young women live in a romantic fog of misperception. The problem rather is that the world they experience and come to know is so traditional.

What is striking is how even young people with a desire for change think little change is realistically possible. Instead of expressing much anger about this, or trying to combat it, they tend to resign themselves to it and resolve to get on with life as it presents itself. As Richard Hoggart writes,

"When people feel they cannot do much about the main elements of their situation, feel it is not necessarily with despair or disappointment or resentment but simply as a fact of life, they adopt attitudes towards that situation which allow them to have a livable life under its shadow, a life without a constant and pressing sense of the larger situation. The attitudes remove the main elements in the situation to the realm of natural laws, the given and the raw, the almost implacable material from which a living has to be carved (Hoggard, 1960, p. 322).

Research on education has tended to assume that the young internalize the views of their elders and that the young need more realism and more guidance. But to change the way these girls make their choices involves a far-reaching shift in their perception of reality. It means new notions of where job opportunities lie, what men are like and what skills are valued by employers. These beliefs are forged in their daily experiences, and new accounts that contradict their experience are likely to be found wanting, to be reinterpreted, or to lead to distrust of the source of the new account. These girls were convinced that they knew for their own through which any new message was tested, confirmed, rejected, challenged, and reinterpreted. Changing their minds would have meant changing the world they experienced, not simply convincing them of a new set of ideals around equality of opportunity and the desirability of a different world.

Any attempt to give young people a sense of their own agency in the world and to show them that the world is constructed through a series of political and personal actions that might be changed, involves not just talking to them, but also showing them that conditions can indeed be altered. It involves not just counselling, but showing them and involving them in political movements for social change. This might occur in many ways, in a movement for satisfactory childcare that demonstrates its potential value, or in a struggle for equal pay that shows women's jobs are valuable and can be rewarded. But changing adolescents' choices involves not just conveying an alternative account of the world but also demonstrating that the world they live in is actually changing.

Bibliography

Boyd, M., 1984, **Canadian Attitudes Towards Women: Thirty Years of Change**; Women's Bureau, Ottawa: Labour Canada

Canadian Advisory Council on the Status of Women, 1985, **What Will Tomorrow Bring? A Study of the Aspirations of Adolescent Women**; Ottawa: available from the Canadian Council of Social Development

Canadian Employment and Immigration Commission, 1984, Position Paper on Training; Ottawa

Gaskell, J., 1981, "Sex Inequalities in Education for Work", **Canadian Journal of Education**; 6: 2: 54-72

Gaskell, J., 1985a, "Course Enrolment in the High School: The Perspective of Working Class Females", **Sociology of Education**; 58: 1: 48-59

Gaskell, J., 1985b, "Women and Education: Branching Out in **Towards Equity**, Ottawa: Economic Council of Canada

Herzog, R., and Bachman, J., 1981, **Sex Role Attitudes Among High School Seniors: Views about Work and Family Roles**, Ann Arbor, Michigan: Institute for Social Research

Menzies, H., **Women and the Chip**, Montreal: Institute for Research on Public Policy

Statistics Canada, 1980a, **Women in the Labour Force**, 1977 edition Part 3, Ottawa: Women's Bureau, Labour Canada

Sommaire

Les jeunes femmes choisissent des routes conduisant à l'avenir

On s'intéresse ici au choix d'avenir des adolescentes. L'auteur s'arrête en particulier aux explications possibles de la persistance des choix traditionnels chez les jeunes filles d'aujourd'hui. Elle le fait en se plaçant du point de vue des adolescentes elles-mêmes. Son contact avec les jeunes l'amène à penser que le repliement sur des choix traditionnels s'explique essentiellement par une perception réaliste des attitudes et rôles qui persistent autour d'elles quant à la place réelle de la femme dans notre société. Elle conclut en montrant qu'il est insuffisant de seulement parler aux jeunes filles des changements souhaitables. Il faut de plus, croit-elle, leur montrer concrètement ce qui peut être changé et les moyens d'y arriver. Elle se demande enfin s'il ne faudrait pas s'impliquer directement avec ces adolescentes dans des mouvements sociaux, par exemple, pour qu'elles acquièrent ainsi, grâce à leur propre expérience, des convictions personnelles au sujet des changements possibles.

En route pour l'an 2000

par Francine C. McKenzie

Mesdames, Messieurs,

Je remercie le comité organisateur de la Conférence internationale sur la situation des filles de m'avoir invitée à cet événement majeur de l'Année internationale de la jeunesse qui coïncide, comme on sait, avec la dernière année de la Décennie des femmes, proclamée telle par l'O.N.U. en 1975. Une décennie marquée par l'égalité juridique, l'égalité sur papier. Tel est l'héritage laissé aux filles de maintenant. Vont-elles échouer sur le quai de l'an 2000? Ou, au contraire, vont-elles aborder de pied ferme la terre promise de l'égalité de facto?

L'odyssée entreprise nous conduira-t-elle à ce port où débarquera enfin un équipage qui aura signé son journal de bord: XX = XY?

Il est sûr que ce jour-là, vous n'inviterez plus la présidente du Conseil du statut de la femme. Le Conseil se sera sabordé non sans avoir sablé le champagne! Hélas, nous sommes loin des réjouissances! La conjoncture économique, les effets des nouvelles technologies sur le travail et surtout la situation des femmes sur le marché du travail commandent la plus grande vigilance et invitent les filles à effectuer un virage majeur à l'école dans le choix de leur orientation. "C'est le temps d'y voir", dites-vous, par le thème même de cette conférence. J'ajoute: "C'est grand temps!" Si les filles d'aujourd'hui veulent aborder le troisième millénaire dans des conditions d'égalité, elles doivent décider dès maintenant d'occuper de nouveaux espaces dans la sphère du travail rémunéré.

L'évolution de la présence des femmes sur le marché du travail s'effectue avec une extrême rapidité. L'accroissement de leur taux de participation au marché du travail est, sans conteste, l'un des traits marquants de l'après-guerre. Paradoxalement, la ségrégation sexuelle de l'emploi demeure, à peu de choses près, inchangée.

Rappelons qu'au début du siècle, seulement treize pour cent des Québécoises occupaient un emploi à l'extérieur. Quatre-vingts ans plus tard, la moitié des femmes font partie de la population dite "active" et les projections les plus réalistes nous indiquent qu'en 1990, les deux tiers des femmes en âge de travailler occuperont un emploi à l'extérieur du foyer.

Si les femmes sont plus nombreuses qu'hier sur le marché du travail, il nous faut aussi constater que leur intégration s'est faite dans un nombre limité d'emplois qui correspond à un prolongement des tâches traditionnelles dévolues aux femmes: en 1981, près de la moitié des travailleuses étaient secrétaires, infirmières, travailleuses du textile, caissières ou institutrices.

Et cette orientation du travail féminin semble se maintenir puisque de 1975 à 1982, par exemple, la proportion de ces emplois de "cols roses" grimpe de soixante-neuf pour cent à près de soixante-quinze pour cent. En fait, on retrouve les trois quarts des femmes qui sont au travail rémunéré dans cinq secteurs d'emplois et les deux tiers, dans dix types d'emplois.

Une étude récente produite par le Service de la recherche du Conseil du statut de la femme constate que "moins les emplois exigent de qualifications, plus ils semblent être le lot des femmes". Les femmes ne représentent même pas dix pour cent des techniciens et technologues, moins de trente pour cent des emplois en programmation, et moins de vingt pour cent des analystes de systèmes. Par contre, elles se retrouvent à quatre-vingt cinq pour cent dans les postes de travail les moins qualifiés.

Avec l'implantation des nouvelles technologies, cette concentration des travailleuses dans des corps d'emploi traditionnellement féminins risque d'avoir des conséquences dramatiques. C'est en effet au niveau de ces emplois que l'on prévoit les plus grandes économies de main-d'oeuvre au cours des prochaines années. Le travail de bureau sera particulièrement touché par les nouvelles applications de la bureautique: traitement de textes, micro-ordinateur personnels, agendas électroniques, copieurs reliés au traitement de textes, courrier électronique, vidéotextes, etc.

Là où on introduit la micro-électronique, les travailleuses ressentent souvent très durement l'impact du changement. Voici des exemples:

- à Bell Canada, avant l'automatisation, le nombre de téléphonistes était de treize mille en 1969. Aujourd'hui, les "dames" du téléphone" ne sont plus que sept mille;

- au quotidien québécois La Presse, avec l'informatisation des annonces classées, le nombre des employées de ce service est passé de soixante-dix à vingt et un;

- des études réalisées en Angleterre, en France et en Australie prévoient que, d'ici 1990, les économies d'emplois attribuables à l'introduction de la microtechnologie iront de dix-sept pour cent à quarante pour cent. Encore là, ce sont les femmes qui feront les frais de ces réductions de postes.

La plupart des études produites au cours des dernières années sur l'impact des changements technologiques s'entendent pour reconnaître que les femmes risquent d'être rapidement larguées dans ce fameux "virage technologique". Les hypothèses optimistes prévoient, en effet, que d'ici 1992, au Québec, on passerait de cinq cent mille à quatre cent quarante-huit mille emplois de bureau; une baisse totale de dix pour cent. Les hypothèses pessimistes prédisent que cette réduction serait plutôt de dix-huit pour cent. La plupart des experts y vont d'une mise en garde contre les risques de déqualification et de parcellisation du travail de bureau. Car, si les tendances actuelles se maintiennent, le travail de bureau sera de plus en plus calqué sur le modèle du travail en usine: cadences élevées, tâches répétitives et routinières demandant peu de qualifications, contrôles accrus, mobilité horizontale et même rétrogradations. Voilà, on en conviendra, des perspectives peu réjouissantes...

Et il ne faut pas compter sur la philanthropie des employeurs pour protéger l'emploi au féminin. S'ils font appel à la micro-informatique, c'est d'abord et avant tout parce que celle-ci permet une spectaculaire augmentation de la productivité et des économies de coûts de production. Cela peut vouloir dire - concrètement - des mises à pied. Cela veut dire également que bien souvent, on ne se donne pas la peine d'offrir des programmes de recyclage aux travailleuses peu qualifiées pour occuper les postes nouvellement créés ou transformés. L'on recrute de préférence à l'extérieur de l'entreprise des gens déjà qualifiés. Ou alors on a des exigences indues pour exclure des candidates comme l'illustre l'une des caricatures d'**Explorons de nouveaux espaces**;

- Avez-vous votre diplôme, demande l'employeur?

- Oui, répond la candidate.

- Votre carte de compétence?

- Oui.

- Parlez-vous hébreu?

Le choc de la révolution informatique sera d'autant plus dur pour les femmes du Québec que le secteur public est en décroissance et que déjà elles perdent du terrain là où leurs positions paraissaient solides.

Le nombre de femmes diminue actuellement dans l'enseignement et les soins infirmiers, qui ont toujours été, dans le passé, les deux professions les plus avantageuses pour les femmes. Les femmes avaient été les grandes gagnantes du rattrapage de la révolution tranquille, au Québec, quand il avait fallu mettre les bouchées doubles pour offrir de meilleurs services sociaux, éducatifs et médicaux à la population. Les finissantes des cours de sciences humaines et sociales ou des sciences de la santé avaient de bonnes chances d'être embauchées dans le secteur public et parapublic. Aujourd'hui, une jeune femme qui termine un cours d'infirmière devra chercher un bon moment avant de dénicher un poste, et il ne s'agira, le plus souvent, que d'un poste à temps partiel et de nuit.

Les femmes sont manifestement dans une impasse, mais il ne faut pas pour autant les culpabiliser en les blâmant d'avoir fait de mauvais choix: leur socialisation les a poussées vers ces secteurs que la conjoncture économique et le développement technologique défavorisent. Certes faut-il revaloriser le travail au féminin notamment en réduisant les écarts salariaux. Là-dessus, les humoristes prétendent que cela se fera tout naturellement quand les hommes se pointeront dans les "chasses gardées" féminines!

Vous conviendrez qu'il serait plus prudent pour les filles de s'engager dès maintenant dans des voies gagnantes. Quelles sont-elles? On identifie dix grands secteurs prometteurs d'emplois au Québec: **la gérontologie, la micro-électronique et l'informatique, les télécommunications, l'aéronautique et le transport urbain, l'environnement, l'énergie** et ce qu'on appelle **les nouveaux services**: la musique, le sport, le tourisme, la décoration, en prévision de la civilisation des loisirs qui nous attend au carrefour du partage de l'emploi! Et j'en ajoute un : **l'écriture**. Un secteur où déjà il y a pénurie tant au privé qu'au public. "Connaissez-vous quelqu'un qui connaît très bien le français, qui écrit facilement, demande-t-on de plus en plus?" "Cherchez du côté des femmes de quarante ans et plus, répond-on". Certes, il y a là une percée intéressante pour les femmes désireuses de se réinsérer socialement. Mais c'est aussi une voie d'avenir que les adeptes du choc du futur ont eu tort de négliger. Le FORTRAN, le COBOL, le BASIC ne sauraient remplacer une excellente maîtrise de la langue maternelle. Là-dessus, il faut espérer que le mouvement qui s'amorce du "Back to Basics" remettra le français au goût du jour!

Les filles d'aujourd'hui se préparent-elles à occuper ces nouveaux espaces? Si l'on examine la situation scolaire qui prévaut actuellement au Québec, l'on constate:

- qu'en formation professionnelle, au niveau secondaire, les filles ne représentent que trois virgule deux pour cent des effectifs en électronique, même pas un pour cent en équipement motorisé, et seulement un virgule cinq pour cent en mécanique. En commerce et secrétariat, quatre-vingt quinze pour cent d'inscriptions féminines et encore quatre-vingt dix pour cent de filles en services de la santé;

- que la situation est similaire au niveau collégial professionnel: près de la moitié des garçons y sont inscrits en techniques physiques contre seulement cinq pour cent des filles;

- qu'à l'université où les femmes sont majoritaires au niveau du premier cycle, elles sont peu présentes en génie et sciences appliquées, en mathématiques et en sciences physiques.

Il y a deux ans, le Conseil des sciences du Canada lançait un cri d'alarme: trop peu de filles choisissent d'étudier les sciences. On sait que les mathématiques, la chimie et la physique sont des préalables à l'admission dans plusieurs programmes au niveau collégial. En boudant les sciences dès le cours secondaire, les filles se ferment l'accès à la plupart des professions gagnantes.

Comment expliquer cette "peur des mathématiques" ou scientophobie chez les filles du secondaire, alors que, jusque vers la fin du primaire, les deux sexes montrent les mêmes aptitudes et le même intérêt à l'apprentissage des maths? On met en cause "le peu d'encouragement dispensé aux petites filles, les stéréotypes sexuels transmis par les parents et le milieu scolaire, la publicité, l'absence de modèles féminins dans les carrières scientifiques et techniques, et le fait que la science et la technologie soient perçues comme des domaines masculins".

Nancy Kleinberg, coordonnatrice du projet Math and Science Education for Women à l'Université de Californie incrimine aussi, parmi les facteurs qui détournent les filles des sciences, le préjugé qui veut que les filles soient moins douées que les garçons en mathématiques.

Pourtant, constate le Conseil supérieur de l'Éducation du Québec: "Aux examens du ministère de quatrième année secondaire, il y a une représentation équivalente des filles et des garçons dans les cours de science, et les filles obtiennent des résultats équivalents et même supérieurs à ceux des garçons de toutes les options scientifiques; elles sont aussi plus présentes en mathématiques de voie enrichie."

Pourquoi, plus tard, les filles boudent-elles les sciences et les mathématiques?

On ne dit pas encore assez aux filles de quoi sera faite leur vie d'adulte, ni qu'elles devront travailler la plus grande partie de cette vie. Encore de nos jours, une minorité seulement de filles au secondaire valorisent la nécessité d'une bonne formation pour trouver un emploi et assurer sa sécurité. La grande majorité des filles du Québec soutiennent qu'elles ne veulent pas travailler lorsqu'elles auront de jeunes enfants. Dieu fasse qu'elles en aient le choix, que le conjoint échappe au chômage et gagne un salaire suffisant!

Informer les jeunes filles des conditions réelles de vie et de travail ne suffit pas. Encore faut-il faciliter la tâche de celles qui choisissent des programmes de formation non traditionnels; épauler et soutenir les pionnières qui s'aventurent dans des secteurs nouveaux; inciter les filles aux carrières scientifiques et à la technologie, imaginer des programmes, prévoir des bourses, réserver des places, instaurer des programmes d'accès à l'égalité, encourager les audacieuses. Les jeunes femmes qui s'écartent des voies traditionnelles reçoivent-elles seulement l'appui nécessaire?

Les Américains nous devancent à cet égard. La seule Université de Californie n'a pas moins de sept programmes du genre. On y organise des classes de rattrapage pour les filles qui veulent acquérir une formation scientifique de niveau universitaire et du recyclage dans des métiers non traditionnels pour des femmes déjà sur le marché du travail.

Au Québec, on peut signaler quelques initiatives en ce sens de même que des programmes incitatifs comme le projet Vire-Vie du ministère de l'Éducation du Québec, mis sur pied par le Conseil du statut de la femme en 1977 pour amener les étudiantes du secondaire à faire preuve de plus de réalisme dans leur choix de carrière. Des études aussi; celle du ministère de l'Éducation, sur l'inscription des filles en maths et en sciences au niveau secondaire dans les écoles québécoises; celle du Conseil du Statut de la Femme sur les stéréotypes masculins et féminins dans les manuels scolaires au Québec, analyse qui a conduit à un programme pour éliminer ces stéréotypes encore hélas trop présents!

C'est avec le souci constant d'inciter les jeunes femmes à devenir économiquement indépendantes en choisissant une carrière prometteuse, que le Conseil du Statut de la Femme, soutenu par les efforts conjugués du ministère de l'Éducation, et de celui de la Science et de la Technologie, est fier de vous présenter aujourd'hui cette autre réalisation intitulée "**Explorons de nouveaux espaces**".

Avec ce nouvel instrument, nous voulons poursuivre plus avant notre travail de sensibilisation auprès des adolescentes et faire un travail systématique d'incitation aux carrières non traditionnelles d'avenir.

Explorons de nouveaux espaces comprend un document écrit et un document audio-visuel que j'aurai le plaisir de vous présenter dans la deuxième partie du temps qui m'est alloué cet après-midi.

Dans la brochure, les adolescentes puiseront de l'information sur la situation des femmes sur le marché du travail, les secteurs d'emplois prometteurs et des renseignements précis sur le contenu, les exigences, la durée de plus de cinquante choix professionnels non traditionnels à tous les niveaux scolaires. Elles pourront prendre connaissance des témoignages d'une cinquantaine d'étudiantes pionnières qui racontent pourquoi elles ont choisi le programme d'étude et comment elles vivent cette décision.

Dans le vidéo, production du ministère de l'Éducation, qui pourra servir d'instrument déclencheur en classe ou lors de rencontres de sensibilisation,les étudiantes écouteront les témoignages d'élèves inscrites dans les programmes non traditionnels et pourront les voir à l'oeuvre. Elles s'apercevront sans doute que ces filles ne sont pas si différentes des adolescentes de leur âge et qu'elles n'ont fait qu'oser choisir le métier ou la carrière qu'elles aiment.

À eux seuls, ces nouveaux outils ne suffisent pas. On sait que même avec plus de compétences, les femmes chôment encore plus que les hommes. Il faut donc, ensemble, puisque vous êtes ici aujourd'hui pour réfléchir à ces questions, chercher d'autres avenues de solution pour que les femmes n'aient pas encore une fois à payer les frais du virage technologique.

Parmi ces avenues, il y a aussi celle de la voie libre qui fait appel à la détermination, à l'imagination, à la créativité des jeunes. Ces jeunes que l'on accable avec nos mises en garde, nos sombres prévisions, nos propos moroses. Ces jeunes à qui on ne donne pas souvent l'occasion de nous épater. Leur route est déjà semée d'experts de tout acabit. Ils ont des parents plus instruits qu'autrefois mais n'avons-nous pas tendance, nous, parents, à avoir réponse à tout, et ainsi tarir à leur source même les rêves et ambitions de nos enfants?

Nous sommes habités par la peur de l'an 2000. La vieille doctrine du millénarisme - inspirée du livre de l'Apocalypse - qui avait effrayé le monde à la fin du neuvième siècle ressurgit. Tout comme on a eu aussi notre "petite peur du vingtième siècle" dont a parlé le philosophe Mounier.

N'a-t-on pas chaque fois sous-estimé la relève? Nous revient-il de décréter les valeurs pour trois générations à venir? Les jeunes auront leur propre combat dont on soupçonne à peine les enjeux.

Et cela vaut aussi pour le féminisme. Comme le signalait récemment Mair Verthuy qui a fondé l'Institut Simone de Beauvoir à l'Université Concordia: "La lutte de ma mère fut celle du droit au travail. Moi, j'ai milité en faveur de l'avortement et de la contraception. Mes filles, elles, ont eu à se battre contre l'exploitation sexuelle parce que beaucoup de garçons de leur génération ont compris la libération sexuelle comme le droit d'exiger qu'une fille couche avec n'importe quel garçon. Avec l'avancement actuel de la biotechnologie, les bébés-éprouvettes et autres développements, ma petite-fille aura peut-être à militer pour le droit d'avoir des enfants...".

Porteuses de tous les espoirs dans lesquels nous misons, nos filles sont destinées à occuper des espaces élargis, des espaces qu'elles sauront sûrement aménager, à leur façon, pour le mieux-être des hommes et des femmes de demain.

Summary

On Board for the Year 2000

The equality women have dreamed about, layed claim to, announced, is not to be seen yet, at least not entirely, and particularly in regard to work having scientific and technological prerequisites - also in regard to tasks demanding much creativity and therefore commanding the highest wages. But,warns the author, who is president of Council on the Status of Woman, if today's girls want to start the 3rd millenium with better chances of equality for women, now is the time to make their choices, the most crucial one being probably that of occupying new spheres in the workplace. The immediate and concrete necessary consequence then is to prepare oneself to occupy such spheres. After secondary education, a realistic career choice must be made:one that will be less often than in the past inspired by traditional models in woman's work and that will more audaciously steer toward new tasks associated with science and technology. In conclusion, the author presents a brochure with information hoping to attract girls and women to such new frontiers: **Explorons de nouveaux espaces** (Let's explore new spaces).

La situation des jeunes filles immigrantes

par Liliane Sayegh et Saida El Haili

I. Immigration et sphères d'adaptation

L'immigration constitue un processus physique entraînant de vastes changements individuels et socio-culturels. Selon Eisenstadt (1955), elle se définit par un déplacement physique ou géographique d'un individu ou d'un groupe d'individus d'une société d'origine vers une société d'accueil.

Quels que soient les motifs apparents (politique, économique, démographique, religieux) occasionnant la décision d'immigrer et l'éventuel abandon du pays d'origine, à la base se trouvent des sentiments de frustration, d'attentes et de désirs insatisfaits vis-à-vis de la société d'origine.

Sphère d'adaptation

En effet, l'interaction de l'immigrant(e) avec son nouveau milieu se développe sur une base de contacts et d'échanges permettant au processus d'adaptation de se réaliser. Alors l'immigrant(e), lors de sa transplantation, se voit confronté(e) à divers changements dans différentes sphères de sa vie: professionnelle, sociale, cognitive et familiale.

Sphère professionnelle

Dès leur arrivée, d'une part la majorité des immigrant(e)s connaissent un bouleversement dans leur situation professionnelle, causé par des mouvements de hausse ou de baisse de leur statut (Lasry, 1980). A ce bouleversement, s'ajoutent des difficultés liées à la recherche d'un emploi semblable à celui exercé dans le pays d'origine, à un manque de compétence linguistique ou technique adaptée au pays d'accueil (Elkaim, 1985).

L'étude menée en 1974 par le Ministère de la Main-d'oeuvre et de l'Immigration a démontré que dans la population immigrante féminine, le pourcentage des femmes immigrantes ayant un emploi rémunéré augmente dans une période de six mois à trois ans après leur arrivée au Canada (Elkaim, 1985). En effet, le processus d'immigration occasionne souvent des contraintes économiques obligeant la femme à entrer sur le marché du travail (Lasry, 1980).

Sphère sociale

D'autre part, la sphère sociale subit elle aussi des changements. L'immigrant(e), lors de son processus d'adaptation, va plutôt centrer sa vie sociale au niveau des relations primaires, autour d'un ou plusieurs membres: proches et compatriotes. Ensuite, grâce aux canaux institutionnels (associations et organismes ethniques) lui permettant d'entrer en communication avec la nouvelle société, il/elle va essayer de transposer à travers des relations dites "secondaires" son propre modèle de vie sociale et culturelle (Eisenstadt, 1955). Cette première transition lui permet d'établir des liens qui faciliteront son insertion dans la société d'accueil. C'est en maintenant un tel contact avec son propre système de valeurs que l'immigrant(e) pourra s'identifier avec celui de son pays d'adoption.

Dans une étude sur les relations sociales et la santé mentale, Lasry a trouvé que les femmes maîtresses de maison ont un indice de relations sociales plus faible que celles au travail (Réf.: Elkaim, 1985). Ces résultats semblent s'expliquer par la facilité, quant à la femme qui travaille, de se créer un réseau de relations sociales.

Par contre, selon Lasry et Sigal (1976), un manque de relations sociales peut être un facteur important dans la prédiction d'une symptomatologie dépressive, car la femme au foyer ayant un accès limité aux ressources sociales vit des sentiments d'isolement.

Sphère cognitive

Au niveau de la sphère cognitive, le changement touche la langue, la vie culturelle et artistique. L'importance de communiquer dans une langue commune semble influencer l'ajustement culturel, économique et social, d'une part, et d'autre part favoriser la connaissance des normes de comportement et d'institutions sociales propres à la société d'accueil. L'intégration culturelle suppose l'apprentissage de codes de symboles de même que la modification des attitudes, de l'échelle de valeurs et de mode de comportement afin d'arriver à se conformer aux circonstances du nouvel environnement (Richmond, 1974).

II. Acculturation dans la sphère familiale

L'acculturation dans la sphère familiale concerne le degré d'apprentissage des nouveaux rôles masculins et féminins, de nouvelles normes et coutumes variées de la société dominante. Selon Eisenstadt, cet apprentissage peut être soit "quantitatif", c'est-à-dire selon la "quantité" de rôles et d'habitudes appris (langue, manière de s'habiller, de se comporter, croyances religieuses, etc.); soit "qualitatif", c'est-à-dire concernant le degré de concordance interne de l'immigrant(e) lui(elle)-même avec les nouvelles acquisitions exprimées dans son nouveau comportement.

Bordeleau (1976) rapporte que l'immigrant(e) ne s'acculture pas à la même vitesse dans les différentes sphères de sa vie. Il/Elle s'acculture plus vite dans les domaines où les valeurs et les attitudes déterminent principalement le comportement (vie familiale, vie personnelle).

La sphère familiale établit par excellence le lieu où les valeurs et les attitudes vont pouvoir se préserver sans subir beaucoup de changements; car, selon Girard (1954), la famille est définie comme un refuge, un chez-soi permettant aux caractéristiques de la culture d'origine de s'exprimer. Ainsi, l'entourage social offrant un nouveau modèle de structure familiale confronte l'immigrant(e) à des définitions nouvelles de rôles sexuels, de prise de décision dans le couple et d'attitudes face aux comportements/valeurs.

Attitudes face aux rôles masculins et féminins: en période d'immigration

L'article de Zaleska (1983) rapporte que les femmes maghrébines en France revendiquent l'égalité et les valeurs touchant aux conditions de la femme, tout en refusant le partage sexuel des tâches et des rôles dans le couple. En effet, les valeurs culturelles et les rôles masculins et féminins sont des apprentissages acquis en bas âge, qui demeurent résistants au changement.

Néanmoins, Danziger (1974) montre l'existence d'un changement à peine perceptible au niveau des rôles masculins et féminins dans les familles d'immigrants canadiens d'origine italienne.

Cependant, plusieurs facteurs sont à la base de ces changements face aux attitudes relatives aux rôles homme-femme. Notamment, l'instruction et l'activité professionnelle de la femme semblent les plus importantes; elles prennent donc une valeur d'amorce de changement et d'empreinte d'acculturation (Mernissi, 1983). Le travail de la femme immigrante à l'extérieur du foyer a provoqué chez l'homme une participation aux tâches ménagères (Wassef, 1977).

Prise de décision dans le couple

Qu'advient-il du modèle conjugal des immigrants lorsque leurs attentes de rôles sexuels et de communication appropriée ne sont plus conformes au modèle conjugal représenté par la société d'accueil? L'étude de Favreau (1982) sur le pouvoir conjugal des immigrants nord-africains à Montréal nous démontre l'évolution d'un modèle conjugal traditionnel vers un modèle conjugal moderne.

La structure patriarcale marocaine a cédé graduellement la place à une structure conforme aux normes nord-américaines. La première moitié de l'échantillon (hommes et femmes) possède une structure familiale égalitaire alors que la deuxième moitié perçoit l'homme comme étant la figure dominante.

Généralement, une telle transition ne peut s'accomplir sans créer toutefois des conflits intrapsychiques et des tensions dans la relation de couple. Plus souvent, l'autorité traditionnelle de l'homme, contestée par la femme et les enfants, rend celui-ci dévalorisé aux yeux de sa famille.

Attitudes face aux comportements/valeurs

La mesure de l'adaptation dans la sphère familiale comprend certains indices qui nous permettent d'évaluer le degré d'acculturation au niveau des comportements et valeurs.

Szapocznik et d'autres chercheurs (1978) ont démontré l'existence d'une différence d'acculturation centrée sur deux indices: l'âge et le sexe.

Il résulte que les jeunes membres de la famille s'acculturent plus vite que leurs aînés. Les enfants étant en relation plus étroite avec la société d'accueil, et grâce aux institutions d'apprentissage scolaire, intègrent plus rapidement les valeurs étrangères à leur culture d'origine. Dans certaines conditions, c'est même eux qui jouent le rôle d'intermédiaires entre les parents et la société d'accueil.

Ben Jelloun (1984) a mentionné qu'un manque d'intégration ressenti déjà chez les parents pourra conditionner de manière négative l'adaptation des jeunes enfants de la deuxième génération maghrébine en France. Il est certain que l'impossibilité de transmettre les valeurs d'une génération à l'autre provoque une rupture des liens familiaux et, par conséquent, l'inadaptation juvénile.

La même enquête de Szapocznik et al (1978) a démontré que les hommes s'acculturent plus rapidement au niveau du comportement que les femmes, car dans son rôle de pourvoyeur économique de la famille, l'homme est obligé de travailler à l'extérieur alors que la femme, dans son rôle de mère et de ménagère au foyer, représente le maintien des traditions culturelles.

III. **Processus d'acculturation et situation de la jeune fille immigrante**

Tandis que les parents s'engagent dès leur arrivée dans un processus d'acculturation matérielle, selon les sphères d'adaptation déjà décrites, leurs enfants entament un processus plus formel d'acculturation (Abou, 1981).

Les dysfonctions qui peuvent surgir si l'immigrant ne parvient pas à effectuer une acculturation au moins matérielle, comprennent les effets immédiats et à long terme de l'isolement.

Selon Abou (1981), le processus formel des jeunes affecte les structures mêmes de la pensée puisque, dès leur arrivée, ils sont partagés entre deux codes culturels à l'école et à la maison. Cette situation est encore plus importante pour la jeune fille immigrante, comme on l'observe dans la communauté italienne, puisque le comportement exigé par les valeurs traditionnelles amène des conflits continuels entre parents et filles. Certains exemples de tels conflits se retrouvent dans ce qui touche les permissions, les sorties et les fréquentations. Obligés d'intérioriser ces deux codes culturels en présence ainsi que le conflit qui en résulte, les jeunes chercheront à rejeter la culture de leur famille pour adopter celle du pays d'accueil (Abou, 1981).

Des difficultés surviennent à ce stade lorsque l'adolescent(e), déchiré(e) entre deux codes culturels contradictoires qu'il/elle n'arrive pas à concilier, peut vivre une crise d'identité susceptible d'engendrer des troubles de personnalité. Confrontés à de multiples conflits de rôles dont l'exercice exige à la fois des comportements et une référence à des systèmes de valeurs et d'attitudes incompatibles, les jeunes se trouvent pris dans une "double contrainte" culturelle qui peut engendrer des types de personnalité moins adaptés (Cohen et Cohen, 1978).

On peut observer divers types de personnalité qui découlent de l'acculturation formelle (Bochner, 1982).

Le type de personnalité "médiateur" réagit en sachant faire le lien et en intégrant les différents systèmes culturels. Les jeunes parviennent à sélectionner, à combiner et à synthétiser les deux cultures à la fois. Ainsi, la culture d'origine s'enrichit par la culture de la société dominante. Abou (1977) cite, dans une étude de la nouvelle immigration libanaise au Québec (1960-1970) le témoignage suivant:

"Les Québécois n'ont pas la même échelle de valeurs que nous, mais dans un sens c'est tant mieux! Ils nous obligent à remettre en question la nôtre, qui n'est pas nécessairement infaillible." (p. 30)

Un deuxième type de personnalité, que l'on appelle "caméléon", décrit la personne qui tente de passer de sa culture d'origine à une autre en adoptant des comportements, des valeurs et des coutumes de la culture d'accueil. Ce type est attribué à tout immigrant qui rejette sa propre culture tout en embrassant celle de son pays d'adoption. On peut parler à ce niveau d'une assimilation à la société dominante.

Le type de personnalité "chauvin" aura plutôt tendance à rejeter la culture dominante tout en renforçant, à l'extrême même, la culture d'origine. Ceci peut donner naissance aux mouvements nationalistes et chauvinistes.

Ben Jelloun (1984) mentionne également cet aspect exagéré de la culture d'origine qui arrive même à se réduire à une simple expression réactive extériorisant, par exemple, ce rejet de la culture française chez les immigrants de la deuxième génération maghrébine:

"Le recours à l'Islam est au fond un refuge, une digue pour préserver les racines et l'origine. Il est ce qui s'oppose à ce qui vient de l'extérieur, ici, l'environnement immédiat est considéré comme étranger." (p. 105)

Le type de personnalité "marginal" se retrouve parmi les immigrants qui vacillent entre deux cultures dont les normes restent perçues mutuellement de manière incompatible. Ces jeunes trouvent refuge ainsi que tolérance de leur différence parmi d'autres jeunes marginaux comme eux, puisque, comme eux, ils ont rompu provisoirement avec leur milieu. Le conflit d'identité engendré se manifeste dans les paroles de cette immigrante maghrébine dépeignant sa crise:

"Pas envie! Non, vraiment pas envie d'aller en Algérie... Rien ne m'attire là-bas. A la limite ça me fait presque peur... Quelle vie y a-t-il en

Algérie pour une femme arabe qui a vécu vingt-cinq ans en France... Non, je ne me ferai pas Française, non... Mon avenir? Je n'en sais rien. Je ne le vois pas clair." (Ben Jelloun, 1984, p. 96)

Tenant compte de ces types de personnalité, on observe, selon une enquête sur le rôle de la femme dans le maintien des traditions menacées par l'immigration, que dans la communauté italienne de Toronto, les jeunes sont orientées vers des rôles spécifiquement féminins. Elles sont moins autonomes dans les prises de décision vis-à-vis de leurs parents. C'est donc surtout avec la troisième génération que l'indépendance sera atteinte (Danziger, 1974).

De plus, on observe qu'après l'adolescence, les jeunes filles se rapprochent davantage des valeurs de leur mère. Dans la communauté italienne de Montréal, une étude a permis de constater que le choix de carrière est orienté vers des occupations traditionnelles féminines (secrétaires, vendeuses, enseignantes) et que les filles, comme l'était leur mère ou comme l'est leur famille, sont très préoccupées par la recherche d'un époux. Ces filles s'identifient peu au féminisme, elles ne participent pas ou peu aux groupes de femmes anglophones ou francophones, ni au Centre des femmes italiennes, qui compte très peu de jeunes femmes de seize à vingt-deux ans (Iasenza, 1985).

Des propos semblables nous sont rapportés également par des responsables d'organismes communautaires (cités en début de texte).

Selon le Centre social d'aide aux immigrants:

La jeune qui a intériorisé les valeurs plus traditionnelles de sa culture se sent divisée entre la fidélité à ses valeurs et le besoin d'être acceptée de ses pairs. Après dix ans de vie au Québec, on se sent encore étrangère, autre. Le sentiment de non-appartenance s'affaiblit sans disparaître tout à fait.

Un souhait de la part de deux jeunes immigrantes:

1) Trouver plus d'ouverture, plus d'information en particulier, à l'école secondaire.

2) Pour s'intégrer, il faut prendre l'initiative et ce n'est pas facile.

Selon le Centre d'accueil l'Hirondelle:

Pour les réfugiés admis au pays par parrainage, l'impact psychologique de l'intégration prend d'autres dimensions.

"Il arrive qu'un choc de valeurs et de cultures survienne entre ceux qui arrivent et leurs parents installés ici depuis cinq ans et plus... La vie commune devient alors difficile à assumer et souvent, la rupture est inévitable."

Selon une enquête réalisée par Gina Stoiciu, de la Maison internationale de la Rive-Sud, auprès des jeunes immigrés:

"Garder la langue maternelle, les habitudes de "chez nous" reflète le refus d'être "dépaysé". Il y a un manque de cohérence et une difficulté de construction d'un modèle de valeurs acceptables et confortables. D'une part, ils/elles balancent entre deux cultures, d'autre part, ils éprouvent des difficultés à choisir entre le bien et le mal dans une démocratie éthique qui valorise surtout la moralité fluide de la liberté "d'être soi-même"."

Suggestions: orientation des jeunes immigrant(e)s

Il s'agit surtout d'aider ces jeunes à mieux comprendre le processus d'acculturation qu'ils/elles traversent, ainsi que de les aider à identifier leurs besoins par rapport à ce processus. Ce sont eux, après tout, qui doivent apprendre à symboliser dans les termes de la culture du pays d'accueil afin de pouvoir exprimer leurs sentiments, leurs idées et leurs valeurs morales à cette société. Par conséquent, cette dernière sera en mesure de guider ces jeunes vers un avenir souhaité en leur facilitant la tâche de l'identification et de l'expérimentation de rôles adultes qui leur permettra d'achever le processus d'adolescence.

Afin d'éprouver un sentiment de plénitude qui caractérise l'identité intérieure, les adolescent(e)s doivent sentir une continuité progressive entre ce qu'ils/elles sont parvenu(e)s à être au long de leurs années d'enfance et ce qu'ils/elles promettent de devenir dans un avenir anticipé; entre ce qu'ils/ elles pensent d'être eux-mêmes et ce qu'ils/elles observent que les autres voient en eux et attendent d'eux (Erikson, 1968).

Il est d'autant plus important de tenir compte de l'ensemble de la famille dans toute intervention auprès d'adolescent(e)s immigrant(e)s. En effet, le processus d'acculturation des jeunes consiste souvent, bon gré, mal gré, à rejeter les parents et leur culture d'origine. Ceci afin d'échapper à la stratégie défensive spontanément élaborée par les parents pour se retenir de s'intégrer de manière créatrice dans la société d'accueil. Cette stratégie consiste à renforcer les défenses culturelles et à resserrer les liens affectifs pour surmonter la tension provoquée par les contacts répétés avec cette société (Abou, 1981).

L'ambivalence qu'éprouvent les jeunes immigrant(e)s face à cette étape de leur processus d'adolescence et d'acculturation se reflète dans un sentiment de culpabilité face à l'écart culturel qui s'impose entre eux et leurs parents. Par nécessité ainsi que par sentiment de culpabilité, ces jeunes agissent souvent en tant qu'intermédiaires entre leurs parents et la société d'accueil afin de leur faciliter l'insertion. C'est ainsi que ces jeunes sont parfois contraints d'assumer des responsabilités ainsi que des rôles d'adultes prématurés.

Il devient donc important d'encourager une communication entre parents et enfants qui favoriserait l'intégration des processus d'acculturation différentiels des parents et des enfants dans un nouvel équilibre du système familial.

D'autres suggestions sont offertes, qui tiennent compte des besoins différents des membres de la famille:

- encourager les jeunes au sein des institutions scolaires à mettre en valeur et à bien comprendre leur propre culture;

- soutenir les jeunes dans l'apprentissage de nouveaux codes culturels à l'école afin de développer chez eux l'envie de se cultiver et de s'ouvrir aux échanges internationaux;

- encourager les parents à se rencontrer afin de se créer un réseau social qui leur apporterait l'appui qu'ils vont chercher de manière inappropriée auprès de leurs enfants;

- soutenir surtout la jeune fille immigrante déchirée entre son rôle anticipé de mère et gardienne des traditions culturelles et son rôle souhaité de femme au travail et acculturée à la société d'accueil.

Bibliographie

ABOU, S. (1981). **L'Identité culturelle: Relations ethniques et problèmes d'acculturation**, Paris, Éditions Anthropos.

ABOU, S. (1977). **Contribution à l'étude de la nouvelle immigration libanaise au Québec**, Québec: Centre international de recherche sur le bilinguisme.

BEN JELLOUN, T. (1984). **Hospitalité française: racisme et immigration maghrébine**, Paris: Seuil.

BOCHNER, S. (1982). **Cultures in Contact: Studies in Cross-Cultural Interaction**, Elmsforb: Pergamon Press.

BORDELEAU, Y. (1976). Pour une conception plus réaliste du processus de l'intégration des immigrants. **Revue de l'Association canadienne de langue française**, 5, 7 à 12.

COHEN, M. et COHEN, V. (1978). La perte des valeurs traditionnelles - approche clinique, **Migrants Formation**, no 29 à 30.

DANZIGER, K. (1974). The Acculturation of Italian Immigrant Girls in Canada, **International Journal of Psychology**, 9, 2, 123 à 137.

EISENSTADT, S.N. (1955). **The Absorption of Immigrants**, Glencoe: The Free Press.

ELKAIM, B. (1985). **La femme immigrante**, Travail présenté à l'occasion de la conférence internationale sur la situation des filles, Montréal.

ERIKSON, E.H. (1968). **Identity: Youth and Crisis**, New York: W.W. Norton and Company Inc.

FAVREAU, D. (1982). Étude du pouvoir conjugal chez un groupe d'immigrants, Thèse de maîtrise, inédite, Université de Montréal.

IASENZA, I. (1985). Les jeunes filles de la communauté italienne de Montréal. Travail présenté à l'occasion de la conférence internationale sur la situation des filles, Montréal.

LASRY, J.C. (1980). Mobilité professionnelle chez les immigrants juifs nord-africains à Montréal. **International Review of Applied Psychology**, 29, 17 à 30.

LASRY, J.C. et SIGAL, J.J. (1976). Influences sur la santé mentale de la durée de séjour, de l'instruction, du revenu personnel et de l'âge, chez un groupe d'immigrants. **Revue internationale de psychologie appliquée**, 25 (3), 215 à 223.

MERNISSI, F. (1983). **Sexe, idéologie, Islam**, Femme et société, Paris: Tierce.

RICHMOND, A.H. et GOLDHURST, J. (1974). A Multivariate Model of Immigrant Adaptation. **International Migration Review**, 8, 2, 192 à 227.

SZAPONICZNIK, J., SCOPETTA, M.A., KURTINES, W. et ARAMALDE, M.A. (1978). Theory and Measurement of Acculturation. **Inter-American Journal of Psychology**, 12, 113 à 130.

WASSEF, H.H. (1977). Les Égyptiens à Montréal: une couleur nouvelle dans la mosaïque canadienne. Mémoire de maîtrise inédit, Université McGill.

ZALESKA, M. (1983). Identité culturelle des adolescents issus des familles de travailleurs immigrés. In Taboada-Leonetti, CNRS (Ed.): **Les jeunes filles d'origine étrangère**. Migrants formation, 54, 13 à 17.

Summary

The Situation of Young Immigrant Girls

With the immigration of the family as background, certain traits of young immigrant girls are put forward. Particularly the special difficulty of moving away from models inherited by their mother from her country of origin, to move toward choices already quite commonplace in their new country. To go through adolescence and acculturation at the same time is a doubly difficult process and one understands that in many cases young immigrants of both sexes, but especially girls, feel guilty about the widening cultural distance between them and their parents. At the same time, young immigrants necessarily see themselves invested with a role of intermediary between parents and the new society, a role that sometimes forces them to prematurely take on adult roles. These conditions being given, it is always the young girl that is the most exposed to feeling torn between her future role as a mother, keeper of family cultural traditions and her wish to play a role as a woman at work, fully integrated to the society into which she has been welcomed.

Le plaisir ça s'apprend, le pouvoir aussi...

par Manon Théoret, Roseline Garon, Diane Roy et Sylvia Loranger

Introduction

Acquérir du pouvoir. L'apprivoiser d'abord, puis le définir, pour enfin tenter de le façonner. Comme féministes, nous avons gravité autour de cette notion politique de prise en charge de soi et de contrôle de son environnement, pour en appréhender les mécanismes. Comme scientifiques, nous nous sommes attachées à en retracer les déterminants dans l'histoire de la socialisation stéréotypée. Comme intervenantes, nous avons voulu nous immiscer dans le processus d'apprentissage d'un groupe de filles pour tenter de les détourner du mauvais chemin... de la dépendance affective, sociale et économique.

Après avoir fait le tour de la question, nous nous sommes ensuite interrogées sur les moyens de rejoindre cet objectif enthousiasmant. Délaissant la recherche scientifiquement "conservatrice", qui ne sert bien souvant qu'à démontrer ce que nous savons être vrai, notre équipe a opté pour une tentative d'opérationnalisation de l'utopique. C'est ainsi que nous avons directement posé la question expérimentale du type d'intervention à favoriser, pour donner aux filles la chance d'égalité qu'une socialisation, dite normale, leur soutire.

Notre groupe-cible aurait pu être sélectionné au hasard dans la population féminine, puisque selon nous, le sexe représente un déterminant de la restriction des ouvertures de vie aussi important que la classe socio-économique ou l'appartenance à une minorité ethnique. Pourtant, le risque d'abandon scolaire cristallise la condition de pauvreté personnelle, sociale et économique qui se traduit par l'absence de choix, dans un avenir plus ou moins lointain.

Notre projet s'est donc articulé autour d'une recherche évaluative effectuée auprès d'un groupe d'adolescentes de troisième secondaire, à risque élevé d'abandon scolaire. Il vise prioritairement à défricher des pistes de développement optimal pour les filles. Il vise également à prévenir l'abandon scolaire. En soutenant que l'apprentissage de compétences doit se refléter dans les modes d'adaptation des adolescentes, entre autres face à leur fréquentation scolaire, notre projet de recherche-action veut donc augmenter, dès maintenant et pour l'avenir, leur éventail de choix tant scolaires que personnels.

La socialisation selon le sexe: abus et négligences

En examinant, à partir d'une perspective écologique, les différentes interactions entre le système familial, l'école, les média, les politiques gouvernementales et l'idéologie de notre culture, nous en sommes venues à considérer comme principaux facteurs de l'abandon scolaire des filles, les constantes de la socialisation sexiste. Nous croyons en fait, comme Albee (1983), que la "cause des causes" des problèmes d'adaptation des filles réside dans leurs expériences d'impuissance. Afin d'étayer ces assises conceptuelles, nous avons d'abord fouillé les écrits concernant l'étiologie de l'abandon scolaire des adolescentes, pour constater le vide théorique et empirique à ce niveau. Il n'existe, à notre connaissance, ni modèle théorique ni recherche sur l'abandon scolaire des filles. Il n'existe guère non plus de recherches sur la socialisation qui focalisent leur objet d'étude sur les filles. Ici comme ailleurs, notre compréhension de la condition des femmes s'en trouve donc obscurcie, puisqu'en nous omettant, ou en nous fondant et nous comparant aux hommes, on a invisibilisé notre situation. Même si un récent intérêt de recherche sur les femmes par des femmes s'articule, cette situation de transition paradigmatique rend certainement compte de la difficulté à trouver appui sur la recherche et la théorisation scientifiques emmagasinées dans nos bibliothèques. Ce contexte épistémologique particulier nous oblige donc à soutirer suffisamment de données des études comparatives entre les sexes, pour nous permettre de bâtir notre schème conceptuel afin de participer à l'ébauche de ce nouveau paradigme, dit féministe.

En ce sens, si nous considérons globalement le système scolaire, on remarque que dès la maternelle, les enfants sont renforcés dans leurs croyances stéréotypées envers les rôles sexuels, tant par leurs pair(e)s que par le personnel (Pottker, 1977). Parallèlement, les recherches démontrent que les filles reçoivent moins de "feedback" que les garçons, de la part de leur professeur(e) (Serbin, 1978) et que ce "feedback" est surtout lié à l'aspect intellectuel global de leur performance. Cette qualité du "feedback" les amène très tôt à attribuer leurs échecs à un déficit personnel (Dweck, 1978). À titre d'illustration, Serbin (1978) a démontré que les professeur(e)s interagissent davantage avec les garçons et leur fournissent jusqu'à huit fois plus d'instructions précises pour exécuter une tâche. Or, ce type d'instructions détaillées pourrait participer comme élément de l'entraînement à résoudre des problèmes, en permettant à l'élève d'évaluer, situationnellement, sa propre aptitude en fonction d'une tâche spécifique et non en termes d'une adéquation ou inadéquation personnelle. Dans cet ordre d'idées, Dweek (1978) suggère que le caractère diffus et indirect du "feedback" reçu par les filles lors de l'exécution d'une tâche scolaire, ne leur permet pas de l'associer à la performance émise. Cette non-contingence produirait chez elles une sorte d'incapacité apprise. On peut donc entrevoir comment les filles en viennent à dépendre davantage d'une gratification sociale que de la satisfaction intrinsèque liée à la réussite d'une tâche. La nature même de ce type de renforcement encouragerait chez elles une perception d'incontrôlabilité, ou d'impuissance. Ce concept rejoint celui de Rotter (1966) qui parle d'un lieu de contrôle résultat de la chance ou de personnes en pouvoir, plutôt qu'intimement liée à ses actions ou à ses apprentissages antérieurs. En conclusion, les filles n'apprennent pas, à travers ces différentes expériences, à se percevoir comme des individus en contrôle d'elles-mêmes et de leur environnement.

Par ailleurs, la structure hiérarchique de l'école, où les postes de direction sont occupés par des hommes et les emplois subalternes par des femmes, contribue à fournir aux filles le même modèle de rôles stéréotypés. On ne peut non plus négliger l'influence du matériel scolaire sexiste qui reproduit le portrait des différences de genre (Dunnigan, 1976).

Dans ce système, ce qui semble être communiqué aux filles, ce sont des standards différents. Alors que les garçons reçoivent de l'attention spécifique et sont façonnés à persévérer, les filles elles, sont "spécifiquement" négligées et conditionnées à perdre confiance en leurs habiletés. Interrogés à savoir pourquoi ils aiment les maths, les garçons répondent les aimer parce que c'est difficile, alors que les filles disent ne pas les aimer exactement pour la même raison (Deem, 1980). C'est au niveau secondaire que se manifestent les différences de réussite des filles, notamment en maths et en sciences, où leurs performances jusque là égales à celles des garçons, diminuent brusquement (Maccoby, 1974). Inutile de rappeler que la réussite en maths et en sciences représente toujours un filtre important pour la poursuite des études et l'obtention d'un emploi intéressant et rémunérateur.

Le système familial quant à lui, raisonne bien souvent en harmonie avec le milieu scolaire, du moins en ce qui concerne ces filles dont le profil se caractérise par un risque d'abandon scolaire. La famille semble ici renforcer le rôle de l'école quant à sa négligence envers l'accomplissement des filles. En effet, l'attitude des parents envers la réussite scolaire de leur fille se reflète dans le peu de soutien qu'ils lui fournissent et le peu d'attentes qu'ils entretiennent face à son orientation professionnelle (Poole, 1978). Ceci converge vers une conclusion du rapport Copie (1981) qui soutient que le risque de voir les élèves décrocher augmente, si le milieu d'origine n'encourage pas la poursuite des études en ne soutenant pas régulièrement l'effort, ou en ne remédiant pas aux difficultés de parcours. On doit aussi souligner le lien entre l'abandon scolaire et la classe socio-économique. Ainsi, au Québec, plus le niveau de classe est bas, plus la proportion de décrocheurs et de décrocheuses augmente (MEQ, 1981). Or, l'influence du statut socio-économique des parents semble jouer sur les rôles sexuels adoptés par leurs enfants (Wilkinson, 1978). On a ainsi pu démontrer une relation entre la provenance de couche défavorisée et le mariage précoce des adolescentes (Chilman, 1979).

Ayant toujours comme objectif d'asseoir notre modèle étiologique de l'abandon prématuré des filles, nous avons effectué l'évaluation des besoins d'un échantillon d'adolescentes présentant un risque d'abandon scolaire. Cette phase de définition du problème a été réalisée de manière à situer le niveau de base des adolescentes en rapport aux différentes compétences à développer. Cette méthode diffère sensiblement des enquêtes de ce type, qui demandent plus "naïvement" à une clientèle-cible de révéler ses besoins. Nous avons quant à nous, considéré que l'identification par les filles de leurs besoins, risquait fort d'être pervertie par ces mêmes facteurs de socialisation que nous voulions attaquer: on ne réclame pas en effet, d'apprendre à manipuler des micro-ordinateurs, si l'on a appris que l'accessibilité à cette compétence est réservée aux jeunes mâles, aptes à solutionner des problèmes mathmématiques... On réclame plutôt, conformément à la norme, des cours de maquillage...

Cette enquête nous a révélé que les filles accusaient un net déficit dans les habiletés liées à l'exercice du contrôle et à la résolution de problèmes. Ces résultats ont eux-mêmes été corroborés par un forum d'intervenants et de professionnelles du même milieu. Ainsi, selon nos résultats, les filles reconnaissent dépendre d'une tierce personne pour recevoir leurs gratifications et estiment, corollairement, ne pas avoir de contrôle sur ce qui leur arrive dans la vie. De plus, leur répertoire de plaisirs s'avère très limité, si l'on en croit la description de leurs activités de loisirs. A titre d'indice, sur un éventail de dix-sept types d'activités, les adolescentes concentrent leur recherche de plaisir autour de trois sphères de loisirs traditionnels et passifs: elles écoutent de la musique, causent avec des amis et vont magasiner. Il n'y a guère là de quoi stimuler le développement des compétences! D'autre part, c'est l'absence d'anticipation, l'impulsivité des réactions et le dégoût de l'effort qui semblent le plus nuire à la mise en branle de leur processus de résolution de problèmes.

Il n'est pas surprenant de constater que les décrocheuses potentielles ont une faible estime de soi, si l'on accepte comme définition de ce concept, une évaluation personnelle de sa propre valeur et de sa compétence (Spence, 1979).

Toutes ces caractéristiques rappellent étrangement le schéma de genre féminin, identifié par Bem (1975). Selon ses expériences, les femmes fémininement stéréotypées étaient les plus handicapées dans leurs possibilités de répondre à une variété de situations. Selon nous, l'adoption de ces patrons de rôles, étiquetés féminins, limite l'apprentissage de comportements adaptés à la réussite scolaire, à la poursuite des études, à l'aspiration vers une carrière, bref, à la qualité de vie et à l'autonomie.

Étant donné les éléments développés, nous pouvons résumer la problématique comme suit: les constantes de la socialisation sexiste jointes aux variables socio-économiques défavorables, favorisent l'apprentissage d'un répertoire étroit et stéréotype de compétences, lequel entraîne un risque d'inadaptation, dont l'abandon scolaire. En d'autres termes, et pour réitérer la comparaison entre le groupe des femmes et les autres groupes défavorisés, les filles abandonnent l'école, parce qu'elles n'ont pas "le choix".

Vers une stratégie de développement optimal

La perspective dans laquelle la problématique est posée nous a permis d'aligner notre stratégie d'intervention sur un axe double de promotion-prévention. Notre modèle de compétences doit donc, simultanément, promouvoir un élargissement des rôles par l'accroissement des comportements adaptés aux situations plutôt qu'au genre, et prévenir l'abandon scolaire en anticipant les conséquences néfastes qu'il produit chez les filles: sous-scolarisation, grossesse, pauvreté, dépression, lassitude.

Ce modèle a donc pris naissance à la jonction du scientifique et du politique. A un premier niveau, il implique l'évaluation du répertoire de comportements des personnes-cibles, afin de situer les paliers d'objectifs à poursuivre. Parallèlement, il nécessite aussi un examen attentif de la société dans laquelle ces personnes vivent, afin d'identifier quelles habiletés rendent les individus capables d'y survivre et d'y grandir (Rivers, Barnett, Baruch, 1979).

De la description de la personne compétente de Jahoda (1958) à celle de Tyle et Gatz (1977), nous avons conservé deux paliers d'objectifs génériques, qui rallient la description des valeurs alternatives féministes identifiées par Rawlings et Carter (1977): l'autonomie, c.-à-d. la capacité d'agir en se percevant en contrôle de soi et de son environnement et l'habileté à résoudre des problèmes, c.-à-d. la capacité de faire face activement aux situations, en établissant des buts réalistes et en persévérant pour les atteindre. Il est intéressant de noter que c'est en comparant des élèves dits exemplaires à d'autres expérimentant des difficultés personnelles et scolaire, que Tyler e Gatz (1977) ont retenu le lieu de contrôle interne et l'habileté à résoudre des problèmes comme caractéristiques discriminantes de ces individus compétents. Cette évaluation rejoint l'essai de classification des compétences nécessaires au fonctionnement quotidien réalisé par Smith (1982) et dont parle l'Avis du Comité de la Santé Mentale du Québec, publié récemment. En effet, ces auteurs reconnaissent le rôle essentiel de la résolution de problèmes dans la promotion de la santé mentale et dans la diminution des problèmes d'adaptation.

Ce sont ces deux habiletés génériques que nous avons voulu faire jouer en conjonction avec deux domaines d'application spécifiques, de façon à enrichir les ressources des filles de "l'apprentissage à apprendre". En accord avec la perspective écologique adoptée dans cette étude, nous avons mis l'accent sur la récursivité des différents éléments du programme. Il est conçu comme la conjugaison des interactions répétées entre les compétences génériques et spécifiques. Ainsi, les objectifs mis de l'avant dans l'apprentissgae du contrôle et de la résolution de problèmes, se retrouvent dans les thématiques de familiarisation aux micro-ordinateurs et de prise en charge de la sexualité. De même, ces deux derniers contenus servent à la création des expériences d'apprentissage des thématiques génériques.

L'articulation du modèle et des éléments du programme qui en découle s'inspire, en large partie, de la grille de classification de Low (1979), sur les modes de prévention. Selon cette grille, les objectifs préventifs et promotionnels de notre programme sont mis en action selon trois types de moyens: les moyens analytiques qui visent à modifier les valeurs, les moyens éducatifs qui visent à augmenter les connaissances et les moyens opérationnels qui visent à changer les comportements. Chaque thématique traitée dans le programme, tant au plan générique comme la résolution de problèmes qu'au plan spécifique comme la prise en charge de la sexualité, tient donc compte de ces trois composantes de l'apprentissage d'une compétence.

Il est à noter qu'une batterie de mesures variées, reliées à ces composantes, a été administrée à nos participantes et à un groupe-témoin avant le début du programme et à son échéance, de façon à évaluer systématiquement les effets de l'intervention.

L'intervention s'est effectuée sur une période de quatre mois, à raison d'une thématique par mois. Les participantes réparties en trois groupes de dix, étaient invitées à participer à deux ateliers hebdomadaires d'une heure et demie chacun. Chaque atelier était structuré en termes d'objectifs à remplir par le biais d'une activité ludique.

Un des ateliers prenait place sur temps de classe, alors que le second avait lieu à l'heure du dîner. Afin d'assurer une certaine stabilité au programme, l'une de nous était responsable de l'animation des trente-deux ateliers, alors que le rôle de coanimatrice était attribué à l'une ou l'autre des deux autres membres, selon le thème traité.

La phase d'implantation du programme a débuté par la mise en marche du thème de l'exercice du contrôle. L'un des objectifs cherchait à transformer les valeurs des filles quant à la prise de pouvoir sur leur vie. Nous visions particulièrement à leur faire découvrir, à partir du vécu, les différents types de contrôle qu'elles exercent, tant au niveau de la recherche de plaisir que de l'évitement d'événements désagréables. C'est en dressant son "menu de plaisirs" que chacune était appelée à classifier leurs activités, scolaires et parascolaires, en fonction du degré de plaisir ressenti. C'est ainsi qu'elles parvenaient à découvrir où et comment elles en retirent peu. Parallèlement, pour leur faire apprécier la valeur du contrôle, nous avons voulu leur faire identifier les liens entre l'exercice du contrôle et la croissance personnelle. Une activité-type en rapport avec ce sous-objectif, revêtait la forme d'un jeu questionnaire sur des héroïnes contemporaines qui exercent ostensiblement du pouvoir sur leur vie et qui en tirent une satisfaction visible. Les filles devaient aussi apprendre à discriminer les effets de leurs actions impulsives des effets de leurs actions planifiées; pour ce faire, nous avons dicuté autour d'un film promulguant la mise sur pied de projets d'été. Ces discussions les poussaient à décortiquer les qualités d'auto-détermination des organisatrices de tels projets et les conséquences positives de la persévérance dont, l'apprentissage d'habiletés jusque-là absentes du répertoire.

Trois grands objectifs orientaient l'apprentissage des connaissances et des comportements. Le premier devait les inciter à s'auto-observer et à s'auto-renforcer. Ici, les activités avaient toutes pour but d'encourager les participantes à penser à elles et à agir pour elles, bref à devenir le point central de leur propre existence. Le second visait à ce qu'elles affinent leur perception des relations entre les gratifications recherchées et les conséquences que la recherche de ces plaisirs entraîne, à court et à long terme. C'est à l'aide du jeu "Vire-Vie" que nous sommes intervenues. Ce jeu, développé conjointement par le C.S.F. et le M.E.Q., recèle des mises en situation réalistes quant au futur des adolescentes. Ces situations les questionnent sur différentes opportunités de carrière et de styles de vie comme le célibat, le mariage, la maternité etc... D'après leurs remarques, elles ont apprécié le jeu et sont entrées de plein-pied dans l'anticipation d'un futur moins "rose" et plus "statistiquement normal". Enfin, les filles devaient comparer leur "menu actuel de plaisirs" et un "menu idéal", en se projetant à l'âge de vingt ans et analyser comment, ayant par exemple abandonné l'école à quinze ans, elles pourraient devenir, cinq ans plus tard, de riches professionnelles, épouses de chirurgiens et mamans de trois poupons! Cet exercice leur faisait vite réaliser comment ce qu'elles font et aiment maintenant détermine, dans une large mesure, ce qu'elles pourront faire plus tard. C'est ainsi qu'elles parvenaient à identifier les carences de leur profil développemental.

Le troisième objectif devait leur apprendre à augmenter leurs ressources et leurs habiletés dans le but d'élargir leur spectre de plaisirs. Pour ce faire, nous avons exploré trois principales avenues. Les participantes étaient encouragées à différer l'obtention d'une gratification en tolérant l'attente, puis à reconnaître positivement leurs propres efforts comme causes probantes des événements qui leur arrivent et enfin, à mettre en place des moyens personnels d'expérimenter du contrôle, par le biais d'un nouvel apprentissage susceptible d'engendrer un nouveau plaisir. C'est avec l'élaboration d'un projet personnel que nous avons exploré ces dimensions. Chacune pouvait ainsi, face à un objectif plaisant comme planifier un voyage ou redécorer sa chambre, focaliser à la fois sur la nécessité de développer de nouvelles habiletés et sur la possibilité d'en éprouver du plaisir.

C'est ici que la conception sous-jacente à la thématique ressortait, bouclant la boucle: plus on ressent du plaisir à faire des activités diverses, plus on recherche des stimulations, plus on agit sur son environnement, plus on exerce du contrôle.

Le deuxième mois d'intervention a été consacré à l'apprentissage de la résolution de problèmes. Cette compétence se définissait par trois principaux objectifs; le premier visait à ce que les participantes augmentent la valeur accordée à la capacité de faire face activement à un problème. Elles devaient ici décrire, en sketches, leurs diverses réactions face à un problème et leurs tentatives passées de résolution. L'accent était toujours mis sur l'efficacité personnelle. Le deuxième objectif visait à ce qu'elles augmentent leur connaissance des techniques de résolution de problèmes alors que le dernier objectif visait à leur faire expérimenter directement ces techniques à partir d'un de leur problème. C'est ainsi qu'elles se sont initiées rencontre après rencontre, à chacune des étapes du processus de résolution, selon la technique D'Zurilla et Goldfried (1971). L'intervention reposait surtout ici sur le modelage interventantes-participantes et inter-participantes. C'est en formant avec elles une ligue d'improvisation amateure, que nous avons animé ces sessions, en utilisant comme thèmes d'impro, les problèmes quotidiennement vécus par les filles. Mise à part la timidité de certaines lors des joutes, les filles se sont constamment impliquées et apparaissaient très attentives au jeu, remplissant ainsi les conditions facilitatrices de l'apprentissage par observation.

Utiliser l'ordinateur: un choix?

Suivant notre analyse, plus une personne a la possibilité de faire des choix, plus elle acquiert de contrôle sur sa vie. Si un ou plusieurs systèmes exercent une discrimination en faveur d'un groupe, il se produit une diminution dans les opportunités de choix du groupe discriminé. Le domaine de l'ordinatique illustre bien cet état de fait. En effet, hypothéquées par une socialisation différenciée, les filles et plus particulièrement les décrocheuses, sont pratiquement exclues de ce domaine, disposant de peu d'occasions pour se familiariser avec les ordinateurs. Pourtant, à l'ère de l'information, les prévisions sont plutôt pessimistes pour les individu(e)s, non-initié(e)s à cette nouvelle technologie. Les décrocheuses d'aujourd'hui seront-elles les futures "analphabètes de l'ordinateur"? Quelles conséquences risquent-elles à plus ou moins long terme? Pouvons-nous identifier des antécédents à ce phénomène? Et enfin, quelles stratégies pouvons-nous employer pour favoriser leur saine participation au domaine de l'informatique?

1. Les décrocheuses: futures "analphabètes de l'ordinateur"?

D'après les recherches, le risque de ne pas développer de compétences avec les ordinateurs s'avère élevé dans le groupe des femmes de même que dans celui des peu fortunés et des minorités ethniques. A partir de ces considérations, nous analyserons en quoi les décrocheuses potentielles constituent un groupe particulièrement menacé d'"analphabétisme informatique".

Du côté des femmes, les résultats aux différentes enquêtes démontrent qu'elles participent moins que les garçons aux cours d'introduction à l'ordinateur et délaissent graduellement cette matière dans les cours avancés de programmation (Sanders, 1984). Elles utilisent très peu les ordinateurs de l'école sur une base volontaire et l'accès à ces appareils tant à la maison que chez les parents et amis est plus difficile pour elles que pour eux (Lockheed et Frakt, 1984).

En ce qui concerne le second groupe, les peu fortunés et les minorités ethniques, les études rapportent un pourcentage plus faible d'élèves suivant un cours de programmation dans les écoles de milieux défavorisés (Anderson et al., 1984). L'accès à des micro-ordinateurs leur est plus difficile puisque leur école a moins de chances de s'en procurer

(Anderson et al., 1984; Lipkin, 1984). De plus, le coût élevé de ces appareils nous porte à croire qu'elles-ils ne bénéficient pas de cet avantage à la maison. Enfin, les recherches décèlent aussi des inégalités au niveau du type d'utilisation des ordinateurs. Ainsi, les enfants de familles démunies passent la majorité de leur temps d'utilisation à effectuer des exercices (Becker, 1983; voir Edwards, 1984), tandis que les enfants de famille socio-économiquement favorisée sont plus susceptibles de programmer ou d'en faire une utilisation créative (Euchner, 1983; voir Campbell, 1983).

A notre connaissance, les étudiantes susceptibles d'abandonner prématurément l'école n'ont pas fait l'objet de recherches quant à leur degré de participation dans le domaine de l'ordinateur. Cependant, tout nous porte à croire que les décrocheuses potentielles participent très peu à l'engouement informatique. D'une part, plusieurs recherches établissent une forte corrélation entre l'abandon des études et le milieu socio-économique (M.E.Q., 1981). D'autre part, les filles acquièrent peu d'habiletés liées à l'utilisation de l'ordinateur. De plus, si elles abandonnent leurs études, les probabilités sont grandes pour elles de ne pas acquérir les habiletés nécessaires dans ce domaine (Gilliland, 1984). Donc, les décrocheuses potentielles, combinant à la fois les risques du groupe socio-économiquement défavorisé et ceux du groupe des femmes, augmentent leurs probabilités de devenir les futures "analphabètes" de l'ordinateur".

Notre évaluation des besoins auprès de quarante et une adolescentes potentiellement décrocheuses corrobore ces hypothèses. Selon cette étude, très peu de répondantes ont déjà utilisé un micro-ordinateur, et près de la moitié d'entre elles entretiennent des attitudes négatives envers les ordinateurs.

2. La familiarisation avec les ordinateurs: un second filtre critique?

De toute évidence, la société véhicule des valeurs et prescrit des comportements jugés appropriés selon le genre. A cet égard, le domaine de l'ordinateur est davantage considéré comme l'apanage mâle. Ainsi, les recherches rapportent que peu de femmes occupent des postes de spécialistes en informatique (Male/Female Earnings Gap, 1982), que les logiciels propagent des biais sexistes (Lockheed et Frakt, 1984), et que les revues spécialisées en informatique ne contiennent qu'un très faible pourcentage de modèles féminins (Sanders, 1985).

La famille et l'école perpétuent cette image. Dans ces deux environnements, les adolescentes bénéficient de peu de modèles féminins (Sanders, 1985) et y reçoivent moins d'encouragements que les garçons à s'intéresser aux ordinateurs (Fisher, 1984; Gilliland, 1984). De plus, l'utilisation du langage BASIC, très mathématique, et le travail individuel préconisé dans les cours d'informatique contribuent à repousser les filles

(Sanders, 1985; Fisher, 1984), ces habiletés n'entrant pas dans le standard féminin.

Devant un tel tableau, nous pouvons conclure qu'elles sont encouragées à entretenir des attitudes plus négatives que leur contrepartie masculine envers les ordinateurs. De fait, il semble qu'elles jugent ces instruments moins utiles dans leur vie que les garçons (Marropodi, 1984), ou bien qu'elles les jugent également utiles mais servant à des fins différentes, par exemple comme des robots les aidant dans leur tâches ménagères (Kreinberg et Stage, 1983).

Dans le milieu du travail, l'avènement des ordinateurs entraîne des changements radicaux, principalement dans le secteur tertiaire qui compte plus de quatre-vingt-dix pour cent de femmes parmi ses employé(e)s (Menzies, 1981). Malgré les diminutions importantes d'emplois prévues dans ce secteur, la majorité des adolesentes continuent d'aspirer à ces ghettos féminins (Porter et al., 1979 et Russel, 1978: voir Menzies, 1981). Certes, le nombre de filles augmente dans les occupations non-traditionnelles, mais cet accroissement origine principalement des milieux aisés (Jackson et Williams, 1974: voir Menzies, 1981). Les décrocheuses, adolescentes de classe défavorisée, sont davantage renforcées à adopter des rôles sexuels stéréotypés (Wilkinson, 1978) et persistent à se diriger vers les ghettos féminins. Elles risquent fort, en conséquence, de se retrouver sans emploi, ou au mieux, dans un emploi sous-payé, les menant tout droit vers la dépendance économique.

Par ailleurs, aux États-Unis, le U.S. Department of Labor prévoit que cinquante à soixante-quinze pour cent des emplois des adultes de demain impliqueront les ordinateurs, en partant de la simple action de pousser un bouton à la programmation sophistiquée. Si les filles continuent d'éviter les voies davantage prometteuses de l'informatique, seront-elles les futures "pousseuses de bouton"?

3. Apprivoiser l'ordinateur pour créer un opportunité de choisir. Afin d'éviter aux femmes ces conséquences négatives et à la lumière des facteurs de socialisation, plusieurs programmes d'intervention visant à accroître leur participation dans le domaine des ordinateurs ont été implantés. Comme ces programmes opèrent depuis un court laps de temps, on retrouve peu d'évaluations systématiques complétées quoique déjà, les résultats convergent vers certaines pistes prometteuses.

Ainsi, pour la thématique "Apprivoiser l'ordinateur", étant donné le modèle de socialisation encadrant cette recherche, nous avons privilégié comme stratégies: 1) de fournir des modèles féminins positifs, c'est-à-dire qui utilisent un ordinateur soit dans leur travail, soit dans leur loisir et y trouve du plaisir, 2) de sensibiliser aux biais sexistes contenus dans la publicité entourant le domaine, 3) de donner de l'information sur les changements prévus dans le marché du travail dû à l'avènement des micro-ordinateurs, 4) de "démathématiser" les cours d'informatique en utilisant un traitement de texte, le langage LOGO plutôt que le langage BASIC, et en identifiant diverses applications possibles de l'ordinateur ou les mathématiques s'avèrent inutiles (Fisher, 1984; Gilliland, 1984), et 5) de favoriser les environnements non mixtes (Stage et al., sous presse) et le travail d'équipe (Sanders, 1985). En accord avec Stage et al. (sous presse), la multiplicité des facteurs reliés au problème appelle à une combinaison de plusieurs stratégies, augmentant ainsi les probabilités de succès d'une telle intervention.

Par la mise en place de ces différentes stratégies, ce thème tente de promouvoir des habiletés dans le domaine de l'informatique chez les décrocheuses potentielles. Plus spécifiquement, il vise à ce que les participantes diminuent leurs malaises face à des situations impliquant des ordinateurs pour en augmenter la valeur qu'elles y accordent d'une part, et qu'elles augmentent leurs connaissances et leurs comportements liés au domaine de l'ordinateur d'autre part. En d'autres termes, il ne s'agit pas d'en faire des spécialistes, mais simplement de leur donner le goût et les moyens d'aller plus loin si elles le considèrent important.

Davantage axée vers la promotion, la familiarisation avec les micro-ordinateurs contribue aussi à l'atteinte du second objectif global du programme, la prévention de l'abandon scolaire. Premièrement, elle fournit une nouvelle motivation à la poursuite des études par l'apprentissage d'habiletés ayant une utilité concrète sur le marché du travail. En second lieu, elle permet aux adolescentes d'acquérir une habileté originale, peu détenue par leur pair(e)s qui, par surcroît, s'avère une habileté "à la mode", pouvant contribuer à augmenter leur estime d'elles-mêmes. Enfin, dans le cas où elles choisissent le cour d'informatique à l'école, cette thématique augmente leur probabilité d'y expérimenter du succès.

Sous ce thème, les adolescentes bénéficient de trois micro-ordinateurs permettant le travail en dyade ou en triade. Chacune des huit rencontres comporte au moins deux activités différentes afin de satisfaire le plus de participantes possible. L'une exige la manipulation du micro-ordinateur (programmation LOGO, jeux-vidéos, etc.), tandis que l'autre peut adopter diverses formes (discussions, conférences, etc.).

Afin d'augmenter la valeur que les filles accordent au domaine informatique, il nous semblait important qu'elles apprennent les conséquences de l'avènement de l'ordinateur sur l'emploi. Une discussion sur leur propre perspective d'emploi et les changements prévus, de même qu'une rencontre avec une spécialiste en informatique a permis de rejoindre ce premier sous-objectif. Le second, connaître le large éventail des utilisations possibles du micro-ordinateur, se retrouvait à travers les différentes activités de la thématique.

L'objectif éducatif visait à augmenter les connaissances des filles dans le domaine tandis que l'objectif opérationnel leur permettait de les expérimenter. Ces deux objectifs apparaissent souvent de pair dans chaque activité. Ainsi, après une démonstration rapide des composantes principales d'un micro-ordinateur et de leur fonctionnement, les participantes étaient invitées à le manipuler elles-mêmes en entrant un programme interactif où l'ordinateur se présentait et leur posait des questions. On a pu constater chez les filles de légers malaises lors de la manipulation, la peur de "briser quelque chose" souvent caractéristique aux femmes. L'expérimentation entre elles suffisait généralement à évacuer ces malaises. Pendant plusieurs rencontres, les participantes ont pu s'initier à la programmation de dessin en LOGO. En accord avec les écrits, elles ont semblé apprécier ce langage, quoiqu'elles avaient tendance à abandonner lorsque le dessin faisaient appel à leurs habiletés visuo-spatiales, souvent déficitaires. L'écriture automatique, la correction d'un texte humoristique et l'impression de la liste téléphonique des participantes ont servi à les introduire au traitement de texte et à une banque de données. Un collage de photographies discriminatoires puisées dans les revues d'informatique faisait prendre conscience aux adolescentes des biais sexistes contenus dans la publicité. Enfin, elles ont pu ajouter à leur répertoire d'utilisations possibles du micro-ordinateur quelques exemples de jeux-vidéos et éducatifs.

Un des côtés intéressants de notre modèle d'intervention repose sur l'interaction entre les différents thèmes. Cette méthodologie contribue à faciliter l'atteinte des objectifs visés. Ainsi, un des micro-ordinateurs est présent durant trois mois d'intervention. A titre d'exemple, il a servi d'accessoire dans les improvisations en résolutions de problèmes, facilitant les comportements d'approche, et de nouveau médium pour s'interroger sur la sexualité, permettant, dans ce cas, la généralisation des apprentissages effectués pendant le thème de l'informatique.

En terminant, nous aimerions rapporter le propos rempli de sens de l'une des participantes. Elle disait: "Jamais je n'aurais cru avoir le goût, un jour, de m'acheter un ordinateur".

La sexualité chez les adolescentes: comment le plaisir peut-il devenir intimement lié à la sexualité?

L'expression sans doute la plus éloquente de l'apprentissage de rôles sexuels stéréotypés chez les filles en matière de sexualité se manifeste à travers le phénomène de la grossesse à l'adolescence. Le scénario de vie d'une fille, hautement prévisible dès la naissance, la destinant à une vocation de mère, et l'absence de pouvoir caractéristique d'une socialisation bien organisée peuvent éventuellement mener à des expériences d'impuissance de l'ordre d'une grossesse à l'adolescence. C'est en rupture avec ce mode de gestion de nos vies et de nos corps que nous avons voulu détourner le cours de la socialisation pour former une nouvelle collusion plaisir-pouvoir associée à la sexualité. Cette perspective de la sexualité constitue le point d'ancrage de notre programme auprès d'adolescentes à risque élevé d'abandon scolaire, visant d'une part à augmenter les sources d'opportunités en promouvant la prise en charge de leur sexualité et d'autre part, à diminuer les sources de menaces en prévenant l'occurrence d'une grossesse.

1. La sexualité adolescente n'est plus ce qu'elle était...

Le courant de libéralisation sexuelle s'exprime à travers l'accroissement de l'activité sexuelle chez les adolescentes. D'une part, il est reconnu que les adolescentes s'engagent dans des activités sexuelles de plus en plus tôt (CASFQ, 1982). Des études québécoises établissent à environ quinze ans la moyenne d'âge à la première relation sexuelle (Tessier, 1984, Vandal, 1982). Par ailleurs, une plus grande proportion d'adolescentes sont actives sexuellement (Baumrind, 1981). Au Québec, environ cinquante pour cent des adolescentes de treize à dix-huit ans ont des relations sexuelles (Vandal, 1982). Certaines études démontrent que les adolescentes de couche sociale plus défavorisée ont un taux d'activités sexuelles plus élevé (Meikle et al.; Wilkins, 1981 in Tessier, 1984), deviennent actives sexuellement plus jeunes et recourent peu ou pas à la contraception (Zelnik, 1980 in Tessier, 1984).

L'accroissement de l'activité sexuelle chez les adolescentes ne s'est pas véritablement accompagné d'un resserrement de la pratique contraceptive, notamment dans la cohorte des quinze ans et moins où deux filles sur cinq n'ont pas recours aux contraceptifs (Zabin et al., 1979).

Par ailleurs, le risque de grossesse augmente en relation inverse de l'âge de la première relation sexuelle; il est deux fois plus élevé chez les quinze ans et moins au cours des six premiers mois d'activité sexuelle, relativement au taux de grossesses enregistré chez les dix-huit à dix-neuf ans (Zabin et al., 1979). Au Québec, de 1973 à 1977, le nombre de grossesses a plus que doublé chez les quinze ans et moins (Vandal, 1982). Bien que le nombre de grossesses demeure relativement stable au cours des années, il s'accroît chez les moins de quinze ans. On assiste par ailleurs à un recours massif à l'avortement, plus prononcé chez les quinze à dix-neuf ans que chez les moins de quinze ans (CASFQ, 1982). Considérant le risque de grossesse élevé, particulièrement chez les quinze ans et moins, on peut présumer des conséquences néfastes d'une grossesse à ce cycle de la vie.

2. Quand l'impossible devient réalité

Lorsqu'une adolescente devient enceinte et décide de mener à terme sa grossesse, la poursuite de ses études est sérieusement compromise (Filion et Thébault, 1984). Des recherches effectuées auprès de décrocheuses rapportent que les adolescentes invoquent la grossesse et le mariage comme motifs responsables de leur abandon scolaire (Darabi, 1979; Mott et Shaw, 1978 in Loranger, 1983). Certains auteurs prétendent que la grossesse et le mariage constituent des stratégies visant à échapper au système scolaire, alors que d'autres soutiennent que ces événements ne relèvent pas d'un choix volontaire (Loranger, 1983). Il semble toutefois que les adolescentes enceintes présentent un certain nombre de facteurs de vulnérabilité avant même la grossesse dans la mesure où elles ont un rendement scolaire bas, peu d'intérêts et de buts définis (Phipps-Yonas, 1980). Elles sont moins orientées vers le succès que les "**contraceptrices**" efficaces (Adler, 1981). Les ouvertures face à l'éducation sont grandement restreintes du fait des nouvelles responsabilités dans lesquelles les engage la maternité (Schneider, 1982). Un cortège d'événements menaçants s'ensuit où la dépendance affective, économique et sociale est la marque d'une grossesse précoce.

La décision d'interrompre la grossesse présente également un risque au niveau développemental. Les remises en question d'ordre personnel et la polarisation du discours social ne rendent pas la décision aisée et peuvent mener à une plus grande impuissance ou, au mieux, à un plus grand contrôle sur sa vie. Il n'en demeure pas moins que l'avènement d'une grossesse à l'adolescence, peu importe l'issue, n'est vraisemblablement pas désirable. En examinant de plus près les antécédents de la grossesse à l'adolescence, les éléments visant à en détourner le cours deviendront plus apparents.

3. La conspiration du silence de la famille et de l'école

Plusieurs recherches mettent en cause la compétence des adolescentes à recourir de façon efficace à la contraception en vue de prévenir la grossesse. Il semble que les adolescentes à risque élevé de grossesse accusent un déficit au niveau de la résolution de problèmes. Le caractère épisodique des relations sexuelles place les adolescentes dans un contexte faisant appel à des prises de décision répétées au niveau de la contraception (Cvetkovitch et al., 1975). Par ailleurs, le simple fait d'être exposées à de l'information ne suffit pas à engager les adolescentes dans une démarche contraceptive. L'information doit être intégrée dans un processus de résolution de problèmes (Schinke et al., 1977). L'habileté des adolescentes à communiquer constitue également une de leurs faiblesses. D'une part, les filles ont de la difficulté à dire "non" quand il s'agit d'avoir des relations sexuelles et d'autre part, l'habileté à discuter de contraception est vue comme un préalable à la prise de décision (Campbell & Barnlund, 1977; Schinke et al., 1979). De plus, les adolescentes dont le lieu de contrôle est externe se retrouvent parmi les filles les plus à risque de grossesse (Filion et Thébault, 1984). Une faible estime de soi, la passivité et un sentiment peu élevé de compétence caractérisent les adolescentes enceintes (Adler, 1981). L'acceptation de sa sexualité par l'adolescente est en corrélation positive avec l'utilisation de la contraception (Cvetkovitch et al, 1975). Les lacunes au niveau de l'information en matière de sexualité et de contraception chez les adolescentes sont relevées par la majorité des chercheur(e)s (Phipps-Yonas, 1980).

Les contextes immédiats dans lesquels l'adolescente évolue favorisent-ils le développement des compétences nécessaires à la prévention de la grossesse? D'une part, une recherche québécoise auprès d'adolescentes relève la communication détériorée parents-enfants, ce problème constituant la préoccupation majeure des adolescentes (Tessier, 1984). En conséquence, les relations sexuelles sont vécues dans la clandestinité dans soixante-quinze pour cent des cas (Tessier, 1985) alors que la communication avec les parents aurait pour effet de différer ou de diminuer l'activité sexuelle ou de favoriser l'usage de méthodes contraceptives (Fox, 1979 in Filion et Thébault, 1984). Lors de l'évaluation des besoins, soixante-trois pour cent des adolescentes ont affirmé avoir peu de discussions, bien qu'une enquête réalisée au Québec en 1979 démontre que les adolescent(e)s revendiquent l'éducation sexuelle à l'école dans une proportion de quatre-vingt pour cent (CASFQ, 1982). Il semble bien que l'implantation progressive des programmes d'éducation sexuelle dans les écoles soit une innovation intéressante mais il est à douter que le temps alloué à cette fin soit suffisant pour éliminer l'obscurantisme. Cependant, s'il est vrai que le silence relatif de la famille et de l'école ne sont pas de nature à former des adolescentes compétentes face à leur sexualité, elles ne sont toutefois pas seules en cause dans la problématique.

4. Le plaisir vécu par procuration

Le style d'interactions avec le garçon est déterminant face à l'issue possible d'une grossesse. Campbell & Barnlund (1977) ont observé un lien étroit entre la grossesse non planifiée et les déficits en communication des adolescentes. Il semble en effet que l'adolescente s'engage dans les relations sexuelles suite aux pressions de son ami, étant incapable de lui dire "non".

L'adolescente veut à tout prix éviter de lui déplaire et situe le plaisir du garçon au premier plan dans sa relation, tel que corroboré lors du forum regroupant des intervenant(e)s du milieu. La recherche de Tessier (1984) rapporte également que les adolescentes déplorent la difficulté à communiquer avec les garçons et leur empressement à avoir des relations sexuelles. Par ailleurs, moins la fille a de pouvoir interpersonnel et d'influence dans le couple, plus elle est en risque de grossesse. Le garçon étant socialement déchargé de la responsabilité de la contraception, plus la fille a de pouvoir décisionnel quant à la régulation des relations sexuelles et à la contraception, plus elle est une "**contraceptrice**" régulière et efficace (Jorgensen et al., 1980).

5. Le double-standard ou "l'enfermement" dans des rôles sexuels contraignants

Le système de valeurs privilégié par la société ainsi que les normes de conduite qu'elle propose place les adolescentes dans une situation ambiguë face à leur comportement sexuel. D'une part, la socialisation des filles les amène à privilégier le rôle de mère en tant que signe de féminité et d'accomplissement de soi; les ambitions scolaires et professionnelles sont reléguées à l'arrière-plan (Filion et Thébault, 1984). D'autre part, l'apprentissage de la "féminité" va à l'encontre des patrons de comportement nécessaires à un plus grand contrôle sur la sexualité. Si la compétence, l'efficacité et le contrôle sont associés à une meilleure pratique contraceptive, ces caractéristiques relèvent de la compétence masculine ou androgyne. Plusieurs études démontrent que les filles "traditionnellement féminines" sont de moins bonnes "**contraceptrices**" que les filles adoptant une orientation plus féministe (Adler, 1981). Par ailleurs, le contrôle de la sexualité chez l'adolescente est sous le signe d'un double-standard. Afin d'obéir aux critères de féminité, une fille se doit d'être passive, inexpérimentée sexuellement, alors que la prévention de la grossesse appelle à l'initiative et à l'action (Woodhouse, 1982). De plus, la fille doit réconcilier une vision de soi respectable, compatible avec la féminité, avec la vision d'une fille active sexuellement, réprouvée socialement. Le contrôle actif de sa sexualité lui échappe donc dans la mesure où la planification, le calcul et l'anticipation sont aux antipodes de l'image d'une jeune fille bien (Chilman, 1980; Dembo et al., 1979).

6. Comment la sexualité chez les adolescentes peut-elle être autre?
L'ensemble du programme a été conceptualisé de manière à tenir compte de l'analyse des déficits reliés à la socialisation des filles, les condamnant à l'impuissance et à la dépendance, et des pistes dégagées lors de la recension des écrits et de l'évaluation des besoins en sexualité permettant d'élargir la portée du modèle strict de prévention de la grossesse.

Il apparaît clairement que le phénomène de la grossesse à l'adolescence constitue un maillon de la chaîne d'événements conduisant à des expériences où le pouvoir et le plaisir sont absents, que l'acceptation de leur sexualité par les adolescentes n'est pas rendue possible compte tenu de l'invisibilité dans laquelle leur comportement est maintenu, et que la négation de la réalité sexuelle des adolescentes dans leurs différents contextes de vie n'est pas de nature à former des individus compétentes à exercer du contrôle sur leur sexualité et à résoudre leurs problèmes. Les objectifs d'intervention du programme sont donc opérationnalisés de façon à ce que les adolescentes aient plus de prise sur leur sexualité et sur la contraception. Par ailleurs, l'habileté à résoudre des problèmes d'ordre sexuel ou contraceptif est mobilisée en réponse aux demandes spécifiques des adolescentes. Les habiletés génériques constituent donc la trame sur laquelle s'inscrit l'ensemble du programme.

Un premier niveau d'analyse de l'information spécifique portant sur le phénomène de la grossesse à l'adolescence nous permet d'établir des objectifs visant à prévenir l'occurrence d'une grossesse, à en éviter les conséquences aversives. En ce sens, les valeurs relatives à l'utilisation de la contraception, l'information nécessaire pour poser un choix éclairé quant à l'utilisation d'une méthode contraceptive et les habiletés de communication déterminantes face à l'usage de contraception composent l'essentiel du programme de prévention, basé sur le modèle développé par Schinke et al. (1979).

Un second niveau d'analyse de l'information permet de déborder du cadre strict de prévention de la grossesse de façon à promouvoir la prise en charge de leur sexualité chez les adolescentes. L'approche de la sexualité chez les adolescentes ne doit pas seulement tenir compte des conséquences fâcheuses à éviter mais également des occasions de rechercher des gratifications, d'expérimenter du plaisir. Or, la dépendance affective et sexuelle des adolescentes se révèle dans leur approche même des relations sexuelles, où elles s'engagent dans des activités sexuelles par renforcement négatif, pour éviter de déplaire à leur ami. Leur sexualité est donc initiée sous la contrainte, le plaisir étant vécu par procuration et non pour elles-mêmes. Une autre manifestation de la négation du caractère propre de la sexualité des filles prend forme dans la définition de la relation sexuelle, impliquant la pénétration vaginale, en correspondance étroite avec le modèle dominant de la sexualité.

En conséquence, la probabilité d'une grossesse est plus élevée et les formes d'expression sexuelle sont limitées alors que d'autres types de contacts sexuels sont plus propices à la satisfaction sexuelle chez les filles. En plus d'élargir les valeurs augmentant les possibilités de choix des filles face à leur sexualité et de fournir de l'information les aiguillant sur leur capacité à rechercher du plaisir, l'entraînement à la communication doit inclure le développement d'habiletés en affirmation de soi afin que les adolescentes deviennent des agentes actives et non de réceptrices passives de leur sexualité. C'est sous ces deux aspects intimement liés, visant à prévenir la grossesse et à promouvoir la prise en charge de leur sexualité, que s'articule le programme d'intervention auprès d'adolescentes à risque élevé d'abandon scolaire.

7. Vers un plus grand pouvoir sur la sexualité

De façon à répondre à l'objectif visant à favoriser un élargissement des valeurs qui augmente les possibilités de choix des filles, la lecture de bandes dessinées a servi d'élément déclencheur à la discussion. Un sous-objectif visait à amener les adolescentes à identifier leurs valeurs personnelles face aux relations sexuelles à l'adolescence de façon à répondre à leurs désirs plutôt que d'être le jouet de pressions externes. Un autre sous-objectif visait à reconnaître différentes sources de plaisir compte tenu de notre spécificité sexuelle via la masturbation et l'exploration de diverses formes d'expression sexuelle en tant que démarches d'autonomie et d'alternatives à la pénétration. Relativement à l'avènement d'une grossesse, plusieurs objectifs étaient poursuivis visant à poser la question du choix de la maternité, à envisager l'avortement comme solution possible face à une grossesse non désirée et à augmenter les stratégies de résolution de problèmes afin de briser la résistance face à la contraception.

Le second sous-objectif visait à augmenter les connaissances en matière de sexualité et de contraception. Une série d'exercices à caractère ludique a permis de mieux connaître l'anatomie et la physiologie sexuelles des femmes. Un sous-objectif visait à favoriser le développement des connaissances relatives aux méthodes contraceptives les plus en vogue selon leurs modalités particulières ainsi que les connaissances relatives aux MTS les plus usuelles, suivant une conversation avec un micro-ordinateur. Enfin, des mythes concernant la masturbation et la relation sexuelle ont été soulevés et discutés.

Le troisième objectif visait à augmenter les comportements de communication et d'affirmation de soi. Parmi les sous-objectifs poursuivis, les adolescentes devaient identifier les composantes de l'affirmation de soi à partir d'une séquence dans une bande dessinée.

Elles devaient également apprendre à discriminer les réponses affirmatives, passives et agressives suivant un jeu de rôle et pratiquer les composantes non verbales de communication. La pratique des comportements est allée progressivement de l'initiation d'une discussion à une situation de refus, les critères d'évaluation de la réponse affirmative augmentant au fur et à mesure. Le type de situations auxquelles les adolescentes étaient exposées allaient de l'achat d'un préservatif à la pharmacie, à l'invitation d'une personne à un "party", au refus d'entrer dans une relation sexuelle sans contraception.

D'après nos propres observations au cours de l'intervention, on a tôt fait de s'apercevoir que certains mythes ont la vie plus dure que d'autres. Bien que les filles se soient généralement prononcées en faveur de la masturbation, la majorité d'entre elles rejetaient cette option pour elles-mêmes. Une même contradiction était apparente au niveau de l'évaluation de leur corps. Les filles disaient accepter leur corps et le trouver beau, alors que les menstruations étaient vues comme quelque chose d'indésirable et la seule possibilité d'insérer le doigt dans le vagin pour vérifier l'emplacement du stérilet provoquait des mimiques de dégoût assez généralisées. Cet écart entre le discours et le comportement a donné lieu à une réflexion plus poussée et a rehaussé la valeur de nos interventions puisque les adolescentes participaient ainsi à l'élaboration, et de leur savoir, et de notre savoir.

"Raccrocher" ou le pouvoir et le plaisir d'apprendre

L'étude dont il sera question ici est en continuité avec les études précédentes. La différence tient dans l'application du même programme, de la même méthodologie sur une autre population: les raccrocheuses scolaires. Pour les besoins de la recherche le terme "raccrocheuse" réfère à la fille qui, après avoir abandonné l'école secondaire, décide de retourner aux études.

Considérant le fait que la raccrocheuse a déjà vécu la situation d'abandon scolaire, la présente étude se situe au niveau de la prévention tertiaire, c'est-à-dire au niveau de traitement du problème. Notre intervention veut diminuer la probabilité que la fille puisse vivre une situation de double échec, de double abandon; situation qui peut entraîner des conséquences doublement détériorantes pour elle. Cette étude est complémentaire des précédentes puisqu'elle vise à accroître notre connaissance du phénomène d'impuissance qu'est l'abandon scolaire chez les filles. Elle se veut aussi "promotionnelle" car elle vise à développer de nouvelles compétences afin d'optimiser un nouveau savoir-être, un nouveau savoir-faire chez les raccrocheuses. Elle vise donc à accroître leur potentiel de contrôle sur leur vie et à mieux résoudre leurs difficultés lors de situations-problèmes.

Cette recherche prend toute sa signification dans l'action, c'est-à-dire dans l'application d'un programme qui offre aux filles des moyens d'action concrets leur permettant d'augmenter les dites compétences et ainsi d'amenuiser les conséquences néfastes reliées à l'abandon scolaire. Notre intervention vise à ce qu'elles se "raccrochent" au pouvoir et au plaisir d'apprendre.

Les raccrocheuses: qui sont-elles?

Tel que souligné précédemment, peu d'études existent pour expliciter le problème de l'abandon scolaire chez les filles. La situation prévaut également chez les raccrocheuses scolaires. Le peu de littérature recueillie sur le sujet réfère le plus souvent à des recommandations faites par le gouvernement, aux écoles pour décrocheuses et décrocheurs, aux rapports évaluatifs des programmes de réinsertion scolaire. À notre connaissance il n'existe pas de programmes ou recherches spécifiques portant sur les raccrocheuses. De par son contenu, la présente étude participe donc au développement de la recherche en éducation.

Les rapports d'évaluation nous ont toutefois informé du taux de participation des filles qui se sont inscrites à l'intérieur du programme de retour aux études. En ce qui concerne les projets d'Insertion sociale et professionnelle expérimentés à travers le Québec en 1984-1985, le taux de participation des filles a été évalué à 48,5% (Legault, 1985). A la CÉCM ce taux atteint 46,2% (Cogepro, 1985). L'âge moyen a été évalué à 23,2 à la CÊCM et à 21,1 dans les projets ISEP. Notons que ces moyennes d'âge regroupaient les filles et les garçons.

D'autre part, les écrits ne nous informent nullement sur les caractéristiques descriptives ou explicatives de la situation des raccrocheuses. De plus, aucune étude statistique ne nous éclaire sur le nombre réel de filles qui retournent à l'école comparativement au nombre réel de décrocheuses. L'information que nous pouvons avancer est la suivante: les raccrocheuses font partie

D'autre part, les écrits ne nous informent nullement sur les caractéristiques descriptives ou explicatives de la situation des raccrocheuses. De plus, aucune étude statistique ne nous éclaire sur le nombre réel de filles qui retournent à l'école comparativement au nombre réel de décrocheuses. L'information que nous pouvons avancer est la suivante: les raccrocheuses font partie d'une sous-population de décrocheuses ce qui augmente leurs probabilités d'avoir un profil analogue.

Une étude attentive des écrits portant sur les décrocheuses nous permet d'identifier un certain nombre de caractéristiques définissant cette population. En parallèle, une recension des données puisées à partir de l'administration du test "L'école, ça m'intéresse?" (MEQ, 1983) auprès de soixante-trois raccrocheuses, permettra d'appuyer quelques résultats mis en lumière dans la littérature.

À priori, une donnée mérite toute notre attention. Le volet sexualité de la recherche nous a informé que plusieurs auteurs ont mis en évidence l'existence d'un lien entre la grossesse et l'abandon scolaire (Howell et Frese, 1982, 1980: Bouchard, 1981; Camp, 1980; Darabi, 1979; Chilman, 1978). À cet effet, plus d'un tiers des répondantes rapportent avoir déjà été enceintes (vingt-deux sur soixante-et-une). Cette donnée s'avère donc fort intéressante puisqu'elle appuie de manière pertinente le modèle théorique de cette recherche en soutenant l'hypothèse que le renforcement du rôle sexuel stéréotypé chez la fille, à savoir son rôle d'épouse et de mère, contribue à augmenter ses probabilités d'abandonner l'école. Il aurait été sans doute intéressant de connaître le moment précis de la grossesse afin de savoir si les décrocheuses scolaires sont devenues enceintes avant ou après avoir abandonné l'école, en d'autres termes, afin de savoir si la grossesse est le facteur antécédant ou conséquent à l'abandon scolaire.

Dans un même ordre d'idées, une des conséquences souvent évoquée de l'abandon scolaire, et qui place la jeune fille dans des conditions de risque, concerne sa situation économique précaire et de dépendance face à l'État. Ses faibles perspectives d'avenir sur le marché du travail augmentent cette probabilité (Fortin in Vincent, 1982). Une autre donnée du test nous informe que les principales sources de revenu de près des deux tiers des répondantes sont l'aide sociale et l'assurance-chômage (trente-neuf sur soixante-et-une). Par ailleurs, plusieurs auteurs soutiennent qu'une forte proportion de mères-célibataires "décrocheuses" subviennent à leurs besoins grâce aux prestations d'aide sociale (Camp, 1980; Mott et Shaw, 1978; Chilman, 1978;). Une façon de promouvoir l'autosuffisance financière de ces filles est la scolarisation (Brown, 1982).

D'autre part, l'ajout de quelques questions au test précité a permis de connaître les raisons d'abandon et de réinsertion scolaire formulées par les soixante-trois raccrocheuses.

Le tiers des répondantes affirment avoir abandonné leurs études à cause d'un manque de support, d'aide ou d'encouragement à les poursuivre (quatorze sur cinquante-quatre). L'autre tiers nous informe avoir abandonné l'école à cause de problèmes familiaux (dix-sept sur cinquante-quatre). Dans les deux cas, ces données ne nous renseignent pas sur la nature des problèmes familiaux et du manque de support. Malgré l'absence de spécificité des réponses, ces données corroborent les écrits sur quelques antécédants de l'abandon scolaire chez les filles.

En ce qui concerne le retour à l'école, le tiers des raccrocheuses y sont retournées afin d'augmenter leurs probabilités d'obtenir un meilleur emploi (vingt-quatre sur soixante-trois). Un second tiers associe le retour scolaire à la poursuite de leurs études au cegep et/ou à l'université (vingt-deux sur soixante-trois).

Compte tenu du choix que la raccrocheuse a fait de retourner aux études, aurait-elle un plus grand répertoire de comportements comparativement à la décrocheuse? Aurait-elle plus de pouvoir sur sa vie, plus d'habiletés à exercer du contrôle, à faire des choix et à résoudre des problèmes? Ou à l'inverse, la décision de retourner à l'école serait-elle liée à son impossibilité d'expérimenter des situations de pouvoir ou de contrôle sur sa vie? La raccrocheuse serait-elle à la recherche de nouvelles compétences à développer?

Ces interrogations s'avèrent intéressantes mais il demeure important de garder en mémoire le temps écoulé entre le moment où la fille a abandonné l'école et son retour. Une forte proportion des abandons scolaires ont lieu vers l'âge de quinze à seize ans et même plus jeune c'est-à-dire à l'âge de quatorze ans chez les filles et les jeunes issus de milieux économiquement faibles (Charland, 1982; MEQ, 1981). L'âge moyen de la majorité des raccrocheuses variant entre dix-huit et vingt-trois ans, une période de deux à huit ans peut s'être écoulée. Ainsi peut-on supposer qu'entre temps la raccrocheuse a été susceptible d'expérimenter quelques-unes des conséquences néfastes de son abandon scolaire comme par exemple, la difficulté d'intégrer le marché du travail (La Perrière, 1982), ce qui l'aurait motivée à retourner à l'école. Ceci ne veut pas dire pour autant que la raccrocheuse ait plus de contrôle sur sa vie. Au contraire, les données du test supportent l'idée que la majorité d'entre elles sont motivées à retourner à l'école afin d'augmenter leurs compétences scolaires et professionnelles et, par conséquent, d'augmenter leur possibilité d'exercer du pouvoir sur leur vie.

Par ailleurs, le taux élevé d'abandon des études observé chez les raccrocheuses et raccrocheurs est un indice significatif des probabilités qu'a cette population de vivre un second échec et renforcer l'absence de pouvoir sur leur vie. En 1984-1985, ce taux a atteint quarante-sept pour cent à la CECM et trente pour cent à l'intérieur des projets d'insertion sociale et professionnelle (Legault, 1985). Ces pourcentages ne s'appliquent pas uniquement aux raccrocheuses, cependant nous pouvons soupçonner qu'ils peuvent être similaires.

Ce taux d'abandon élevé rapproché de la probabilité pour la décrocheuse de revivre les conséquences néfastes reliées à un double abandon nous amène à soutenir l'hypothèse suivante: la raccrocheuse a fait l'apprentissage d'un répertoire de compétences étroit et stéréotypé qui entraîne un double risque d'inadaptation scolaire et sociale.

Les objectifs du programme versus les objectifs de la formation générale renouvelée (F.G.R.) en éducation des adultes.

En tenant compte de tous les éléments d'analyse développés, les objectifs visés par l'application du programme de recherche sont principalement de trois ordres:

- que les filles développent de nouvelles compétences plus adaptées à leur environnement. Cet objectif les aidera à prendre des initiatives, à augmenter leurs possibilités de faire des choix, à avoir un meilleur contrôle sur leur vie ainsi qu'à résoudre plus adéquatement les diverses situations-problèmes qui peuvent se présenter;

- prévenir un second abandon scolaire afin d'éviter ou de diminuer les conséquences susceptibles d'être doublement détériorantes pour les filles (double échec, baisse de l'estime de soi, maintien des prestations d'aide sociale etc...). Cet objectif a pour but d'encourager et de soutenir la fille à poursuivre ses études;

- évaluer les possibilités de généralisation d'un programme axé vers la promotion des compétences auprès de deux populations: les décrocheuses potentielles et les raccrocheuses scolaires.

De par leur contenu, ces objectifs rejoignent les objectifs d'un nouveau concept d'apprentissage en éducation des adultes: la formation générale renouvelée. Cette formation fait appel à l'expérience et au vécu des étudiantes afin d'identifier leurs besoins réels d'apprentissage (TREAQ, 1985). L'acquisition de connaissances doit être significative dans la vie des étudiantes (Ward et Mongeau, 1985) et favorise, chez ces dernières, l'accroissement du pouvoir sur leur situation de vie (Poulin, 1984). C'est donc à partir des situations de vie et non plus des strictes matières académiques que repose cette formation. Elle vise le développement de diverses compétences (savoir, savoir-faire, savoir-être) afin que l'individu puisse exercer plus adéquatement différents rôles dans sa vie (Gobeil, 1985). De par cette ressemblance, le programme de compétences a pu bénéficier de ce nouveau cadre de formation et, par le fait même, accréditer la démarche des participantes. Cette condition a facilité la mise en application du programme en stimulant la participation des étudiantes.

"Raccrocher" ou le pouvoir et le plaisir de développer de nouvelles compétences

La méthodologie utilisée à l'intérieur du programme de la présente étude est similaire à celle portant sur le développement des compétences génériques chez les décrocheuses potentielles. L'optique du programme est le même à savoir: une approche développementale où s'inscrivent des objectifs d'apprentissage de l'exercice du contrôle et de la résolution de problèmes et ce, dans le but d'élargir le rôle des femmes dans notre société et de prévenir un double abandon scolaire.

Les participantes au programme ont été sélectionnées à partir de l'échantillon des soixante-trois répondantes au questionnaire "L'école, ça m'intéresse?" déjà mentionné. Les sujets choisis représentaient la population la plus susceptible d'abandonner l'école une seconde fois. Trente-cinq étudiantes provenant de deux centres d'éducation pour adultes ont formé les groupes expérimental et contrôle. Elles se situent majoritairement aux niveaux IV et V du secondaire.

Le programme a été développé sur une période de huit semaines à raison d'une rencontre hebdomadaire de trois heures. La thématique "Exercice du contrôle" a fait l'objet des quatre premiers ateliers et la thématique "Résolution de problèmes" des quatre suivants. L'animation a été réalisée par une professionnelle du centre de formation et par la chercheuse de la présente étude. Les vingt participantes ont été divisées en deux groupes égaux.

Plusieurs activités d'apprentissage expérimentées étaient identiques à celles de l'autre volet générique de la recherche. Par ailleurs, la population à l'études, quelques activités ont été légèrement modifiées. Ces activités ont tout de même respecté les objectifs et sous-objectifs initiaux du programme. Dans le but d'éviter une certaine redondance, seules les activités modifiées vous seront présentées.

À l'instar de l'intervention auprès des décrocheuses potentielles, les objectifs de l'étude visent à ce que les filles augmentent leurs connaissances, modifient leurs valeurs et leurs comportements en fonction des deux thématiques des ateliers.

En lien avec ces trois axes d'apprentissage, les trois principaux objectifs du thème "Exercice du contrôle" sont les suivants: que les filles augmentent la valeur accordée à la prise de contrôle sur leur vie, qu'elles apprennent à s'auto-observer, à s'auto-renforcer et qu'elles apprennent à percevoir les contingences dans leur environnement et à exercer sur elles un contrôle.

Une des activités qui a contribué à accroître chez les filles la valeur à la prise de pouvoir sur leur vie, a été le visionnement de vidéos-clips représentant des chanteuses populaires qui véhiculent des images de la femme en situation de contrôle (ex: Pat Benatar dans " Love is a battlefield") et en situation de non-contrôle (ex: Madona dans "Like a Virgin"). Cette activité leur a permis de faire des liens entre le développement personnel et l'exercice du contrôle. De plus, les vidéos-clips étant très en vogue auprès de la population jeune, la projection a suscité beaucoup d'intérêt et d'enthousiasme chez les participantes. Nous sommes tentées de croire que l'utilisation de ce type de matériel peut faciliter les apprentissages des étudiantes puisqu'il correspond à un élément familier de leur environnement, de leur vécu.

Un exercice qui a permis aux filles de s'auto-observer et de s'auto-renforcer a été d'imaginer leur "idéal de vie" à trente ans. Pour ce faire, les participantes étaient placées en dyades, devaient s'interviewer l'une et l'autre et, par la suite, se présenter mutuellement devant le groupe. Elles devaient évaluer en quoi ce qu'elles aiment ou n'aiment pas aujourd'hui leur permet d'atteindre ou non cet idéal. Elles devaient donc identifier les délais possibles pour atteindre cet objectif plaisant.

Toujours en lien avec les trois axes d'apprentissage, les trois principaux objectifs du thème "Résolution de problèmes" s'énoncent comme suit: que les filles augmentent la valeur accordée à la capacité de résoudre soi-même ses problèmes, qu'elles augmentent leurs connaissances et utilisent des techniques de résolution de problèmes.

Tout comme l'étude précédente, la principale activité d'apprentissage des connaissances et d'utilisation des techniques de résolution de problèmes a été l'improvisation ou l'apprentissage par observation. Ces mises en situations reflétaient différents problèmes vécus par les filles. Il est intéressant de souligner qu'à chacune des improvisations, les filles se filmaient entre elles. Le visionnement de ces "vidéos maison" a fait l'objet d'une activité qui leur a permis de pouvoir s'auto-observer (observation de comportements non verbaux et verbaux), de s'auto-instruire (voir la réaction de l'environnement) et de voir la mise en actions des solutions envisagées face aux différentes situations-problèmes. Parallèlement à cette activité, un cahier illustrant les différentes étapes du processus de résolution était utilisé et venait renforcer les étapes reflétées à l'intérieur des différentes improvisations. Outre ces outils, nous avons utilisé des téléromans populaires ("La vie promise" et "La bonne aventure") comportant différentes situations-problèmes. En lien avec une des étapes de résolution de problèmes, les filles devaient apprendre à échantillonner les diverses solutions possibles pouvant régler les problèmes présentés au cours des émissions. À la dernière rencontre, il y a eu un retour sur les acquis à l'aide de bandes dessinées illustrant toutes les étapes et attitudes du processus de résolution.

Conclusion

La nouvelle tendance à former des individus compétents, dans le contexte politique actuel, risque fort de n'atteindre que les privilégiés de la société, au détriment de certains groupes laissés pour compte. En continuité avec la tradition, il est à craindre que les filles soient à nouveau exclues de ces lieux de développement optimal.

Un virage historique, à la fois idéologique et méthodologique, doit donc être amorcé de façon à assurer aux filles le droit d'apprendre.

Appliqués à deux populations, notre recherche ne représente qu'un des secteurs possibles de l'opérationnalisation du modèle, puisque basé sur la socialisation des filles mais il est généralisable à toutes. Dans le même ordre d'idées, les populations à l'étude ont orienté le choix des thématiques développées. L'application éventuelle à d'autres groupes de femmes pourra faire appel à des contenus différents.

Enfin, nous ne pouvons prétendre, ni pour les filles, ni pour nous-mêmes, avoir la complète maîtrise du pouvoir. Comme féministes, il nous reste encore à assumer les conséquences de la prise du pouvoir sur nos vies et sur notre environnement. Comme scientifiques, il nous reste à faire reconnaître la nécessité d'une épistémologie féministe pour la compréhension et le respect de notre condition de femmes.

Comme intervenantes, il nous reste à participer à la consolidation de cette nouvelle tendance à former des filles compétentes.

Bibliographie

ADLER, N.E., Sex Roles and Unwanted Pregnancy in Adolescent and Adult Women, Professional Psychology, vol. 12 (1), février 1981.

ALBEE, G.W., Psychopathology, Prevention and the Just Society, Journal of Primary Prevention, vol. 4 (1), automne 1983.

ALVARADO, A.J., Computer Education for all Students. The Computing Teacher, vol. 11 (8), 1984.

ANDERSON, R.E., WELCH, W.W. et HARRIS, L.J., Inequities in Opportunities for Computer Literacy. The Computing Teacher, vol. 11 (8), 1984.

BAUMRIND, Clarification concerning Birthrate and Teenagers. American Psychologist, vol. 36, mai 1981.

BEM, S., Sex-role Adaptability: one Consequence of Psychological Androgyny. Journal of Personality and Social Psychology, vol. 31 (4), 1975.

BOUCHARD, S., La problématique de la grossesse et des naissances à l'adolescence. Étude thématique, Université de Montréal, École de service social, 1981.

BROWN, S.V., Early Childbearing and Poverty: Implications for Social Services. Adolescence, vol. 17 (66), 1982.

CAMP, C., School Dropouts: a Discussion Paper. California Legislature, Assembly Office of Research, Sacremento, 1980.

CAMPBELL, B.K. et BARNLUND, D.C., Communication Patterns and Problems of Pregnancy. American Journal of Orthopsychiatry, vol. 47 (1), janvier 1977.

CAMPBELL, P.B., Computers and Children. Equal Play, vol. 4 (1&2), printemps/automne, 1983.

CHARLAND, R., L'abandon scolaire. Synthèse des principaux écrits québécois (inédit), 1982.

CHILMAN, C.S., Social and Psychological Research concerning Adolescent Childbearing: 1970-1980. Journal of Marriage and the Family, vol. 42, novembre 1980.

CHILMAN, C.S., Adolescent Sexuality in a Changing American Society, Departement of Health and Educational Welfare, Washington, 1979.

COGEPRO, Rapport d'évaluation du projet pour décrocheurs 1984-1985 du Service de l'éducation aux adultes. CÉCM, mai, 1985.

Comité de la Santé Mentale du Québec, Vers une approche globale. Éditeur officiel du Québec, Québec, 1985.

Conseil des Affaires Sociales et de la Famille, Gouvernement du Québec, Études et Avis: l'éducation sexuelle à l'école: une nécessité, 1982.

Conseil supérieur de l'éducation, Pour que les jeunes adultes puissent espérer. Avis sur la formation des jeunes adultes défavorisés et leur insertion sociale et professionnelle, Avis au MÉQ, mai, 1983.

C.O.P.I.E., Les Cahiers du C.O.P.I.E. L'inadaptation scolaire. Conseil franco-québécois d'orientation pour la prospective et l'innovation en éducation, no. 2. 1981.

CRETKOVITCH, G., GROTE, B., BJORSETH, A. et SARKASSIAN, J., On the Psychology of Adolescents' Use of Contraceptives. The Journal of Sex Research, vol. 11 (3), août 1975.

DARABI, K.F., The Education of Non-High-School Graduates after the Birth of a Child. Columbia University, N.Y., 1979.

DEBLE, I., La scolarité des filles. UNESCO, Paris, 1980.

DEEM, R., Schooling for Women's Work. Routledge, Kegan and Paul, London, 1980.

DEMBO, M.H. et LUNDELL, B., Factors Affecting Adolescent Contraception Pratices: Implications for Sex Education.. Adolescence, vol. XIV (56), hiver 1979.

DWECK, C. et DAVIDSON, W., Sex Differences in Learned Helplessness II: The Contingencies of Evaluation Feedback in the Classroom III: An Experimental Analysis. Developmental Psychology, vol. 14 (3), 1978.

D'ZURILLA, T. et GOLDFRIED, M., Problem-Solving and Behavior Modification. Journal of Abnormal Psychology, vol. 78 (1), 1978.

EDWARDS, C., Achieving Equity, The Computing Teacher, vol. 11 (8), 1984.

FILION, G. et THIBAULT, M., Grossesse et adolescence: Revue de la littérature et éléments de problématiques. Département de santé communautaire, Hôpital Saint-Luc, octobre 1984.

FISHER, G., Access to Computers. The Computing Teacher, vol. 11 (8), 1984.

FURSTENGERG, F.F., The Social Consequences of Teenage Parenthood. Family Planning Perspectives, vol. 8, 1976.

GARBARINO, J. et ELLIOT, C., Successfull Schools and Competent Students, Lexington Books, Lexington, Massachussets, 1981.

GILLILAND, K., EQUALS in Computer Technology. The Computing Teacher, vol. 11 (8), 1984.

GOBEIL, I., Reconnaissance des acquis. Le bulletin... vers une nouvelle formation de base à l'éducation des adultes, vol. 1 (1), 1985.

GOBEIL, I., Au-delà des seuls principes, une formation de base partant des situations de vie. Le bulletin...vers une nouvelle formation de base à l'éducation des adultes, vol. 1 (3), 1985.

HOWELL, F.M. et FRESE, W., Adult Role Transitions, Parental Influence, and Status Aspirations Early in the Life Course. Journal of Marriage and the Family, vol. 44, 1982.

HOWELL, F.M. et FRESE, W., Adults Role Transitions: Some Antecedents and Outcomes Early in the Life-Course. Mississipi State University, Washington, D.C., 1980.

JAHODA, M., Current Concepts of Positive Mental Health, N.Y., Basic Books, 1958.

JORGENSEN, KING, S.L. et TORREY, B.A., Dyadic and Social Network Influences on Adolescent Exposure to Pregnancy Risk, Journal of Marriage and the Family, vol. 42, février 1980.

KREINBERG, N. et STAGE, E.K., Equals in Computer Technology. The Technological Women: Interfacing with Tomorrow, ed. Jan Zimmerman, New York: Praeger, 1983.

LA PERRIÈRE, A., Quand on le peut: l'école pour éviter le pire, Revue internationale d'action communautaire, vol. 8 (48), 1982.

LEGAULT, G., Sondage auprès des jeunes touchés par le programme "Insertion sociale et professionnelle des jeunes", Faits saillants, MÉQ, septembre 1985.

LIPKIN, J., Computer Equity and Computer Educators (you). The Computing Teacher, vol. 11 (8), 1984.

LOCKHEED, M.E., and FRAKT, S.B., Sex Equity: Increasing girl's Use of Computers. The Computing Teacher, vol. 11 (8), 1984.

LORANGER, S., L'abandon scolaire chez les adolescentes. Étude thématique, École de Service Social, Université de Montréal, septembre 1983.

LOW, K., La prévention, connaissance de base en matière de drogue, no. 5, ministère de la Santé et du Bien-Être Social, Ottawa, 1979.

MARRAPODI, M.R., Females and Computers? Absolutely! The Computing Teacher, vol. 11 (8), 1984.

MACCOBY, E. et JACKLIN, C., The Psychology of Sex Differences, Stanford University Press, Stanford, 1974.

MAURER, R.E., Drop-out Prevention, an Intervention Model for today's High-School, Phi Delta Kappa, March, 1982.

MENZIES, H., Women and the Chip, ed. Russel Wilkins, L'institut de recherches politiques, Montréal, 1981.

M.É.Q., Rapport sur les projets 1984-1985 d'insertion sociale et professionnelle des jeunes. Volet éducation, Document de travail, août 1985.

M.É.Q.,Un projet d'éducation permanente. Énoncé d'orientation et plan d'action en éducation des adultes, 1984.

M.É.Q., L'école, ça m'intéresse? Québec, 1981.

M.É.Q., L'abandon scolaire, Québec, 1981.

MOORE, K.A. et WAITE, L.J., Early Childbearing and Educational Attainment, Family Planning Perspectives, vol. 9 (5), 1978.

MOTT, F.L. et SHAW, L.B., The Transition from School to Adulthood. Ohio State University, Center for Human Resource Research, Columbus, Washington, D.C., 1978.

PHIPPS-YONAS, S., Teenage pregnancy and Motherhood: A Review of the Literature. American Journal of Orthopsychiatry, vol. 50 (3), juillet 1980.

POOLE, M.E., School leavers in Australia, Australian School Commission, Canberra, 1978.

POULIN, C., Formation générale renouvelée. Nos croyances... (à la recherche d'un cadre valoriel), Les associés F.G.R., mai 1984.

RAWLINGS, E. et CARTER, D., Psychotherapy for Women, Treatment toward Equality. Thomas, Springfield, 1977.

RIVERS, C., BARNETT, R. et BARUCH, G., Beyond Sugar and Spice: How Women Grow, Learn and Thrive, Ballantine, N.Y., 1979.

ROTTER, J.B., Generalized Expectancies for Internal vs External Control of Reinforcement. Psychological Monograph, vol. 80, 1966.

SANDERS, J.S., The Computer: Male, Female or Androgynous? The Computing Teacher, vol. 11 (8), 1984.

SCHINKE, S.P. et GILCHRIST, L.D., Adolescent Pregnancy: an Interpersonal Skill Training Approach to Prevention. Social Work in Health Care, vol. 3 (2), hiver 1977.

SCHINKE, S.P., GILCHRIST, L.D. et SMALL, R.W., Preventing Unwanted Pregnancy: a Cognitive-Behavioral Approach. American Journal of Orthopsychiaatry, vol. 49 (1), janvier 1979.

SCHNEIDER, S., Helping Adolescents Deal with Pregnancy: a Psychiatric Approach. Adolescence, vol. 17 (66), été 1982.

SELLS, L.W., The Forum: Mathematics -- a Critical Filter. Science Teacher, vol. 45 (2), 1978.

SERBIN, L., Sex Stereotyped Play Behavior in the Preschool Classroom: Effects of Teacher Presence and Modeling. Child Development, 1978.

SERBIN, L., A Comparison of Teacher Response to the Preacademic and Problem Behavior of Boys and Girls, Child Development, vol. 44, 1978.

SPENCE, A. et SPENCE, S.H., Cognitive Changes Associated with Social Skills Training, Behavior, Research and Therapy, vol. 18, 1980.

STAGE, E.KK., KREINBERG, N., ECCLES, P.J. et BECKER, J.R., Increasing the Participation and Achievement of Girls and Women in Mathematics, Science, and Engineering. Pour publication future dans Achieving Sex Equity through Education, éd. Susan S. Klein, Baltimore, Maryland: Johns, (sous presse).

TESSIER, M., Sexualité et prévention: d'abord l'affaire des jeunes, Montréal, Bureau de consultation jeunesse inc., 1985.

TESSIER, M., Adolescence et sexualité: les enjeux de la prévention. Santé mentale au Québec, vol. IX (2), 1984.

TREAQ, Rapport final à l'assemblée générale de la Commission de la gestion et du développement pédagogique, juin 1985.

TYLER, F.B. et GATZ, M., Development of Individual Psychosocial Competence in a High-School Setting. Journal of Consulting and Clinical Psychology, vol. 45 (3), 1977.

VANDAL, S., La contraception à l'adolescence , Nursing Québec, vol. 2 (2), janvier-février 1982.

VINCENT, P., La génération sacrifiée: un jeune Québécois sur deux condamné au chômage. La Presse, Montréal, 13 novembre 1982.

WARD, R. et MONGEAU, A., Une pratique dans le cadre de l'insertion sociale et professionnelle des jeunes adultes (ISPJ). Le bulletin...vers une nouvelle formation de base à l'éducation des adultes, vol. 1 (2), 1985.

WOODHOUSE, A., Sexualité, Feminity and Fertility Control. Women's Studies International Forum, vol. 5 (1), 1982.

ZABIN, L.S., KANTNER, J.F. et ZELNIK, M., The Risk of Adolescent Pregnancy in the First Month of Intercourse. Family Planning Perspectives, vol. 11 (4), juillet-août 1979.

Summary

Pleasure Can be Learned, Power Also
The authors express themselves as feminists, scientists and professionals. As feminists they are interested in more self-control and control of the environment for women; as scientists they want to discover and understand the history and causes of stereotyped socialization. As professionals they want to intervene directly and help adolescent girls to grow and find new ways of being themselves and controlling their own lives. All this led the authors to work with groups of drop-outs or potential drop-outs in an attempt to help them discover and experience new avenues that would lead them away from the affective, social and economic dependance threatening them. This paper describes how they went about working with these adolescent girls. Their strategy (problem-solving, group work, initiation to computers, discussions about sexuality, etc.) tried to help these young women develop practical skills and change their negative self-image. They hope that through more consciousness gained in role-playing, discussions and new experiences these adolescents would develop more confidence in their own resources and creativity and be therefore more motivated and apt to work at gaining more control over their own lives.

Steps to a scientific career

by Elizabeth McClintock

"Time for Action" is the title and theme of this International Conference on the Status of Girls, thus, I plan to describe the action which WISEST, the Women in Scholarship, Engineering, Science and Technology task force has been taking in Alberta. The purpose of WISEST is to encourage more girls to study engineering, science and technology and to pursue careers in these fields to the highest decision-making levels. I will describe three of our efforts to date: the formation of a support group for female students in science and engineering, a national conference on women in engineering, science and technology, and the WISEST Summer Research Program which enables high school girls to spend six weeks working on research projects at the University of Alberta.

Women are not well represented in the Faculties of Science and Engineering at the University of Alberta. Females were only 7.6% of the undergraduate students in the Faculty of Engineering in 1984/85, and within specific programs the representation of girls is even less. For example, there is only one girl among forty students in this year's intake into the computing engineering program. In the Faculty of Science, females were 32.7% of the undergraduates in 1984/85, but twice as many girls were specializing in the biological sciences as in the physical sciences.

The picture is similar at the graduate level; examples are only 35 women graduate students out of a total of 145 in Chemistry, while the first woman to gain a Ph.D in Mechanical Engineering from the University of Alberta will be graduating this year. As of 1981, only 19% of the academic staff at the University of Alberta were female, and only 5% of the Science faculty mem bers were women. Four of the five Engineering departments and Chemistry and Physics have no female tenured professors. Similar levels of female participation in Science and Engineering are to be found in most Canadian universities and post-secondary institutions.

The low level of involvement of women in science, engineering and technology must be of concern to people who are trying to improve the lot of girls in society. The future which the young women of today will face is uncertain, however, we can be reasonably sure that developments in science and technology will continue to have profound impacts on society, just as microelectronics and computer technology are altering the workplace and reducing the numbers of low-level clerical jobs.

Women are most affected by these changes since so many of them work in clerical positions and are not qualified for other work, particularly in scientific and technical positions. We do not, however, need to be the passive victims of technological change. Just because something is technologically possible, it is not necessarily socially desirable. Women and men as citizens have the opportunity and the responsibility to speak out about hazardous waste disposal, herbicide spraying of forests, the proposed American Strategic Defense Initiative, and other issues which have a significant impact on our lives and health and the future of our planet. But our voices are more likely to be listened to if we can demonstrate a solid understanding of the scientific and technological dimensions of these issues.

By choosing to study science or engineering or technology, girls will be in a much better position to take an active part in shaping the society of the future, both as the scientists, technologists and engineers who are needed to do the research and develop applications for industrial, commercial and everyday use, and as citizens concerned and involved in defining how society will use the discoveries of science and technology.

WISEST, the task force on Women in Scholarship, Engineering, Science and Technology, was formed in 1982 by people at the University of Alberta concerned about the lack of women at the higher levels of scholarship in all areas of study, but especially in the sciences and engineering and science related fields such as agriculture and medicine. Members of WISEST include women scientists, engineers, and educators from a variety of disciplines from the University of Alberta, private industry and government. Our purpose is to examine the reasons why so few women are involved at decision-making levels in science, engineering and technology, and initiate action to attempt to increase the representation of women in the pure and applied sciences.

As we have studied the problem, we have discovered that its roots lie in girls' upbringing and the influences of the family, schools and peers in shaping girls' conceptions of appropriate roles for women. However, barriers to women's full participation in science, engineering and technology exist at all levels of schooling, from elementary to post-secondary, and in the work place, be it academe, industry or government. Although the magnitude of the problem is daunting and all aspects of the problem are not yet clearly understood, WISEST believes that it is important to take action to solve the problem, and that the time for action is now. While we can learn a lot by studying the problem before we begin to act, we will only begin to **solve** the problem by action. In fact, it is only through action that we can learn more about the nature of the problem and see more clearly how it can be solved.

Therefore, after some preliminary research which revealed the low levels of women's participation in science and engineering, as well as a study which showed the superior academic performance of females in all disciplines at the University of Alberta, and the compilation of an extensive bibliography on women in the pure and applied sciences, WISEST began to take action.

Although women undergraduates are in the minority in science and engineering programs at the University of Alberta, there is an even smaller proportion of women in graduate studies in engineering and science and thus very few women qualified to apply for faculty positions and senior positions in industry and government.

Our first task, then, was to provide a means of support for women al ready studying science and engineering and encourage them to persevere in their studies, set high goals for themselves, and learn strategies for achieving success. The University of Alberta Women in Science and Engineering, known as the UAYs, was founded in the fall of 1982. Members include female undergraduate and graduate students and staff from the University of Alberta, as well as interested women scientists and engineers working in the Edmonton area. Meetings of the group are held monthly and a newsletter is published regularly during the university term.

Meetings of the group have featured distinguished women scientists as guest speakers including Dr. Rose Sheinin, Vice Dean of Graduate Studies and Professor of Microbiology at the University of Toronto, Dr. Evelyn Fox-- Keller from Northwestern University and author of "A Feeling for the Organism", a biography of Barbara McClintock, winner of the Nobel Prize for science, Dr. Rose Johnstone, Professor and Chairperson of Biochemistry at McGill University, and Dr. Dorothy Skinner, from the Oak Ridge National Laboratory and President of the American Women in Science Network. Students are able to hear successful women scientists speak informally about how their careers developed and their concerns about the position of women in science and engineering.

The UAYs not only lets students know that successful women scientists exist, but the opportunity to meet and visit informally with these powerful role models provides encouragement and reassurance to women beginning careers in engineering and science that success is possible and compatible with other life goals. Other UAYs meetings have taken the form of panel discussions on topics such as choosing a university and a research director, combining a career with a family, and science and gender.

The strongest level of interest and support for the UAYs has come from graduate students who are more committed to careers in science and engineering and more in need of concrete career strategies. Third and fourth year undergraduates show more interest than first or second year students who are more concerned with survival in their programs than in their futu res once they finish their studies. We have discovered from our work with the UAYs that many young women at university are not fully committed to careers in their fields of study and are unaware of barriers which may limit their work opportunities.

These young women are not ready to assimilate the advice and learn from the experiences of women more advanced in their careers. One strategy we have used to raise awareness of the need to plan ahead for a career in science, engineering, or medicine, and the presence of subtle but powerful barriers to women's full participation in these fields is the use of questionnaires to stimulate self examination, and small group discussions in which results are shared. Simply asking women to describe where they want to be in ten year's time and whether what they are doing now is consistent or in consistent with their goals can stimulate awareness, provoke thought and eventually lead to action more likely to produce desired goals.

UAYs members were instrumental in helping WISEST to plan and organize a national conference on women in science, engineering, and technology, held at the University of Alberta from May 11 - 13, 1984. The conference theme was "Steps to a Scientific Career". The conference was attended by five hundred people from throughout the province of Alberta, from across Canada from British Columbia to Newfoundland, and from the United States and Great Britain. They included professional women and men, university and college students, and one hundred and twenty high school students from around Alberta. The conference program featured a series of plenary sessions which were addressed by speakers including Janet Ferguson, Ministry of State for Science and Technology, Anna Harrison, President of the American Association for the Advancement of Science, Shiela Wynn, Director of the Government of Alberta Women's Secretariat, Heather Menzies, writer, and Maude Barlow, at that time the Senior Advisor on Women in the Prime Minister's Office.

Also included in the program were panel discussions, one especially designed for high school students, on "Why Science and Technology (GIST)" program, and one involving representatives of the National Science and Engineering Research Council and the Medical Research Council. Ten work shops were conducted on topics such as "Personal Psychology of Success", "Patents", "Writing for Scientific Journals", "Contacts Through Networ king", and "Research Grants: Preparation and Evaluation". In a series of minisymposia, twenty-three women scientists presented short papers on their research. Conference sessions of special interest to the high school students were a forum which gave them an opportunity to meet and talk with some of the distinguished women scientists at the conference, and a careers fair with twenty-six booths illustrating a variety of careers in science, engineering and technology, from academic research, through careers in government and working in industry.

Participant evaluations of the conference were unanimously positive, describing the conference as interesting and inspiring and very effective in achieving its goals of bringing together professional women in the sciences, engineering and technology and female high school and university students and encouraging the exchange of ideas and experiences. Many high school students commented on the friendliness of the women scientists present and their willingness to talk with young women.

Students also asserted that the conference had encouraged them to pursue scientific careers and not to be afraid of the future. WISEST believes this conference, along with one held in Vancouver in May, 1983 and one held in Ottawa in May, 1985, were successful in helping to inform women about the variety and value of work in engineering, science and technology, and in encouraging women to make contacts with each other and actively strive for success in these fields.

This coming spring, the Association for the Advancement of Science in Canada will be holding its annual general meeting in Edmonton. In conjunction with this event, WISEST is organizing a one-day conference especially directed to high school girls which will feature opportunities for them to meet informally with recognized Canadian scientists and engineers, both female and male, and learn about the exciting possibilities of careers in science, engineering and technology.

First-hand contact with women scientists and engineers is valuable for girls because they still rarely see a woman engineer, chemist, computer scientist, or immunologist and have little or no idea what work in these fields involves. In order to provide female high school students with a first hand exposure to the work scientists and engineers do, the WISEST Summer Research Program was started in 1984. Ten girls who had just completed grade eleven worked for six weeks on existing research projects in two science departments and three engineering departments. As well, four boys gained exposure to traditionally female fields by working in the Faculty of Home Economics.

The program was organized by several members of WISEST, but no one person was available continuously to coordinate the program. Students enjoyed the opportunity to actually work in a research lab and found they gained very valuable experience, but they felt isolated from the other students in the program. WISEST decided that the Summer Research Program could be improved by having one person responsible for planning a more structured program for the students, handling all the administrative details of the program, and monitoring the program during its six-week duration.

In 1985, the author was hired as coordinator for WISEST. One of the major responsibilities of this position was organization and coordination of the 1985 WISEST Summer Research Program. Due to the increased willing ness of University of Alberta staff to take students into their labs for six weeks, and a grant from the Alberta Minister responsible for the Status of Woman which significantly augmented the funding provided by the Office of the Vice-President (Research) of the University of Alberta, the Summer Research Program was expanded to include fourteen girls and six boys working in thirteen different departments. The 1985 Summer Research Program will now be described in greater detail.

The Coordinator began by recruiting University staff who would be will ing to supervise one or more high school students in their labs or on research projects. She met with each staff member to ascertain the nature of the work involved and the background needed by the student for each position. Students were recruited for the Summer Research Program through the Edmonton high schools. Information about the program and application forms were distributed by the Science Coordinators of the Edmonton Public and Edmonton Catholic School Boards to science department heads and on to science teachers who brought the program to the attention of students. From over one hundred applicants, twenty were selected for the program on the basis of interest and achievement in science and mathematics, teacher refe rences, and in order to represent most of the schools from which students had applied.

Each student worked on an existing research project as a member of the research team and received an honorarium of $750. for the six weeks of work. Nine girls worked in the departments of Physics, Chemistry, Botany, Zoology, Genetics and Microbiology in the Faculty of Science while five girls worked in Mineral, Mechanical, Electrical and Civil Engineering. The six boys worked in the Faculties of Home Economics and Nursing. Work varied considerably between departments but, in most cases, students learned to perform a number of laboratory procedures which they then used on the samples being examined in their research projects.

During the six week program, the coordinator visited the students in their labs and maintained liaison with the supervisors. This contact enabled any problems to be identified and solved quickly and prevented a number of difficulties which had arisen in the 1984 program due to lack of communication.

As an important addition to the program, the coordinator organized weekly meetings with all the students, to enable them to get to know each other and share their experiences with each other. In this way students felt less isolated and more clearly part of a program. By talking about the work they were doing in the different areas of science and engineering and writing brief reports on their work to distribute to their fellow students, program participants became more aware of the nature of other scientific and engineering fields besides the one in which each was working.

Students discussed sex stereotyping in their own experience and rated a list of behaviours and occupations on their suitability for females and males. The occupations girls rated least suitable for girls were taxi driver, miner, making cars in a factory and farmer, because they perceived these as some what dangerous occupations. Perhaps not surprising considering that they were in the WISEST Summer Research Program, all the girls rated engineer, scientist and doctor as very suitable occupations for girls. Boys saw hair dresser, librarian, secretary and nurse as least suitable occupations for males.

Overall, the girls considered more careers very suitable for both sexes than boys did. Career planning was discussed which revealed the boys had more specific career goals, e.g. manager of a bank, doctor, pharmacist, than the girls, whose typical description of where they would like to be in ten years was "working in a secure job which is interesting".

We looked at the many individual steps to be taken and decisions to be made in order to achieve a specific goal, and discussed some of the conflicts which must be dealt with when one has several goals which compete for one's time and energy. For these grade eleven students who are still in the process of setting their life goals, this exercise was useful for stimulating them to think more precisely about their futures. In fact, one reason we chose to offer the program to students just completing grade eleven is that they still have a year of high school ahead of them and have not yet applied to enter a specific post-secondary program.

The group activity students felt was the most valuable was the opportunity to visit informally for two hours with seven women working in Physics, Genetics, Botany, Chemistry, Zoology, Pharmacology, and Civil Engineering and learn about the work they do and how their careers developed. Students said they have little or no opportunity to meet people, let alone women, from different professions, thus they have little idea of what people actually do in various fields such as engineering. WISEST is planning to focus some of its activity on this aspect of the problem in the near future through visits of women scientists and engineers to schools and production of a "Careers in Science" portable display for use in schools.

The 1985 Summer Research Program was rated very successful by student participants and staff supervisors. Some typical student assessments follow.

"I now have a better understanding of the type of work involved in research science, and I have discovered many fields in science and engineering that I never knew existed. It will give me a better chance to eventually make the **right** career deci sion."

"It gives one the chance to apply some of the things one has learned at school in science classes and also the opportunity to work with and see pieces of equipment that up till now one had only been able to see in a science book."

"I learned more about myself and my career priorities in six weeks than I have in three years of Guidance and numerous aptitude tests."

"I was able to learn more about engineering and try some of the things involved in engineering which helped me decide on going into engineering."

Students also valued getting to know their way around the University campus and how to use the University library system. They were excited and stimulated by contact with other high school students with similar interests and goals, and with senior undergraduate and graduate students pursuing careers in science and engineering. Supervisors rated twelve of the twenty students as more capable than they had expected and fifteen had done better work than their supervisors had expected. Most supervisors expressed the wish that the Summer Research Program be continued and indicated their willingness to supervise students in future summers.

The program was well publicized at the University and in local media which helped raise general public awareness of the need for more girls to choose careers in science, engineering and technology. We have received many inquiries from students and parents about the Summer Research Program and the existence of other WISEST activities to the people and work involved in engineering, technology and science has become more obvious through our activities to date.

WISEST wants to continue the Summer Research Program and the UAYs and organize conferences at least every two years, and continue to revise and refine these activities on the basis of our experience with them to date. We also want to expand our activities to reach more girls in secondary schools throughout Alberta. WISEST has many ideas but not enough time or money to put them all into action - yet! But we are convinced that it is important to do as much as we can with the people and resources at our disposal now. A special word of thanks is in order for Dr. Gordin Kaplan, Vice President (Research) at the University of Alberta for his considerable moral and financial support of WISEST activities.

However, it is the voluntary contributions of ideas, time and energy of the individual members of WISEST which have enabled us to move from studying the problem of women's low level of participation in science, engineering and technology to action to tackle the problem.

We trust that by sharing our experiences with other concerned women and men, that you will gain some new ideas about activities you might try, and be able to avoid some of the difficulties we have encountered, but, above all, we want to encourage you to take action yourselves, wherever you are, in whichever fields you are working, and whatever aspects of the challenge of improving the future for girls most concern you. No single action by an individual or group will, by itself, solve the complex challenge we face, but each of our actions is an important step toward meeting the challenge and an invaluable means of discovering the full dimensions of the challenge and new strategies for confronting the challenge. Action is essen tial **now** if we are to help create a brighter, fuller, more meaningful future for girls.

Sommaire

Orientations vers une carrière scientifique

L'auteure note au départ la faible représentation des femmes dans les divers champs du haut savoir (scholarship), de l'ingénierie, de la science et de la technologie à l'Université d'Alberta. Une situation semblable prévaut plus largement au plan des organismes chargés de prendre les décisions importantes, à l'Université comme dans les grandes structures du gouvernement et de l'industrie. Cette absence relative des femmes dans les domaines où les disciplines scientifiques sont appelées à apporter leur contribution, est ressentie notamment par les étudiantes dans les années où leurs études les amènent à faire éventuellement un choix de carrière. Comment débloquer les avenues? Il y a là un problème vaste et complexe. Mais on n'en saisira vraiment la nature et l'ampleur qu'à partir du moment où l'on se sera résolu à "faire" quelque chose pour le résoudre. L'auteure présente de ce point de vue les résultats intéressants obtenus ces dernières années à l'Université d'Alberta dans un programme estival (six semaines) spécialement conçu en fonction d'orientations possibles vers une carrière scientifique pour les femmes.

Systemic discrimination against disadvantaged adolescent females

by Gloria Rhea Geller, Ph. D.

This paper is a preliminary effort to explore the experiences of adoles cent women in connection with several social institutions. The purpose of this exploration is to clarify the nature of these young women's experiences and determine the status of adolescent women in our social system. In particular the focus will be on disadvantaged young women, the young women who are most vulnerable to becoming the adult women who are the clients of social, mental health, and correctional services. In this paper, I will briefly discuss the juvenile justice and education systems as well as the areas of health, child welfare, and, of course, the family.

Adolescent women are being prepared to fulfill their adult roles as women within society. The type of role they are expected to fulfill will be specific to their economic class, race, and/or ethnic group. The preparation of the young for their future roles are primarily conducted within the family, within the school by friends and through other social institutions. The media has a considerable influence in presenting young people with a range of alternative role models which they might emulate. Disadvantaged young women have limited options open to them. Their sexual class clearly identifies the significance of their reproductive roles as mothers and care givers. There is further significance and value to their sexuality, something they usually learn at an early age is of interest to males. They have few attractive options as future wage-earners either in terms of the kinds of jobs available to them or in the earnings they can expect. Other options they do have, as women, is to maintain themselves in welfare or through prostitution.

A feminist analysis of the situation of poor young women is very different from the approach of those who developed our present system(s). Child- saving, paternalism and sexism combined to "protect young women from themselves" and from some of those identified as their exploiters. The approach often taken was punitive, in that young women were placed in disproportionate numbers in reform or training schools in order to protect them (Teitelbaum and Gough, 1977, Campbell, 1981; Geller, 1981). Within the juvenile justice system, it is quite clear that young women's major delinquency was defined as being out of control, unmanageable or incorrigible and that the underlying concern was their actual or possible sexual activity. The family, child welfare workers, psychiatrists, and others have been anxious to control the sexuality of these largely disadvantaged young women (see Pollak and Freidman, 1969; Chesney-Lind, 1973). Truant young women who come before the court were seen as being out of control (Geller, 1981).

While young males have at times received similar labels, it is not male hetero sexual activity that is viewed as needing to be controlled.

The juvenile justice system has been the system into which young women who are described as being self-destructive have been brought. Juvenile male offenders are seen as being in conflict with their environment and as being delinquent (**Ibid**.). Those males who are self-destructive, and it is young males who have higher roles of death from automobile accidents, higher suicide rates, and higher mental health clinic involvement (**Youth: A New Statistical Perspective on Youth in Canada**, n.d.) are either not coming into contact with the law or are not being recognized as being self-destructive by the juvenile justice system.

While there is a very strong pro-family orientation within our society which puts the rights of parents above that of children, there has also been the recognition that some children are under considerable physical threat to their security of life and limb. What is not recognized is the relationship between the stresses under which the poor, in particular, must live and the lack of community, social, and economic supports necessary to deal with problems families have. So that while upper income families have many of the same familial stresses, they have the economic as well as social means to cope with the problems they encounter (from the larger homes they live in, which prevents the problems which come with overcrowding from occurring, to having access to holidays, paid nannies, boarding schools, psychiatric services, and so on).

Poor Canadians must rely on publicly supported agencies to deal with problems which have probably reached crisis proportions before coming to the attention of the helping professions. There has also been a long-stand ing situation of removal of children from homes of those who do not adhere to middle-class standards of child-rearing. Among the most vulnerable are the children of poor, especially native women who are not living in a nuclear family. In 1977, 20% of all children in care in Canada were native children; 4% of status and 3.5% of all native children as compared to 1.35% of all Canadian children are/were in care (Hepworth, 116, 117). The welfare system will pay foster parents and group homes much greater sums of money than it will pay the sole-support mother who may be struggling to sustain herself and her family (National Council of Welfare, 1979).

The child welfare system is a substitute for the patriarchal family which has as one of its major functions the socialization of the young in preparation to fulfill their roles within the labour force. Early institutionalization of young people is very disruptive to the bonds between children and their biological family. It is hypothesized that early institutionalization is an important factor in the later experiences of people involving government and non-governmental agencies and institutions, from welfare services to correctional institutions, from group homes to transition houses. A sub-class is produced who remain largely marginal to the productive labour force (Armstrong and Armstrong, 1984). We must all be concerned with the possi bility of the greater marginalization of youth as unemployment rates for youth increase, having doubled between 1966 and 1981 (from 5.6% to 13.3%).

While the figures do not show greater proportions of unemployment for females than males ages 15 to 24, they do show that 54% of males 15 to 24 are employed compared to 46% of females. And while greater numbers of both sexes remain in school longer, this may not prove to be an advantage for females who tend to focus their areas of study within a narrower range of disciplines than do males and because females remain largely ghettoized with in a few jobs with particular emphasis on the services and clerical fields. If technological changes have the expected effect, large numbers of women will find themselves unemployed, under-employed, and marginalized. And this is particularly true for the disadvantaged unskilled young woman who may find herself a single parent with little in the way of resources to assist her.

One female in 50 aged 15-24 is a lone parent. There has been a considerable change over the past decade as fewer young women relinquish their babies to child welfare agencies for adoption purposes. In 1966, 70% of unmarried mothers who received child welfare services (Ontario) relinquished them for adoption; this proportion dropped to 48% in 1971 and to 39% in 1977. Our health and social services are not organized to assist expectant unmarried mothers and those who keep their children.

The results of the neglect of these young women and their infants lead to the breakdown of many of these already vulnerable family units (Hep worth, pp. 185, 186). Hepworth states that it would be helpful to know to what extent these families suffer disadvantages from deprivation and how they may have been better assisted in the early years of mothering (**Ibid**., p. 196). Single mothers are still punished for their transgressions by receiving inadequate supports from society to enable them to succeed at raising their children. Their punishment comes in the form of being proved inadequate as mothers when they relinquish and/or abuse their children when services and supports may have changed the situation completely.

For the disadvantaged young woman, having a baby is one adult activity she can be successful at. The unfortunate thing about this is that she will be seriously handicapped for doing the one thing that society offers her. Once she is pregnant, has her child, and keeps it, everything should be done to ensure that she and the child have their needs met, economically and socially. In addition, for those young mothers who may now be more amenable to developing skills to enable them to enter the labour force, opportunities should be made available for educational and employment opportunities.

There has been a considerable amount of discussion over the past twenty years on the streaming of various groups within the education system, particularly the poor and those of various racial and ethnic groups. In particular, in Canada, few native children enter and complete high school. This reality has led to the movement for separate schools for native youth. Poor young women are, of course streamed within our schools as well. At the economic class, race and ethnic group level streaming occurs by virtue of the fact that schools often house children from different groups, so that inner-city schools may house poor and minority group members while the suburbs cater to middle-class students and upwardly aspiring groups and the upper classes may send their children to private schools or elite publicly funded schools (Geller, 1973, 1984).

Commencing in the home, reinforced in the media, in teacher's attitudes, in curriculum and among peers, males and females often develop very different preferences and aptitudes. Sex segregated programs occur at an earlier stage for students labeled as less capable, often those who are economically disadvantaged and of minority group and immigrant backgrounds. By high school, disadvantaged youths are often streamed into special programs and into vocational classes, many of which are totally sex segregated. Even those who proceed to technical and commercial programs are streamed into essentially sex-segregated programs.

While males may be steered to mechanically oriented and trades programs which may lead to jobs in trades, technologies or factories, many of these are well paid and productive jobs as compared to the service oriented jobs, nurses' aid occupations or to the clerical and social service and early childhood education jobs young women are streamed to, for which there is a considerable amount of competition and which are generally poorly paid. Rarely do these jobs pay adequate salaries for a sole-support mother to raise her children on.

Another very sad feature of the streaming process is that no matter what the competency level of the adolescent female, lower class young women are streamed out of academically oriented programs and are encouraged to aspire to low status occupations. In a study I conducted in 1983 (a follow up to one in 1973) in Toronto and Regina, I found that young women from working class backgrounds were more likely to aspire to high school completion only and not to continue to post-secondary education, than the other social classes (Geller, 1984). This is considerably higher than many of the young women I have discussed up to now would likely achieve. In 1983, young women in all but the private elite school I sampled were still opting for traditional occupations or the housewife role (over 55 per cent).

In discussing their hopes for the future, the young women are envisioning a life which strongly centers upon family and children and for quite a few, a good job as well. Poor women, however, can expect to start their families at an early age, to fail to gain marketable skills which pay them a good salary, and to experience marital breakdown. They may find them selves dependent upon public social services which will keep them function ing below the poverty line. If they have been subject to considerable disad vantage because of their economic class, race and/or ethnic status, their sex further complicates their lives because of their reproductive, child rearing, domestic labour, and wage labour statuses. Considerably more work is necessary in order to examine more fully what disadvantaged young women's actual experiences are. We must find ways to ensure that disadvan taged young women are empowered to gain control over their own lives rather than to remain victims of unjust gender, race/ethnicity, and economic systems, throughout their lives.

BIBLIOGRAPHY

Armstrong, Pat and Hugh Armstrong. **The Double Ghetto: Canadian Women and Their Segregated Work**. Toronto: McClelland and Stewart, 1984.

Baker, Maureen. **What Will Tomorrow Bring?...: A Study of the Aspirations of Adolescent Women**. Canadian Advisory Council on the Status of Women, Ottawa, 1985.

Campbell, Anne. **Girl Delinquents**. Oxford: Basil Blackwell, 1981.

Chesney-Lind, Meda. "Sexist Juvenile Justice: A Continuing International Problem". **Resources for Feminist Research** Vol. XIV, No. 4, forthcoming.

----. "Judicial Enforcement of the Female Sex-Role," **Issues in Criminology**, 1973, 51-70.

Eisenstein, Zillah R. **Feminism and Sexual Equality**. New York: Monthly Review Press, 1984.

Geller, Gloria. "Streaming of Males and Females in the Juvenile Justice System". Unpublished Ph. D. thesis, University of Toronto, 1981.

----. "Aspirations of Adolescent Women." A paper presented at the Canadian Women's Studies Association meetings. Guelph, Ontario. June 4-7, 1984.

----. "Aspirations of Female High School Students." **Resources for Feminist Research**, Vol. 13, No. 1, March 1984.

Hepworth, Philip H. **Foster Care and Adoption in Canada**. Ottawa: Canadian Council on Social Development, 1980.

Johnston, Patrick. **Native Children and the Child Welfare System**. Toronto: Canadian Council on Social Development, and James Lorimer and Company, Publishers, 1983.

National Council of Welfare. **In the Best Interests of the Child**. Ottawa, December 1979.

----. **Poor Kids**. Ottawa, 1975.

Orton, Maureen Jessop and Ellen Rosenblatt. **Adolescent Birth Planning Needs: Ontario in the Eighties**. Planned Parenthood Ontario, January 1981.

Pollak, Otto and Alfred Friedman. **Family Dynamics and Female Sexual Delinquency**. Palo Alto, California: Science and Behaviour Books Inc., 1969.

Schneider, Anne Larason and Donna Schram. "An Assessment of Juvenile Justice System Reform in Washington State," Vol. X, March 1983.

Teitelbaum, Lee E. and Aidan R. Gough. **Beyond Control: Status Offenders in the Juvenile Court**. Cambridge, Mass.: Ballinger Publishing Company, 1977.

Weston, Marianne. **Youth Health and Lifestyles**. Saskatchewan Health, August 1980.

Government Publications

Committee on Sexual Offenses Against Children and Youths. **Sexual Offenses Against Children in Canada**. Vols. I & II. The Minister of Justice, Attorney General of Canada, The Minister of National Health and Welfare, 1984.

Hepworth, Philip H. "Trends and Comparisons in Canadian Child Welfare Services over Two Decades." Social Services Directorate, Health and Welfare Canada. n.d.

Department of Social Services. "Services to Juvenile Offenders and Disadvantaged Youth: Final Report." Saskatchewan, 1977.

Minister of State (Youth). **Youth/Jeunesse: A New Statistical Perspective on Youth in Canada**, n.d.

Ontario: Ministry of Community and Social Services.**The Evolution of Residential Care and Community Alternatives in Children's Services**. 1983.

Ontario: Ministry of Community and Social Services. **Review of Maternity Homes in Ontario**. March 1983.

Sommaire

Discrimination systématique à l'endroit des adolescentes défavorisées

Les adolescentes défavorisées, comparées à leurs soeurs de l'ensemble de la société, ne trouvent devant elles, pour leur avenir, que des choix limités en nombre et en intérêt. En outre, la catégorie sociale à laquelle elles appartiennent comme femmes, tend à identifier la valeur de leur rôle à leur capacité de mettre au monde des enfants et d'en prendre soin. Par ailleurs, ces mêmes adolescentes apprennent très tôt que leur sexualité offre un intérêt pour les mâles qui les entourent. En même temps, elles peuvent observer que les rares catégories d'emploi qui leur seront ouvertes, ne leur apporteront que le minimum vital. Que leur reste-t-il d'autre, comme femmes, que de s'accrocher aux services du bien-être social, ou de se livrer à la prostitution.

La discrimination passe alors aux cours de justice et autres organismes chargés d'enrayer la délinquence juvénile. Les jugements de valeur qui président aux décisions de ces institutions, sont facilement discriminatoires à l'égard des filles, dont la délinquence paraît relever d'autres critères que celle des garçons. La situation est particulièrement grave en ce qui concerne les filles d'origine amérindienne. L'auteure analyse et tente d'évaluer les moyens mis de l'avant jusqu'ici pour remédier à ce grave problème social. Mais beaucoup de travail reste à faire, conclut-elle, avant que notre société puisse assurer aux adolescentes défavorisées un contrôle satisfaisant sur leur avenir, et les sortir de leur situation de victimes impuissantes, de leur sexe, de leur origine ethnique, ou des contraintes économiques dans lesquelles elles risquent de passer toute leur vie.

Remerciements

À tous les commanditaires qui ont contribué au succès de la Conférence "LE TEMPS D'Y VOIR", nos plus sincères remerciements.

ACME SIGNALISATION INC.

AES DATA INC.

AIR CANADA

BANQUE NATIONALE DU CANADA

BELL CANADA

BOURSE DE MONTRÉAL

CAISSES POPULAIRES DESJARDINS

CANADIEN PACIFIQUE

CENTRE DE SERVICES SOCIAUX DU MONTRÉAL MÉTROPOLITAIN

CENTRE HORIZONS DE LA JEUNESSE

CMP OIL AND GAS INC.

COLLÈGE O'SULLIVAN

CONSOLIDATED BATHURST INC.

COSMAIR CANADA INC.

COURCHESNE-LAROSE LTÉE

CULINAR INC.

DOMTAR INC.

ÉDITIONS GUÉRIN

ENTREPRISES BELL CANADA

FONDATION BOSCOVILLE

FONDS DE BIENFAISANCE DES COMPAGNIES MOLSON

GENERAL MOTORS DU CANADA

GROUPE CSL INC.

GROUPE SOBECO

HÔPITAL SANTA CABRINI

IBM CANADA, LTÉE

IMPÉRIALE, CIE D'ASSURANCE-VIE DU CANADA

IMPRIMERIE TRANSCONTINENTALE

JOHNSON & JOHNSON

I.S.T. - SMA

LACOMBE, RAINVILLE ET ASS.

LAVO, LTÉE

LES CONSULTANTS J.A.B. INC.

LÉVESQUE, BEAUBIEN INC.

MAGASINS LE CHÂTEAU, LTÉE

MAHEU, NOISEUX

MALLETTE, BENOÎT, BOULANGER, RONDEAU ET ASS.

NORTHERN TELECOM CANADA, LTÉE

PAUL DUBÉ ET FILS, LTÉE

PÉTROLES ESSO CANADA

PRATTE-MORRISSETTE INC.

QUÉBECAIR

REITMANS INC.

RIOPEL, WALSH, SAINTE-MARIE

SAMSON, BÉLAIR ET ASS.

SEAGRAM, LTÉE

SOCIÉTÉ MARITIME MARCH, LTÉE

STEINBERG INC.

SYSTÈMES D'INFORMATIQUE PHILIPS, LTÉE

TÉLÉGLOBE, CANADA

TÉLÉ-DIRECT, PUBLICATIONS

TEXACO CANADA INC.

URBATECH, LTÉE

VILLE DE LACHINE

VILLE DE PIERREFONDS

VILLE DE SAINT-LAURENT

Subventions gouvernementales:

Grâce aux subventions accordées par les ministères suivants, la Conférence internationale sur la situation des filles "LE TEMPS D'Y VOIR" a pu être tenue à Montréal, les 29, 30 et 31 octobre 1985.

MINISTÈRE DES AFFAIRES SOCIALES DU QUÉBEC

MINISTÈRE DES AFFAIRES CULTURELLES DU QUÉBEC

MINISTÈRE DE L'ÉDUCATION DU QUÉBEC

MINISTÈRE DE LA JUSTICE DU QUÉBEC

MINISTÈRE DES COMMUNICATIONS DU CANADA

MINISTÈRE DES RELATIONS INTERNATIONALES DU QUÉBEC

SECRÉTARIAT À LA CONDITION FÉMININE DU QUÉBEC

SECRÉTARIAT À LA JEUNESSE DU QUÉBEC

SECRÉTARIAT D'ÉTAT À OTTAWA

SECRÉTARIAT D'ÉTAT À LA JEUNESSE, OTTAWA